Y0-CBX-710

연대기적으로 정리한

성서이해

연대기적으로 정리한

성 서 이 해 (3차 증보판)

• 저　　자 우형주

1판 1쇄 인쇄일 2008년 10월 17일
1판 1쇄 발행일 2008년 10월 24일

• 발 행 처 도서출판 예루살렘
• 발 행 인 조현숙
• 등록번호 제16-75호
• 등록일자 1980. 5. 24
• 주　　소 서울 강남구 논현동 107-38 남광빌딩
• 대표전화 (02)545-0040, 546-8332, 514-5978(영업부)
• 팩　　스 (02)545-8493
• 홈페이지 www.jerusalempub.com
• E-mail jerubook@naver.com

• 기　　획 정용한
• 편　　집 김대훈
• 영　　업 오승한

값 9,000원

ISBN 978-89-7210-480-3 03230

3차 증보판

연대기적으로 정리한

성서이해

우형주 지음

예루살렘

저자소개

우 형 주 장로

1차 세계 대전이 발발한 1914년 평양의 독실한 기독교 가정에서 태어났다.

평양 광성고등학교, 연희전문학교와 일본 경도대학에서 수학한 후 1941년 평양 대동공업전문학교와 평양공업전문학교(현 김일성 대학)에서 교수생활을 하는 등 비교적 평탄한 청년시기를 보냈다. 6.25 발발 후 정든 고향을 등지고 남쪽으로 피난을 와 1952년부터 1980년까지 서울대학교 공과대학 전기공학과 교수로 재직하였으며 현재는 서울대학교 명예교수로 있다. 대한 전기공학회장을 역임하였고 우형주 학술상(전기물성분야)을 제정하여 매년 시상하고 있으며, 1993년에는 대한민국 학술원 회원이 되었다.

일찍이 향린교회에서 신앙생활을 하며 1972년 장로로 선출되었으며 현재는 예닮교회에서 신앙생활을 하고 있다.

성서를 우리나라의 역사와 맞물려 연대기적으로 이해하자는 그의 생각은 25년 전부터 시작되었다. 유대민족과 관련된 여러 역사서, 그리고 한국 고대사부터 삼국시대, 고려와 조선에 관한 자료를 섭렵하여 연구에 연구를 거듭한 결과 1998년 〈연대기적으로 정리한 성서이해〉 초판을 펴냈고, 이후 2001년 개정증보판을, 2008년인 올해에는 그동안 쌓인 지식들을 또 다시 보강하여 3차 증보판을 펴내게 되었다.

올해 95세로 결혼 70주년을 맞이하며 슬하에 5남매를 두었고 현재 손자, 손녀 및 증손을 포함하여 43명에 이른다.

3차 증보판을 펴내며

나이 85세에 책을 펴내면서 나에게 밝은 눈과 생각할 정신을 허락해주신 주님께 무한한 감사를 올렸었다. 그 감사의 마음으로 하루하루를 열심히 살아왔으니, 벌써 10년이 지나 내 나이가 95세라고 한다.

이 책은 처음에는 지극히 개인적인 호기심에서 출발하였다. 70세 생일을 맞아 아내와 함께 이스라엘 성지순례를 하면서 생각의 싹이 텄고, 그 후로도 오랫동안 구상으로만 남아 있다가 혼자서 여러 자료와 씨름한 결과물을 1998년 초판으로 펴내었다. 그 후 2001년 '노아의 족보' 와 '출애굽의 긴 여정', '천지창조와 종말' 등의 내용을 보강하여 2차 증보판을 펴낼 수 있었다.

이번 3차 증보판에는 구약성서에서 하나님께서 모세에게 내려주신 법궤의 이동경로와 법궤를 보관하는 성전의 기구한 역사를 다듬어보았다. 또 신약성서에서 예수님께서 인용하신 구약성서와 부활하신 후 제자들과의 만남을 정리하였다.

그리고 신약성서의 사도행전과 사도 바울의 서신 13편에서 사도 바울의 행적과 믿음의 동역자들의 업적을 정리하였다.

그리고 고구려 역사의 빛이라 할 수 있는 광개토왕비의 비문을 풀이하고, 최근 중국이 동북공정을 주장하며 우리역사를 왜곡하여 우리역사와 중국역사의 대비표 '우리 역사 탐방"을 작성하여 보았다.

김 창주 목사님의 "나의 성서공부"에 대한 과분한 말씀의 서평[書評]을 대한민국 학술원 통신에 원문을 기재하게 된 것을 크게 감사하는 바이다.

예닮교회의 이영자 장로님의 말씀에 대한 자세한 지도에 깊이 감사드리며 성경구절을 포함하여 내용을 검토하고 지적해준 이창건 박사와 나를 대신하여 마지막 교정과 자료 보완 등 모든 일을 맡아준 막내사위 김수현 장로의 노고를 주님께서 갚아주시기를 간구하며 이 책을 발간하는데 수고한 5남매 부부 모두에게 감사하는 바이다.

결혼 70주년을 감사하며!

서 평

(書評)

(대한민국 학술원 통신 제129호, 2004. 4. 1)

金昌周 牧師

한 평생 자연과학(전기분야)에 몸담아 연구하고 가르치신 교수님이 신학에 관한 책을 내셨습니다. 그것도 80고개 중반에 이르러서 말입니다. 올해 구순을 맞이하신 우형주 교수님은 본인이 시무하는 예닮교회의 원로장로이십니다. 일찍이 평양에서 태어나신 교수님은 신앙의 가문에서 성장하셨으니 그의 생애는 "한국기독교 초대교회사"(初代教會史)와 같다고 말할 수 있습니다. 전기공학도로 일생을 바친 우 교수께서는 과학자다운 논리와 사물을 분석하는 눈으로 성경을 해석하고 연구하였습니다.

이 책은 우 교수님의 신앙고백이면서, 한평생 즐겨 읽고 묵상하던 하나님 말씀에 대한 자기 증언입니다. A. G. Hankey가 쓴 찬송가(236장) 가사 "Tell me the old story"와 같이 "평생에 듣던 말씀"을 교회 장로인 자기의 입술로 정리하고 집대성한 책이다.

'은퇴한 후에도 건강하고 밝은 눈과 생각할 수 있는 맑은 정신과 능력을 주셨으니 어찌 그 시간들을 허송세월 할 수 있겠는가!' 이 깨달음을 얻자 여생동안 이웃과 후손들을 위해서 무엇인가 의미 있고 뜻

깊은 일을 하겠다고 결심하셨고, 믿음의 깊은 경지를 발견하신 것입니다.

신앙을 가진 한 원로가 이런 말을 남겼습니다.

"젊은 날은 사느라 바빴고, 앞뒤 돌아볼 여력 없이, 정신없이 살아왔으나 이제 나이 70(七十)이 지나고 보니 하나님(神)이 내 안에 들어왔다, 나갔다 하시더라 ....."

이 말은 "나이가 들면서 사람들은 점점 종교적이 된다는 말입니다. 젊은 날에는 무관심했으나, 나이가 들면 모르고 지나쳐온 신앙의 세계, 종교적인 영역에 귀의하게 되고, 인간의 궁극적인 관심(Ultimate Concern)과 존재의 근거가 되는 절대자를 찾게 된다."는 뜻입니다.

"현역에서 물러난 지 20여년! 2천년 이상 지켜온 하나님의 말씀을 기록한 신구약성서가 나를 반겨주며, 나에게 새로운 믿음의 길을 열어주시더라"고 우 교수님은 고백하셨습니다. 이 놀라운 발견은 자신을 그냥 앉아 세월을 허송하게 두지 않았고, 곧바로 책상으로 달려가서 제자인 사위에게, 그리고 신세대인 손자에게 컴퓨터를 배우도록 마음을 뜨겁게 달구어주었습니다. 그 결과 독수리 타법(?)으로 자판을 두드려 이 한권의 책이 세상에 나온 것입니다. 천성이 겸손하신 저자는 이 책에 대해서 "자연과학을 전공한 학자의 선입견 때문에 말씀에 대한 깊이보다 성경에 나온 사건들을 연대기적으로 정리하게 되었다"고 설명하셨습니다. 그렇기 때문에 이 책은 더욱 가치가 있습니다. 신학을 전공한 사람의 눈에는 보이지 않는 복잡한 성경의 연대를 역사적으로 나누어보고, 손꼽아 헤아리면서, 개신교 주석서뿐만 아니라 카톨릭 교회에서 나온 자료와 영문판 성경과 자료를 직접 비교하며 정확하게 저술하셨습니다. 무엇보다 먼저 이 책은 쉽게 쓰여 있기 때문에 누구나 접근하기가 좋습니다.

제1부는 '나의 성서공부' 라는 제목으로 인류의 발상지와 성서의 역사를 비교하면서 역사적 예수의 사역까지를 간단명료하게 요약하고 설명해 주었습니다. 성서에 길고 장황하게 쓰인 내용들을 한 눈에 볼 수 있도록 일목요연하게 도표(Diagram)를 만들어 설명하는 것은 이 책의 특징입니다. 알기 쉽고 보기 쉬운 도표는 성서의 전이해가 없는 이들도 쉽게 따라 읽기가 좋습니다.

제2부에서는 '주님을 묵상하며' 라는 제목으로 저자가 직접 여행한 성지순례의 여정과 지명, 성서의 지리를 사진과 함께 실었고, 후반에는 신앙 에세이를 포함한 재미있는 성서연구의 여러 주제와 연구방법들을 제시해 주셨습니다. 그리고 마지막으로는 이 책의 특징이기도 한 중요한 장입니다.

제3부의 제목은 '우리민족과 기독교' 이고 이 장에서는 저자의 신앙과 애국심' 을 읽을 수 있습니다. 고조선으로부터 조선의 말기, 1910년까지의 우리 역사를 간단히 요약해 두셨는데, 이것은 신구약성서를 공부하면서 이스라엘 민족의 성장과 수난, 구원의 역사를 정리하다가 우리 역사에 대한 지식과 민족의식이 미천한 자기 자신을 되돌아보면서 특히, 일제시대에 교육받은 저자로서 "신앙과 역사의식" 은 서로 분리될 수 없음을 깨달아 여기에 포함시킨 것입니다.

5살의 나이로 조모님의 손을 잡고 만세 부르던 대열을 따라갔던 기억을 더듬으면서 기미년 "만세 운동" 을 전하는 저자의 '3.1절 회고' 는 나라의 정체성도, 역사도 망각한 채 배은망덕한 신세대들에게 큰 도전과 깨달음을 줍니다. 뿐만 아니라, 이 장에서는 우리 민족의 역사에 개입하신 하나님의 섭리를 보여줌으로 애국적 신앙심을 고취시켜 줍니다.

이 책의 제일 마지막은 "우리나라 전기 발달의 역사"라는 토픽을 다루는 것을 보아 저자는 "역시! 한국인 - 신앙인 - 전기공학도" 임을 다시 한번 우리에게 보여줍니다.

본인은 이 책을 읽으면서 평생을 신실하게 사신 신앙인이면서 동시에 열심히 사신 한 자연 과학자를 만나게 되었습니다. 그러면서 초대교회 사도였던 바울이 노년에 남긴 말이 기억납니다. "나는 아직 내가 잡은 줄로 여기지 아니하고 오직 한 일, 즉 위에 있는 것은 잊어버리고 앞에 있는 것을 잡으려고 푯대를 향하여 그리스도 예수 안에서 하나님이 위에서 부르신 상을 위하여 좇아가노라" (빌3:13-14)

이 책은 본인의 서재에 손이 쉽게 닿는 곳에 꽂혀있습니다. 왜냐하면, 본인이 설교를 준비할 때 자주 이 책에서 연대기를 비교하고, 도표를 인용하기 때문입니다. 본인은 기쁜 마음으로 이 책을 많은 신앙인들에게, 그리고 초신자들에게 일독을 권하는 바입니다. 그의 마지막 고백을 인용하는 것으로 본인의 서평을 마칠까 합니다.

"우리 인간에게 특별히 내려주신 창조의 능력으로 하나님께서 숨겨놓으신 새로운 에너지를 찾아내어 앞으로 보다 나은 생활환경을 조성하고, 겸손한 마음으로 깨끗하게 관리하는데 최선을 다하여야 되겠다."

목 차

제2부 주님을 묵상하며

제3부 우리민족과 기독교

성경전서 약어표

구약전서 39편

[창] 창세기
[출] 출애굽기
[레] 레위기
[민] 민수기
[신] 신명기
[수] 여호수아
[삿] 사사기
[룻] 룻기
[삼상] 사무엘상
[삼하] 사무엘하
[왕상] 열왕기상
[왕하] 열왕기하
[대상] 역대기상
[대하] 역대기하
[스] 에스라
[느] 느헤미야
[에] 에스더
[욥] 욥기
[시] 시편
[잠] 잠언
[전] 전도서
[아] 아가
[사] 이사야
[렘] 예레미야
[애] 예레미야애가
[겔] 에스겔
[단] 다니엘
[호] 호세아
[욜] 요엘
[암] 아모스
[옵] 오바댜
[욘] 요나
[미] 미가
[나] 나훔
[합] 하박국
[습] 스바냐
[학] 학개
[슥] 스가랴
[말] 말라기

신약전서 27편

[마] 마태복음
[막] 마가복음
[눅] 누가복음
[요] 요한복음
[행] 사도행전
[롬] 로마서
[고전] 고린도전서
[고후] 고린도후서
[갈] 갈라디아서
[엡] 에베소서
[빌] 빌립보서
[골] 골로새서
[살전] 데살로니가전서
[살후] 데살로니가후서
[딤전] 디모데전서
[딤후] 디모데후서
[딛] 디도서
[몬] 빌레몬서
[히] 히브리서
[약] 야고보서
[벧전] 베드로전서
[벧후] 베드로후서
[요일] 요한일서
[요이] 요한이서
[요삼] 요한삼서
[유] 유다서
[계] 요한계시록

제 1 부

나의 성서공부

제1장

문명의 발상과 이스라엘 민족

지구상의 고대 문명은 인류가 수렵과 유목의 방랑 생활에서 큰 강변에서의 농경사회로 정착하며(BC8000-5000) 형성되었다고 본다. 그 대표적인 장소가 중국의 황하 유역, 인도의 갠지스강과 인더스강 유역(현재의 인도북부 지역), 유프라테스강과 티그리스강 사이의 메소포타미아 지역(현재 이라크), 그리고 애굽의 나일강 유역 등의 4 곳으로 이들 문화권 사이의 교류는 실크로드 등을 통해 오래 전부터 이루어지고 있었다.

특히 현재의 이스라엘인 가나안 땅(또는 팔레스타인)은 이집트 문화와 메소포타미아 문화의 교류 요충지였다. 그래서 이곳은 전쟁의 중심지가 되기도 하였으며 외세의 침략으로 많은 고난을 겪기도 하였다. 따라서 이스라엘 민족은 이러한 고난을 극복하기 위하여 유일신인 "하나님"을 섬기며, 자기들은 하나님께서 특별히 선택해주신 민족(신7:6)으로 굳게 믿으며 단결하는 독특한 민족성과 종교를 가지게 되었다.

제2장

이스라엘의 지형

오늘의 이스라엘 지역은 서편의 지중해, 북편의 레바논, 동편의 시리아와 요르단이 접해 있으며 남쪽은 네겝사막과 연결된 시나이 반도를 건너 애굽과 접해 있다. 그리고 이스라엘 중심지역의 넓이는 북측의 헤르몬산(2,200m)에서 남측의 사해까지 약 250Km, 서쪽의 지중해에서 동쪽 요단강까지 동서 약 75Km의 약 2만Km^2 (경상남북도 크기)이며, 이 지역에 주님의 행적과 구약성서의 여러 곳이 포함되어 있다.

지형은 지중해연안의 비옥한 평원과 그 동부에 해발 800 m 높이의 구릉지대가 남북으로 연해있고, 그 동쪽에는 해면보다 낮은 요단강계곡이 갈릴리호수(해저 200m)에서 사해(해저 400m)에 이르고 있다(성지 순례 지도 참조).

기후는 아열대성 건조지대로 전체적으로 비가 매우 적은 편인데, 예루살렘 남쪽의 네겝지역은 석회암의 반사막의 광야로 동굴이 많이 있다. 이 민족은 고대부터 돌로 성과 성전 및 주택을 구축하여 신구약시대의 유적들이 그대로 보존되어 있다. 따라서 예수님이 남기신 그 흔적을 오늘 현재에도 몸으로 직접 느낄 수 있다.

제3장

이스라엘 민족의 정착

4,000년 전 믿음의 조상 아브라함이 하나님의 계시를 받고 메소포타미아 지역 하란에서 가나안 땅으로 입주한 후(창12장, 그림1 참조), 그 후손이 가나안에 정착한지 약 2,000년 후 로마정부가 이스라엘을 지배할 때(BC63-AD395), 예수께서 탄생하여 새로운 역사가 이루어지게 되었다.

그런데 주후 70년과 135년의 두 번에 걸친 이스라엘 민족의 로마정부에 대한 독립투쟁에서 패배한 이후 이 민족은 약 2,000년간의 조국 없는 방랑생활 끝에 1948년 영국통치로부터 독립하게 되었다. 독립을 전후하여 세계 각처에서 귀국하여 정착한 이 민족은 이곳에서 오랫동안 거주하던 아랍인들과의 영토문제로 전쟁을 계속하며(1949년, 1956년, 1967년의 6일 전쟁, 1973년) 이들과의 공존을 위하여 노력하고 있다.

조국에 돌아온 이스라엘 민족은 건조지대인 불모의 광야를 갈릴리 호수와 요단강 물 그리고 지하수를 이용하여 젖과 꿀이 흐르는 땅으로 개척하며, 세계 각처에 정착한 동족들과 협력하면서 자신들의 민족성을 과시하고 있다. 특히 이들은 조상의 전통을 전승하는 절대적인 관습으로 2,000년 이상의 조국 없는 방랑생활 속에서도, 유대교의 종교적 전통과 민족적 혈통을 지키면서 오늘의 세계를 움직이는 큰 몫을 담당하고 있다.

제4장

성서 연대표

교회에서 매일 성서 읽기에 동참하여 신구약성서를 여러 번 봉독하였으나, 구약 39편에 대한 역사적 흐름을 파악할 수 없어 죄송한 마음 금할 길이 없었다. 그러던 중 평화신문(1993. 1. 25)의 하나님, 하느님에 대한 역사적 배경의 기사를 읽고, 이스라엘 민족사와 구약성서와의 관계를 연대별로 정리하여 별표와 같은 "성서 연대표"를 만들어 보니 성서 공부에 큰 도움이 되었다.

즉 구약성서 39편 중 역사서 13편(모세 5경, 여호수아, 사사기, 사무엘상하, 열왕기상하, 역대기상하)을 연대별로 나열하고 이에 해당하는 성서 구절을 삽입한 후, 22명의 선지자(욥, 사무엘, 엘리야, 엘리사, 요나, 아모스, 호세아, 이사야, 미가, 스바냐, 예레미야, 나훔, 하박국, 다니엘, 에스겔, 요엘, 오바댜, 에스라, 학개, 스가랴, 느헤미야, 말라기)를 그들의 활동 시기와 장소에 따라 각각 분류하였다. 그리고 성서 연대표의 좌편에 아랍민족에서의 이슬람교의 발생과 분파과정을 기입하였다.

신약시대에서는 예수의 탄생과 전도와 수난과 부활 그리고 그리스도교의 탄생과, 사도 바울에 의한 땅 끝까지의 전파와 핍박과 교회의 분파 과정을 정리하였다. 그리고 이스라엘 민족의 수난사를 간단한

별표로 정리하였다.

한편 우리나라 역사 연대를 성서 연대표 우측에 기입하여 우리민족과 기독교와의 관계를 대비해 보도록 하였다. 그러나 각종 문헌에 따라 성서 연대에 차이가 있어 성서 연대의 비교표를 부록에 삽입하여 참고하도록 하였다. 본 "성서 연대표" 에서는 성서시대사(聖書時代史. 참고문헌 7)의 것을 채택하였다.

성서연대표
(이스라엘 민족사를 중심으로)

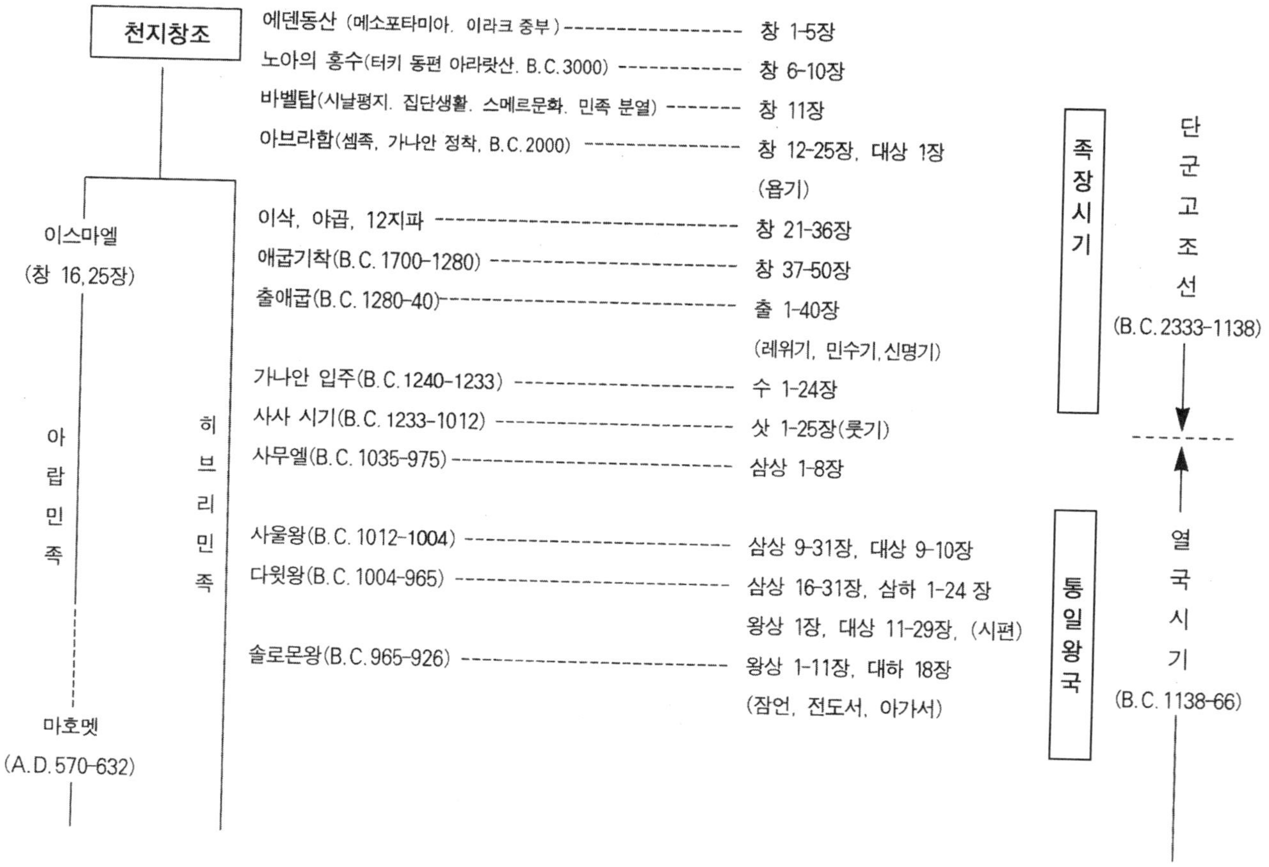

천지창조

에덴동산 (메소포타미아. 이라크 중부)	창 1-5장
노아의 홍수(터키 동편 아라랏산. B.C.3000)	창 6-10장
바벨탑(시날평지. 집단생활. 스메르문화. 민족 분열)	창 11장
아브라함(셈족, 가나안 정착, B.C.2000)	창 12-25장, 대상 1장 (욥기)
이삭, 야곱, 12지파	창 21-36장
애굽기착(B.C. 1700-1280)	창 37-50장
출애굽(B.C. 1280-40)	출 1-40장 (레위기, 민수기, 신명기)
가나안 입주(B.C.1240-1233)	수 1-24장
사사 시기(B.C. 1233-1012)	삿 1-25장(룻기)
사무엘(B.C. 1035-975)	삼상 1-8장
사울왕(B.C. 1012-1004)	삼상 9-31장, 대상 9-10장
다윗왕(B.C. 1004-965)	삼상 16-31장, 삼하 1-24 장 왕상 1장, 대상 11-29장, (시편)
솔로몬왕(B.C. 965-926)	왕상 1-11장, 대하 18장 (잠언, 전도서, 아가서)

족장시기 / 통일왕국

히브리민족

이스마엘 (창 16,25장) — 아랍민족 — 마호멧 (A.D. 570-632)

단군고조선 (B.C. 2333-1138)

열국시기 (B.C. 1138-66)

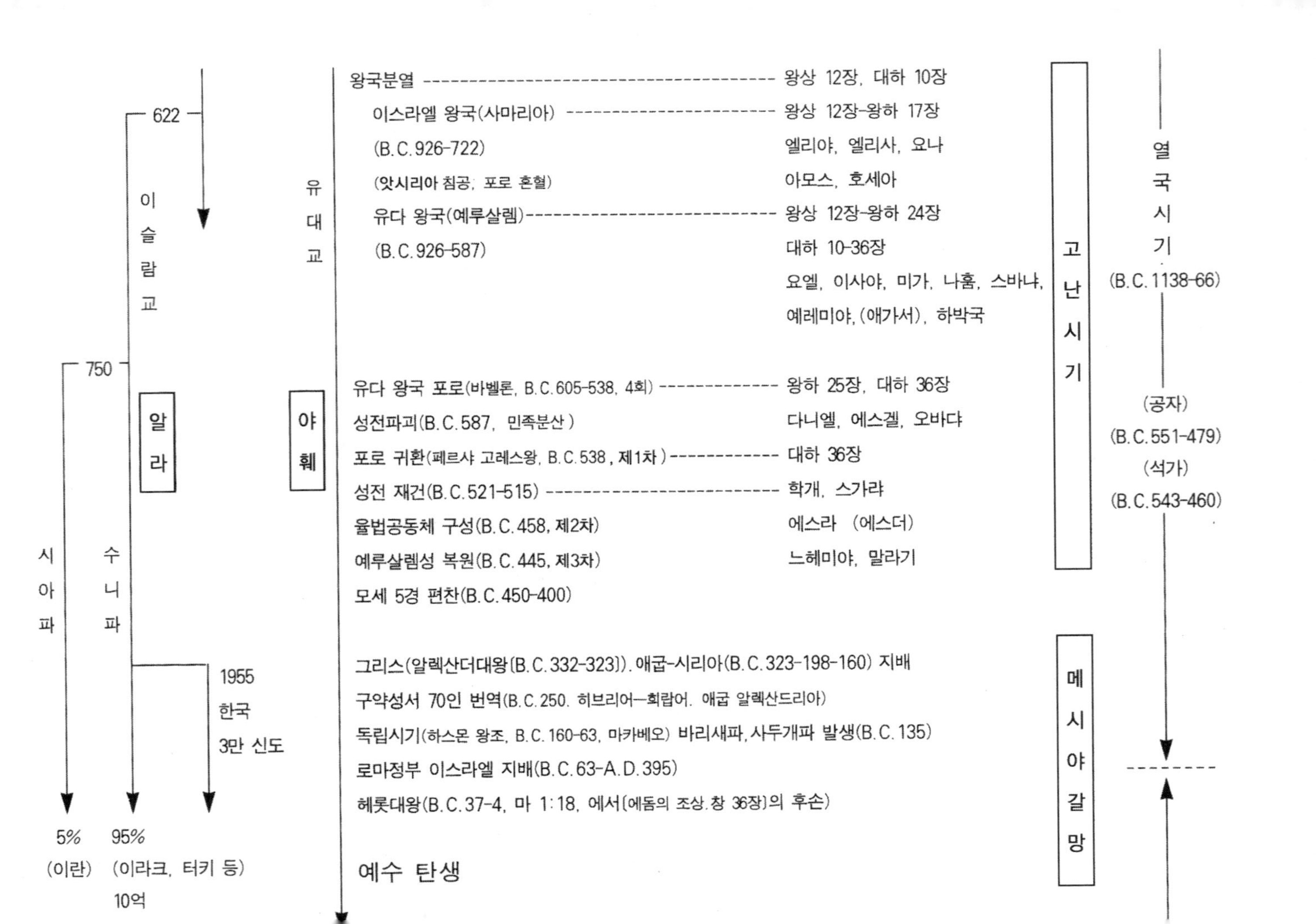

왕국분열
왕상 12장, 대하 10장
이스라엘 왕국(사마리아)
왕상 12장-왕하 17장
(B.C.926-722)
엘리야, 엘리사, 요나
(앗시리아 침공; 포로 혼혈)
아모스, 호세아
유다 왕국(예루살렘)
왕상 12장-왕하 24장
(B.C.926-587)
대하 10-36장
요엘, 이사야, 미가, 나훔, 스바냐,
예레미야, (애가서), 하박국
유다 왕국 포로(바벨론, B.C.605-538, 4회)
왕하 25장, 대하 36장
성전파괴(B.C.587, 민족분산)
다니엘, 에스겔, 오바댜
포로 귀환(페르샤 고레스왕, B.C.538, 제1차)
대하 36장
성전 재건(B.C.521-515)
학개, 스가랴
율법공동체 구성(B.C.458, 제2차)
에스라 (에스더)
예루살렘성 복원(B.C.445, 제3차)
느헤미야, 말라기
모세 5경 편찬(B.C.450-400)
그리스(알렉산더대왕(B.C.332-323)). 애굽-시리아(B.C.323-198-160) 지배
구약성서 70인 번역(B.C.250. 히브리어→희랍어. 애굽 알렉산드리아)
독립시기(하스몬 왕조, B.C.160-63, 마카베오) 바리새파, 사두개파 발생(B.C.135)
로마정부 이스라엘 지배(B.C.63-A.D.395)
헤롯대왕(B.C.37-4, 마 1:18, 에서(에돔의 조상. 창 36장)의 후손)
예수 탄생
고난시기
메시야 갈망
열국시기
(B.C.1138-66)
(공자)
(B.C.551-479)
(석가)
(B.C.543-460)
유대교
야훼
이슬람교
622
750
알라
수니파
시아파
1955
한국
3만 신도
5%
(이란)
95%
(이라크, 터키 등)
10억

참고: 이스라엘 수난사
396-638: 동로마 지배(비잔틴 시기)
638-1072: 아랍(이슬람교)
1072-1099: 터키 지배
1099-1291: 십자군
1291-1517: 이집트 지배
1517-1917: 오스만 터키
(예루살렘성 축성. 1540)
1882: 유대인 정착촌 시작
1897: 시오니즘 시작
1917-1948: 영국 통치
1948: 독립(49,56,67,73년 전쟁 후 영토 확대)
1964: P.L.O 발생

1994년 현재
1400만 중 유대교 80%
이스라엘 거주 530만명.
그리스도교 2.7%

유대교

A.D.

0	예수 탄생(눅 2, B.C.4 ?)
30	예수의 사랑 선포와 구원 전도(눅 3:24, 4-21)
33	십자가, 부활, 승천, 강림, 그리스도교 탄생(눅 22-24, 행 2장)
35-56	바울의 회개(행 9:1-19), 이방 전도 3회(행 13-21)
61-66	바울의 로마 전도(행 27-28, 순교:67)
64	네로의 로마 방화, 그리스도교 박해, 베드로 순교(66)
66	예수의 행적 기록 시작(복음서. 재림을 기다리며(66-100))
66-70	제1차 독립전쟁, 성전 파괴(마 24:1), 맛사다 항쟁(70-73)
90	구약성서 39편 채택(얌니아 종교회의. 유대교학자 모임)
132-135	제2차 독립전쟁. 완전 추방(1948년까지 방랑(디아스포라))
301	아르메니아 그리스도교 국가 선포
313	로마 그리스도교 공인(희랍어 성서 라틴어 번역)
325	유대교 이단 선포(안식일(토요일)을 일요일로 제정)
330	로마정부 비잔틴(콘스탄티노플) 천도(동로마)
392	로마정부 그리스도교 국교 선포
397	신약성서 27편 채택(칼타고 종교회의)
638	이슬람교 예루살렘 점령(현재까지)
1054	로마 교회 동서 분열(395년 분열 시작)

3국시기
(B.C.56-A.D.676)

통일신라
(676-918)

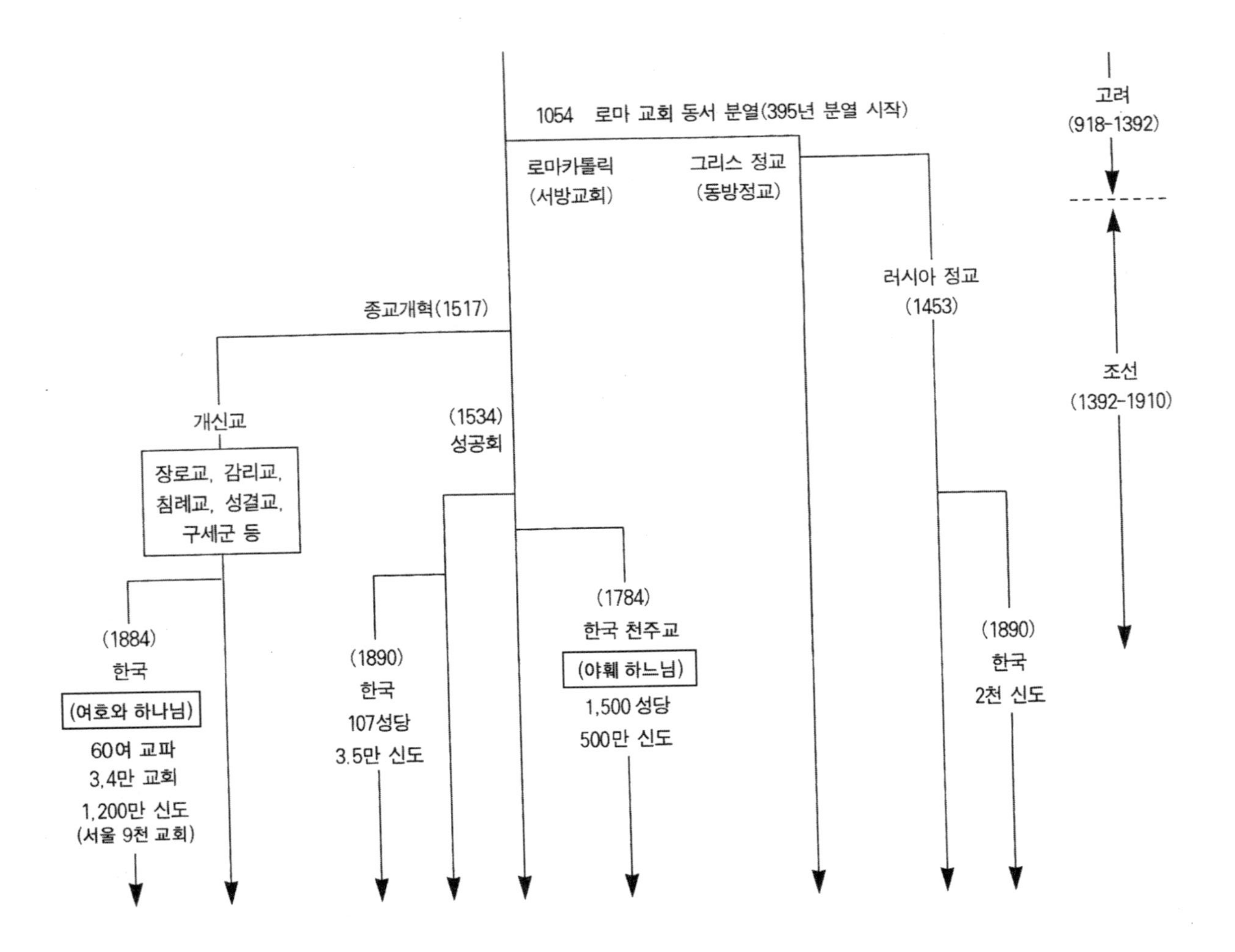

1054 로마 교회 동서 분열(395년 분열 시작)
고려
(918-1392)
로마카톨릭
(서방교회)
그리스 정교
(동방정교)
러시아 정교
(1453)
종교개혁(1517)
조선
(1392-1910)
개신교
장로교, 감리교,
침례교, 성결교,
구세군 등
(1534)
성공회
(1784)
한국 천주교
(야훼 하느님)
1,500 성당
500만 신도
(1890)
한국
2천 신도
(1884)
한국
(여호와 하나님)
60여 교파
3,4만 교회
1,200만 신도
(서울 9천 교회)
(1890)
한국
107성당
3.5만 신도

제5장

성서 연대표 해설

"성서 연대표"의 해설을 구약 편과 신약 편으로 나누고 항목별로, 시대적 배경에 중점을 두어 풀이하며 성서 구절을 삽입하여 이해에 도움이 되도록 하였다. 장님 코끼리 만지기 식의 사고방식이 성서공부에 방해가 되지 않기를 바라는 마음 간절하다.

A. 구약 편

1. 에덴동산 (창 1-5장)

하나님께서 천지 만물을 5일 동안에 창조하신 후 이들을 일정한 법칙 하에 운영되게 하신 다음, 제 6일째 되는 마지막 날(토요일) 저녁 당신의 모습대로 아담을 지으시고 그의 배필 이브를 만들어 주셨다(창 1장). 그리고 각종 동물의 이름을 짓게 하신 다음(창 2:20) "모든 것이 참 좋았다"고 만족하시며 다음 날 제7일은 쉬시었다(창 2:2 안식일).

그리고 에덴동산을 장만하시어 아담과 이브를 살게 하시며(창 2:8), 우주 만물의 자연환경을 잘 보존하고 아름답게 관리하도록 위임 하셨다(창 1:28). 이때 특별히 인간에게 창조의 지혜를 내려주시어 하나님께서 숨겨놓으신 것을 찾게 하여 문화생활을 하게 하므로 오늘의 과학발전을 이룩하게 하셨다. 그리고 화목과 사랑을 위한 웃음의 능력과 만물의 관리상황을 보고하도록 말(기도)할 수 있는 능력을 더해 주셨다.

그런데 하나님께서 인간을 지으실 때 특별히 입을 하나만 만드신 것은 욕심을 적게 갖고, 일구이언(一口二言) 하지 말라고 하신 것으로 생각된다.

아담과 이브는 죽음이 없는(창 3:22) 에덴의 행복한 삶의 터전에서, 뱀의 유혹에 빠져 하나님과 같이 되려는 교만과 욕심으로(창 3:1), 선악과를 따먹음으로 하나님의 명령에 배반하는 원죄를 지어 죽음의 세상으로 추방당하였다(롬 5:12). 그 후 에덴동산 밖에서 땀 흘려 일하며 가인과 아벨을 낳았는데, 가인(농부)이 동생 아벨(목자)을 죽이는 인류 최초의 살인으로(창 4:1-8) 쓰라린 마음의 상처를 받았다. 그러나 하나님의 돌보심으로 다른 아들인 셋을 낳았는데 셋은 노아와 아브라함의 조상이 되었으며(창 4:25), 한편 아담의 10대 후손인 노아까지 평균 900세까지 장수하는 특혜를 누리게 해 주셨다(창 5장).

2. 노아의 홍수 (창 6-10장)

아담의 10대 후손인 노아 시대(창 6장, BC3000)에 이르러 세상이 죄악으로 가득한 것을 벌하시기 위하여(창 6:5), 하나님께서 40일 간 큰 홍수를 내리시어 깨끗한 세상을 만드신 일이 있다(창 7:17). 이때 하나님의 신임을 받은 노아는 500세 때 출생한 세 아들(셈, 함, 야벳. 창 5:32)과, 하나님이 지시한대로 방주를 건조한 후(창 6:13) 노아가 600세 되는 해의 2월17일, 가족 8명과 각종 동물 두 쌍 또는 일곱 쌍씩을 방주에 오르게 함과 동시에 홍수가 시작되었다(창 7:6-16). 이 홍수로 인한 150일 간의 물바다로 세상이 깨끗해진 후(창 7:24) 601세가 되는 해의 2월27일 방주에서 나오게 하므로(창 8:14) 홍수의 심판을 면

하게 해주셨다.

그런데 노아의 방주에 대한 잔해가 현재의 터키 동쪽 아라랏산(창 8:4, 5,144m)의 빙하 속에 묻혀있다는 말이 있다(그림1 참조). 그때 하나님께서 설계하여주신 노아의 방주를(창 6:15, 길이 300큐빗[137m], 너비 50큐빗[23m], 높이 30큐빗[14m]. [1cubit=45.6cm] 약 2만 톤급 3층 목조의 배), 절대적인 믿음 속에서 노아의 가족들이 직접 잣나무로 약 100년 동안에 걸쳐 건조한 것으로 생각된다(창 6:22). 이 방주는 어떠한 풍파에서도 가장 안전한 구조로 현대 조선공학의 기본이 되고 있다.

홍수 후 노아는 하나님으로부터 자손이 번창하라는 축복(창 9:1)과, 다시는 홍수로 땅을 멸하지 않으리라는 무지개의 계약을 받은 후(창 9:12), 농사를 지으며 살다 950세에 사망하였다(창 9:29).

그런데 지구를 창조하실 때 지상의 모든 생물을 보호하기 위하여 장만해 놓으신, 오늘의 오존층(?)이 40일간의 대홍수로 감소됨과 동시에 육식의 시작으로(창 9:3), 인간의 생명이 홍수 이전의 900세에서, 점차 감소하여 200세 이하로 단축되며(창 11:10-26), 120세로 제한 받게 되었다(창 6:3).

노아의 세 아들인 셈, 함 , 야벳이 모든 민족의 조상이 되는데 셈은 아브라함과 아시아 민족의 조상, 함은 아프리카와 가나안 민족의 조상 그리고 야벳은 구라파 민족의 조상이 되었다(창 10:7, 15, 노아의 족보 참조).

3. 바벨탑 (창 11장)

메소포타미아의 유프라테스강 하류의 시날 평지(창 10:25, 11:2)에 셈의 후손들이 모여 집단생활을 하며 큰 도시 바벨을 형성한 바 있다.

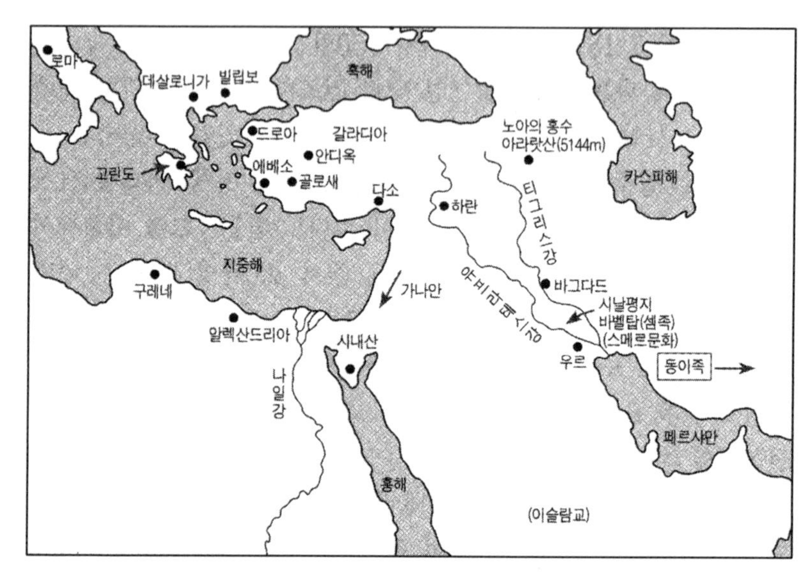

그림 1. 성서의 지도

이들은 같은 언어를 사용하며 역청(아스팔트)을 이용하여 벽돌 만드는 기술 등을 개발한 후, 큰 건물의 도시를 형성하면서(창 11:3) 하늘에 오르는 탑을 쌓아 올리는 공사를 진행하였다(창 11:4. BC2500, 고대의 스메르 문화 창건. 그림1 참조).

하나님께서는 이들의 집단적인 기술개발을 기초로 한 오만한 행동을 막기 위하여(창 11:6), 이들의 언어를 여러 갈래로 분산시켜 행동통일을 못하게 하므로, 바벨탑의 건설 공사는 중단되고 이 민족은 여러 종족으로 분산하게 되었다(창 11:9). 이곳에는 그 때의 탑 등의 유물이 그대로 남아있다고 한다.

4. 아브라함 (창 11-36장)

바벨탑 사건으로 분산된 민족 중의 한 부족인 아담의 19대 손(아브라함의 부친) 데라(창 11:10)는, 유프라테스강 하류지역인 갈대아 우르(현재의 이라크 동편)에서 유프라테스강 상류의 하란(터키 동편)에 정착하며(창 11:28) 다른 신(月神?)을 섬기며 오래 살았다(수 24:2, 15). 이때 하나님을 섬기는 믿음으로 선택받은(히 11:8) 75세의 아브라함이 이곳을 떠나라는 하나님의 계시를 받고, 145세 된 부친 데라와 동생 나홀을 하란에 남기고(창 11:26) 아내 사라와, 동생 하란의 아들 롯과 하란에서 모은 전 재산인 가축과 하인들을 거느리고, 하나님께서 지시한 미지의 땅 가나안을 향해 출발하였다(창 12:1-5, 그림1 참조).

약 1,500 km 에 달하는 긴 여행 끝에 가나안 땅에 도착한 아브라함은, 사마리아 지역의 세겜과 벧엘에서 하나님께 감사의 예배를 올리었다(창 12:8). 그런데 이곳에 흉년이 들어 애굽에 갔다가(창 12:10) 돌아온 후 예루살렘 남쪽의 헤브론에 있을 때(창 13:18) 하나님께서 아브라함의 후손들을 애굽에서 약 400년간 노예생활을 시킨 후에 가나안 땅을 그들에게 주기로 아브라함과 약속하였다(창 15:13-16).

아브라함은 이 곳에서 두 아들 이스마엘(창 16장)과 이삭(창 21장)을 낳았는데, 이스마엘은 아랍민족의 조상이 되고 이삭은 히브리인(유다 민족)의 조상이 되었다.

한편 롯은 분가하여 사해 남쪽 요르단 분지의 소돔 지역에 생활 터전을 구축하였다(창 13:10). 그런데 이 지역에 의인 10명이 없어(창 18:32) 유황불을 내릴 때, 롯의 아내가 소금기둥이 된 후(창 19:26) 두 딸에서 각각 아들이 출생하였는데, 이들이 사해 동부의 모압족과 갈릴리 호수 동편의 암몬족의 조상이 되었다(창 19:30).

아브라함은 그 후 브엘세바에 우물을 파고(창 21:30) 정착하여 살았으며(창 22:19, BC2000) 100세에 낳은 아들 이삭을(창 21:5), 약 90 Km 북쪽 예루살렘의 모리아산(현재의 이슬람교 황금사원 속의 큰 바위)

에서 바치라는, 하나님의 명령에 절대 복종함으로 '믿음의 조상' 이 되는 큰 축복을 받았다(창 22:1-18). 그 후 아브라함은 브엘세바에서 75년을 더 살며 많은 업적을 남기고 175세에 천수를 마친 후, 부인 사라가 잠든 헤브론의 가족묘지에 안장되었다(창 25-27장).

한편 이삭은 조상의 고향 나홀의 성(창 24:10) 하란(창 11:31)에 사는 외사촌 리브가를 아내로 맞이하여(창 24장) 아들 쌍둥이 에서와 야곱을 낳았다(창 25:24). 그런데 에서는 사해 남서부 지역에 정착하면서 에돔 민족의 조상이 되었으며(창36장) 예수님 탄생 때의 헤롯대왕은(마 2:1) 에돔 민족의 후손이 된다.

야곱(빼앗는 자)은 그 이름과 같이 형 에서로부터 장자의 권리를 빼앗은 후(창 25:39), 하란으로 도망가서 외삼촌 라반의 사위가 되었다(창 29장). 야곱은 외삼촌 집에서 20년 동안 일하며 많은 재산을 형성하고, 12 아들을 낳았는데(창 35:23) 이들이 이스라엘 민족 12 지파(르우벤. 시몬. 레위. 유다. 단. 납달리. 갓. 아셀. 잇사갈. 스블론. 요셉. 베냐민. 주님의 족보 참조)의 조상이 되었다. (레위와 요셉은 12 지파에서 제외되고 요셉의 두 아들인 므낫세와 에브라임이 12 지파에 속한다.)

한편 야곱이 온 가족을 이끌고 하란에서 돌아올 때 요단강의 지류인 얍복강 나루터에서 하나님과 겨루어 이기므로 이스라엘(하나님과 겨뤘다) 이라는 이름과 큰 축복을 받았다(창 32:23).

아브라함의 행적 (창 11-26장)

바벨탑사건(창 11:2-9) 후 아브라함의 부친 데라가 시날 지방에서 갈대아 우르 지역을 거쳐 하란에 정착하며(창 11:26-32) 이방신을 섬겼다(수 24:2). 하나님께서 아브라함과 사라를 선택하여(창 11:29) 가나안 땅으로 이주시킬 때 조카 롯을 동반하였다(창 12: 1-5). 특히 아브라함이 가나안 땅 헤브론에 정착했을 때(창 13:18) 하나님께서 약 300년 후 후손을 애굽 땅에 보내(창 37:28) 약 400년간 단련시켜 강인한 민족으로 성장시킬 것을 약속하셨다(창 15:13-16).

출 생	하 란	가나안행	네 겝	롯 분가	헤 브 론	이스마엘	할 례
(창11:26)	(창11:31)	(창12:1)	(창12:9)	(창13:10)	(창15:7)	(창16장)	(창17:10)
(우르)	(정착)	(75세)	(애굽 왕복)	(소금기둥)	(애굽 단련 약속)	(86세)	(99세)
(정착)	(이방신 섬김)	(야훼 선택)	(창12:10)	(모압, 암몬)	(창15:13)	(하갈)	(이삭 약속)
(창11:28)	(수24:2)			(창14,18,19장)		(창21:14)	(창17:15)

이삭 출생	브엘세바	이삭 번제	사라 사망	이삭 결혼	재 혼	손자 출생	사 망
(창21:2)	(창21:22)	(창22:1-19)	(창23:1)	(리브가)	(창25:1)	(에서,야곱)	(창25:7)
(100세)	(정착,우물)	(120세?)	(137세)	(140세)	(143세?)	(160세)	(175세)
(사라90세)	(창21:31)	(모리아산)	(사라127세)	(창24장)	(아들 6명)	(창25:19)	(헤브론 묘지)
		(믿음의 조상)	(헤브론 묘지)		(동쪽으로 추방)		

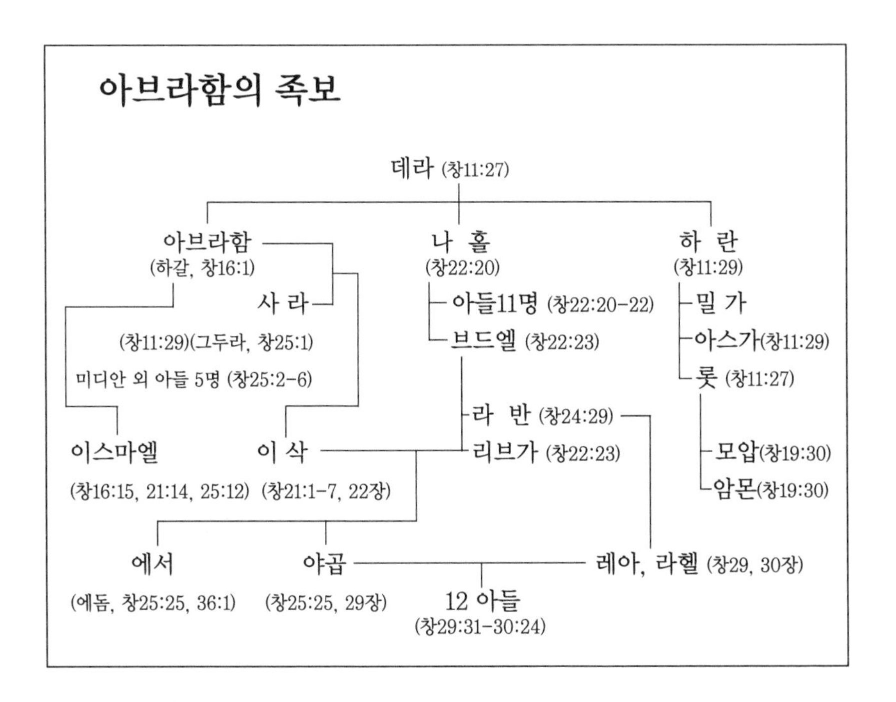

5. 애굽 기착 (창 37장-출 3장)

아브라함의 손자 야곱의 12 아들 중 11번째의 아들 요셉이 형들에 의하여, 17세 때(출 37:2) 애굽에 노예로 팔려갔지만 하나님께서 그와 함께 하심으로 30세에 애굽의 총리가 되었다(출 41:40). 이때 가나안 지방에 큰 가뭄이 들어 야곱의 온 가족과 이에 따른 족속들이 요셉을 의지하여 애굽의 나일강 하류 고센 지역으로 이주하였다(창 46장). 야곱은 이곳에서 17년을 더 살다 12 아들에게 유언을 남기고 147세의 천수를 다 하였다(창 48-50장).

그 후 이들의 후손이 애굽에서 약 430년(출 12:40, BC1700-1280)을 살며 이스라엘 민족이 크게 불어났다(출 1:7). 이에 당황한 애굽 왕은 이스라엘 민족을 노예로 취급하며(출 1:8-14), 이 민족의 말살을 위하여 새로 출생하는 남자아이를 죽이라는 명령을 내렸다(출 1:16). 이때 레위지파의 어린 모세는 죽음을 피함과 동시에 애굽 공주의 양자가 되어 40년간 성장한 후(출 2:9), 히브리 사람을 도와주다가(출 2:11) 시나이 반도 시내산 동편 미디안 땅으로 망명하여, 제사장 이드로의 사위가 되어 40년을 지내며 두 아들(게르솜, 엘리에셀)을 낳았다(출 2:11, 18:3).

모세가 80세 되었을 때(BC1280) 시나이 반도의 호렙산(하나님의 산)에서 "너의 민족을 구출하라"는 하나님의 계시를 받고 출애굽의 지도자가 되었다(출 3장).

6. 출애굽 (출 4-40장)

하나님의 계시를 받은 모세는 자기 형 아론과 함께 애굽 왕 파라오(람세스 2세. BC1290-1224)를 만나 열 가지 이적으로 왕을 굴복시킨 후(출 7-12장), 이스라엘 민족을 이끌고 약속의 땅(창 12:1) 가나안을 향해 아빕(정)월 14일(BC1280, 춘분 때) 애굽 땅을 출발하여 출애굽의 대역사가 시작되었다(출 12:37, 그림3 참조).

애굽에 내린 열 가지 재앙

1. 나일강물이 피가 됨(출 7:20)
2. 개구리 소동(출 8:2)
3. 이의 출현(출 8:16)
4. 파리의 습격(출 8:21)
5. 가축의 죽음(출 9:3)
6. 피부병의 전염(출 9:8)
7. 우박(출 9:22)
8. 메뚜기 소동(출 10:4)
9. 암흑 세계(출 10:21)
10. 장자의 죽음(출 12:29)

그런데 이스라엘 민족은 이 해방의 날을 과월절 또는 유월절(過[逾]越節, 출 12:1)로, 그리고 애굽 땅을 떠나올 때 시간이 촉박하여 누룩 없는 빵을 구워먹게 된 일주일간을 무교절(無酵節, 아빕월 15-21일)로 지키고 있다(출 12:15).

애굽 군대의 추격을 홍해 바다를 가르는 기적(출 14:21)으로 물리치고, 장정만 60만이 넘는(민 1:46) 대 민족(200만 명 이상)이 시나이 반도를 횡단하여 가나안으로 향하여 전진할 때, 하나님께서 낮에는 구름기둥 밤에는 불기둥으로 인도해주시며(출 13:20, 신 1:33), 동시에 식량으로 만나와 메추라기(출 12:37)를 내려주셨다.

이 출애굽의 과정에서 하나님께서는 시내산에서 모세를 통하여 이스라엘 민족의 질서를 바로 세우기 위한 십계명과(출 20장), 여러 가지 법 절차(레위기)를 가르쳐 주심으로 법치민족의 기틀을 확립시켰다. 그리고 모세는 애굽의 노예 근성에 젖은 기성세대를 제거하고 참신한 세대를 가나안에 입주시키기 위하여, 40년간(BC1280-1240)의 시련을 통하여 세대교체를 단행하였다(수 5:6, 제7장 출애굽의 경로 참조).

이스라엘 민족이 가나안에 입주하였을 때 애굽에서의 해방과 40년간의 인도하심을 기억하고 감사하는, 3대 축제(과월절과 무교절 - 민 28:16, 오순절 - 민 28:26, 초막절 - 레 3:24)를 지키도록 지시하셨다. 이 축제는 예수님 당시(마 26:17, 유월절 식사[최후의 만찬])는 물론 현재까지도 지키고 있다(성서의 절기 참조).

하나님께서는 모세의 40년간에 걸친 길고도 험한 출애굽의 여정을, 요단강 동편 모압땅 느보산에서 여리고와 가나안 땅을 바라보게 하신 후 120세로 끝맺게 하셨다(신 34장). 그리고 후계자로 요셉 지파인 눈의 아들 여호수아를 선택하여(수 1:2), 이스라엘 민족의 12 지파를 가나안으로 입주시킴으로 40년간의 출애굽의 대역사를 마무리하였다(수 11:23).

7. 가나안 입주와 사사시대 (수 1-24장, 삿 1-21장)

여호수아는 이스라엘 민족을 요단강 물을 막는 이적(수 3:16)으로 강을 건너게 한 후, 출애굽에 성공함을 감사하는 첫 유월절을 지키었다(수 5:10). 그리고 지구상에서 가장 오랜 도시(BC8000년경부터) 여리고 성을 하나님의 기적으로 점령한 다음(수 6장, BC 1240), 계속하여 가나안 땅의 여러 성들을 약 7년에 걸쳐(수 14:7-10) 정복한 후, 각 지역을 12 지파에게 각각 분배해주었다(수 13-22장). 그리고 모세의 계통인 레위 지파는 하나님을 섬기는 일만을 맡도록 하였는데(민 3장) 그 일은 지금까지 계속되고 있다.

그리고 눈의 아들 여호수아는 온 지파를 세겜으로 소집한 다음 하나님께 감사한 후, 온 백성이 하나님만 섬길 것을 맹세하도록 한 다음(수 24장) 더 살다 110세로 세상을 떠났다(수 24:29).

한편 이스라엘 민족이 430년간의 애굽 거주와 40년간의 출애굽의 대 역사를 이룩할 때, 가나안 땅에는 이미 노아의 아들 함의 후손 가나안 족속이 농경생활을 하며 농사의 신 바알을 섬기며 정착하고 있었다(창 15:19, 노아의 족보 참조). 따라서 하나님께서는 이스라엘 민족이 가나안에 정착하여 농경생활로 전환하면서, 바알 신에 빠질 것을 예측하시고 원주민을 완전 소탕하도록 지시하였다(출 23:23).

그런데 이들이 가나안에 정착하면서 원주민과 교류하며 이방신 바알에 빠지는 것을 책망하시고 원수의 손에 넘기곤 하셨다(삿 2:11). 그러나 이들이 고생하며 회개하고 하나님을 찾을 때(삿 3:7) 각 지파 중에서 보다 강력한 지도자(사사 또는 판관) 13명을 선출하여 약 200년(BC1233-1012)에 걸쳐, 블레셋 등 원주민들과 싸우며 자기들이 분배받은 영토를 확장해나갔다.

(사사의 성명 : 옷니엘. 에훗. 삼갈. 드보라와 바락. 기드온. 돌리. 야일. 입다. 입산. 엘론. 압돈. 삼손. 사무엘).

한편 오늘의 가자 지역은 그 옛날의 블레셋 지방으로 아브라함이 브엘세바에 정착할 때 무척 괴롭히곤 하였다(창 10:14, 21:32). 그 후 BC1170경 지중해를 누비던 해적단이 애굽군(람세스3세 BC1180-1153)에 쫓기어 이곳에 정착하여 "바다의 백성"이라 하며, 강력한 철제무기를 갖고(삼상 13:19) 이스라엘 민족을 침공하곤 하였는데(삿 3:31, 16:1, 삼상 17:12), 이러한 적대관계는 현재까지도 계속되고 있다.

8. 사무엘 (삼상 1-8장)

이스라엘 민족의 마지막 사사이며 선지자인 사무엘은 그 당시의 종교 중심지인 예루살렘 북부, 실로에서 하나님의 선택을 받고(삼상 3장) 이 민족을 이끌었다. 그런데 이 백성들은 타 민족과의 전쟁에서 보다 강력한 국가제도를 갈망하므로, 12지파를 통솔할 왕 제도를 도입하였다(삼상 8장).

즉 사무엘은 하나님의 계시를 받고 베냐민 지파의 사울(삼상 10장)과 유다 지파의 다윗(삼상 16장)을 각각 기름 부어 왕으로 선택하였다. 사무엘은 약 70년간 이스라엘 민족의 지도자로 또 예언자로 활약하였다(삼상 3:20-25:1, BC1077-1007).

9. 사울 왕 (삼상 9-31장)

사울은 왕위에 오른 후(삼상 10장, BC1012-1004) 통일 왕국 건설을 위하여 많은 전쟁을 계속하며 영토를 확장하였다(삼상 12-14장). 그러나 자기 부하이며 사위인 다윗의 공적을(삼상 18:7) 시기하는데 군사력을 허비하다가 블레셋 군과의 싸움에서 전사하고 말았다(삼상 31:4).

10. 다윗 왕 (삼상 16장-삼하 24장)

다윗은 소년 시절 양을 칠 때 익힌 돌팔매질로 블레셋(오늘의 가자지구)장군 골리앗을 쳐죽인 공으로(삼상 17장) 사울 왕의 뽑힘을 받아 여러 전쟁에서 큰 공을 세웠다.

사울 왕이 전사한 후 다윗이 30세에 유다 지파의 왕위에 오르며(삼하 2:4, BC1004) 아브라함의 가족묘지가 있는 헤브론에서 7년 6개월을 다스린 후(삼하 5:4, BC1004-996), 예루살렘 시온산의 다윗성으로 수도를 옮긴 후 통일된 왕국을 33년 동안 통치하였다(삼하 5:5-12 BC996-965).

즉 다윗 왕은 40년 동안(BC1004-965) 하나님의 인도하심으로 통일 왕국을 건설하며, 그 영토를 크게 확장하여 이스라엘 역사상 최초의 강대국을 건설함과 동시에, 하나님을 찬양하는 노래(시편 150 중 73

편) 등 많은 글과 큰 업적을 남겼다.

한편 다윗 왕은 많은 후궁을 거느리고 많은 아들을 두었지만(대상 3:1), 또 다른 여자 문제로 심복 부하를 죽이므로 예언자 나단을 통한 하나님의 책망을 받았다. 그러나 곧 회개하여 지혜의 아들 솔로몬을 받기도 하였다(삼하 11:1-12:25, 시 51편). 말년에는 아들 압살롬의 반란으로 고생하기도 하였다(삼하 15장)

11. 솔로몬 왕 (왕상 1-11장, 대하 1-9장)

솔로몬은 지혜의 왕으로(대하 1:7) 다윗 왕으로부터 물려받은 왕국을 안정과 번영의 대 왕국으로 성장시켜, 그 영토가 지금의 이라크지역 유프라테스강에서 시리아와 요르단 끝의 홍해까지 이르게 하였다(왕상 9:26). 이와 같이 이스라엘 6,000년 역사상 가장 빛나는 독립 국가를 형성하여 존경을 받는 왕이 되었다(BC965-926).

솔로몬 왕은 하나님을 섬기는 성전을 건축하여(왕상 6장, BC955) 하나님께 영광을 돌렸지만, 자기 궁전을 지어 호화 생활에 젖기도 하였다(왕상 7장, 대하 9:13). 그러나 40년에 걸친 통일국가 건설을 위하여 국민들에게 많은 불편을 주기도 하였다(대하 10:4).

말년에는 많은 이방 여자들을 부인과 첩으로 거느리며 이들의 환심을 사기 위하여, 그들이 가져온 이방 신들에게 절하며 하나님을 배반하는 죄를 범하였다(왕상 11:1-8). 따라서 이스라엘의 영광스러운 통일국가는 다윗과 솔로몬의 2대(BC1004-926, 약 80년)로 종말을 고하는 벌을 받았다.

솔로몬은 지혜의 왕으로서 사랑의 노래 "아가" 서에서 인간과 창조주와의 밀접한 관계를, "잠언" 에서 900수에 달하는 자손을 위한 올바른 삶에 대한 교훈을, 그리고 인생의 무상함을 노래하는 "헛되고 헛되다" 로 시작하는 "전도서" 에서 하나님만을 믿고 의지하고 섬기라는 귀중한 교훈을 남기고 있다.

12. 왕국분열 (왕상 12장-왕하 24장, 제9장 참조)

솔로몬의 통일국가인 유다왕국은 솔로몬 왕의 자손들에 대한 간절한 훈계(잠1-21장)를 저버린, 아들 르호보암의 정세 판단 미숙으로(왕상 12:1-17) 유다와 베냐민 지파를 제외한 10 지파가 반란을 일으켰다(왕상 12:20). 그리고 이들은 요셉의 아들 에브라임지파에 속하는 여로보암(왕상 11:26)을 왕으로 추대하며 이스라엘 왕국을 선언하므로(왕상 12:20), 통일왕국은 남북 왕국(남:유다 왕국[예루살렘], 북:이스라엘 왕국[사마리아])으로 분열하게 되었다. 그리고 이들은 서로 반목하며 한편 하나님을 배반하는 죄를 범하였다.

그 후 하나님께서는 북부의 이스라엘 왕국에 엘리야, 엘리사, 요나, 아모스, 호세아 등의 여러 선지자를, 남부의 유다 왕국에는 요엘. 이사야, 미가, 스바냐, 예레미야, 나훔, 하박국 등의 선지자들을 보내시어, 이 민족들에게 회개하고 서로 화합할 것을 전하였다.

그러나 이들은 이에 순응하지 않으므로 이스라엘 왕국은 왕조가 7번이나 바뀌면서 혼돈을 거듭하다 앗수르에 의하여 200년 만에 망하였다(왕하 17:23, BC926-722). 그리고 남부의 유다 왕국은 다윗 왕조의 전통을 지키다 340년 만에 바빌론에 의하여 멸망하였다(대하 36;19, BC926-587).

이스라엘 왕국이 망할 때 앗수르에 의한 혼혈정책으로 수도 사마리아지방의 사마리아인들이 민족적 순수성을 상실하게 되었다. 따라서 순수성을 지킨 남부 유대민족의 멸시를 받게 되었는데, 이와 같은 남북간의 대립감정은 예수님 당시는 물론(마 10:5, 눅 9:51, 요 4:9) 아직까지도 계속되고 있다.

현재 그 후손의 일부에 속하는 사마리아인이(약 700명) 세겜의 그리심산 속에서 자기들만의 전통을 지키고 있다고 한다.

13. 포로시기 (왕하 25장, 스 1-10장)

남북 왕국이 각각 망할 때 많은 사람들이 포로로 끌려갔는데, 특히 남 왕국의 예루살렘에서는 지도층이 포로로 끌려감과 동시에(왕하 25:11-12, 단 1:3, BC605), 점령군에 의한 성전 파괴(왕하 25:9, BC587)로 일부 시민들은 오늘의 터키 지역(다소, 수리아 안디옥, 갈라디아, 골로새, 에베소, 드로아 등)과 그리스 지역(빌립보, 데살로니가, 고린도, 아테네 등) 그리고 애굽, 알렉산드리아, 로마 등 각지로 망명하였다(그림1 참조).

이들은 각기 정착한 곳에서 자기들의 비참한 삶을 통하여 하나님의 은총을 다시 깨닫고 회개하며 교회당을 세우고 하나님을 섬겼다. 그런데 이들 교회가 약 600년 후(AD35-62) 사도 바울의 선교 장소가 되어(행 14:1, 27, 18:25) 그리스도교를 땅 끝까지 전파하는 근거지가 되었다.

한편 바벨론으로 4차에(605, 597, 586, 581) 걸쳐 끌려간 약 7만 명의 포로들(렘 52장)은, 자기들의 조상이 남북으로 갈리어 싸우며 하나님을 배반한 죄로, 이러한 처지에 이른 것을 깨닫고 회개하게 되었다. 그리고 바벨론에서 자기들의 종교 지도자(다니엘, 에스겔, 오바댜 등)를 중심으로, 하나님을 굳게 섬기며 자기들의 민족성과 종교적 전통을 지켰다.

따라서 포로생활 70년(BC605-538) 동안 많은 사람들이 바벨론 정부의 고관으로 발탁되어 이스라엘 민족의 큰 기둥이 되었다. 그리고 바벨론(현재 이라크지역)이 망하고(BC538) 페르샤(현재 이란지역)가 이스라엘을 통치하기 시작할 때(BC539-332), 하나님의 계시를 받은 페르샤 왕이 다음과 같이 3차에 걸쳐 포로들을 예루살렘으로 귀환하도록 하였다.

제1차 귀환(BC538): 페르샤 왕 고레스(BC538-530)가 하나님의 계시를 받고 유다지파의 왕족 스룹바벨(학 1:1, 스 2:2, 3:2, 마 1:12, 주님의 족보 참조)을 총독으로, 약 5만의 포로를 귀환시켜(스 2:64) 성전을 재건토록 하였다(대하 36:22, 스 1장). 이들은 도착 즉시 성전 재건에 착수하였지만 사마리아인들의 방해로 공사가 중단되었다(스 4장). 약 18년이 지난 후 선지자 학개와 스가랴의 도움과 페르샤 다리우스 왕(BC522-486)의 협조로(스 6:1-12), 다시 착공하여 7년 만에 완성하였다(스 6:13-22, 슥 4:8, 15, BC521-515).

제2차 귀환(BC458): 성전을 재건(BC515)한지 57년 후에 페르샤 아닥사스다 왕(BC465-423)의 칙령을 받은(스 7:11-26) 율법학자이며 선지자인 레위지파 아론의 후손 에스라가 포로들과 같이 귀환하여(스 7:8, BC458. 5. 1), 오랜 포로생활에서 모세율법을 저버린 백성들에게 성서를 가르치면서 율법중심의 공동체를 구성하며 지도자가 되었다(스 7-10장, 유대교 확립).

제3차 귀환(BC445): 아닥사스다 왕 때 선지자 느헤미야를 총독으로 많은 포로후손들과 같이 귀환하여, 유다왕국이 망할 때(왕하 25장, BC587) 파괴된 예루살렘 성을 복원토록 하였다(느 1-4장). 예루살렘에 도착한 느헤미야는 이스라엘 민족을 총동원하여, 성벽 각부를 지파별로 담당시킨 후 방해하는 자들을 막으며 52일 만에 성벽과 성문을 복원하였다(느 6:15).

이상 3차에 걸쳐 귀환한 모든 백성을 성 안과 성 밖에 정착시킨 다음, 에스라, 학개, 스가랴, 느헤미야, 말라기 등 선지자들의 인도로, 예루살렘에 남아있던 정착민과의 화합과 율법에 따른 하나님을 위한 예배에 정성을 다하였다(느 11-13장, BC445-420).

포로들 중 일부는 귀환하지 않고 페르샤에 그대로 남아 있었는데, 그중 에스더와 같은 여자는 페르샤의 수도 수사에서 아하수에로 왕(BC486-465)의 왕후가 되어(BC478) 영화를 누리며 살다가, 남아있는 동포들의 멸족의 위기(에 3:7)를 구하며(에 8-9장, 부림절) 동포들의 큰 의지가 되었다.

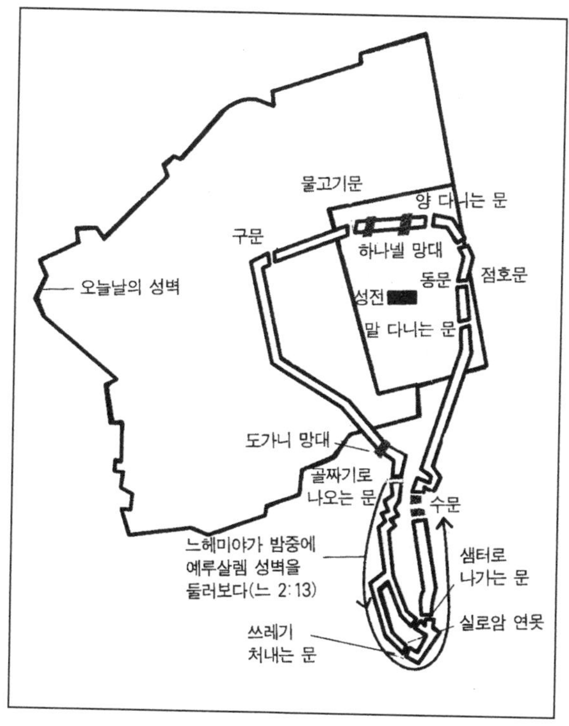

그림 2. 예루살렘 옛 성

예루살렘을 재건하고 정착한 이스라엘 민족은 선지자들의 지도로 하나님을 섬기며, 그때까지 구전으로 전해오던 이스라엘 민족의 발생과 고난 그리고 성장에 대한 설화를 정리하여, 오늘의 모세 5경등 많은 역사서와 예언서와 시편 등을 다시 편집하였다.

한편 페르샤 왕국은(BC539-332) 건국 200년 만에 그리스 지방의 마케도니아 사람, 알렉산더 대왕에 의하여 종말을 고하고 그리스 문화권 시대로 넘어간다.

14. 그리스 문화권 시대 (BC 332-162)

그리스 북부 마케도니아 출신의 알렉산더 대왕(BC336-323)이 그리스, 애굽, 이스라엘, 페르샤 등을 점령하고, 계속하여 인도의 갠지스강까지 진출하여(BC326) 대 왕국을 건설하였다. 알렉산더 대왕은 자기가 점령한 각 곳의 문화를 흡수하여, 그리스식의 도시를 세우고 그리스를 주축으로 하는 헬레니즘 문화권을 구축하며 희랍어를 공용어로 제정하였다.

한편 알렉산더 대왕이 32세(BC323)에 전쟁터에서 사망하므로, 유대 민족은 그 세력의 분파인 애굽(BC323-198)과 시리아(BC198-162)의 통치를 약 170년간(BC323-162) 받게 되었다. 따라서 유대민족은 애굽과 시리아 등에 분산 거주하며 희랍어를 공용어로 사용하게 되었다.

15. 구약성서 70인 번역 (BC 250)

유대민족이 희랍 문화권에서 오랫동안 생활하는 사이에 외국에 거주하는 유대 민족이, 자기의 모국어(히브리어)를 잊어버리게 되어 히브리어 성서를 볼 수 없게 됨과 동시에, 이스라엘 본국에 거주하는 정통파와의 사이에 대립도 심해졌다.

이에 대한 대책으로 옛날 알렉산더 대왕이 애굽 땅 알렉산드리아에

세워 놓은 큰 도서관에, 예루살렘의 유대인 학자 72명이 모여(12 지파에서 6명씩) 히브리어 성서원본(Canon)을 희랍어로 번역한 바 있다(BC250). 희랍어로 번역된 이 "70인 번역 성서"가 그리스 문화권의 이방인들에게 새로운 믿음의 길잡이가 되어 후대에 그리스도교 전파에 큰 도움이 되었다. 그리고 오늘의 구약성서 39편은 AD90년에 정식으로 채택되었다.

그 후 학자들이 원본에 첨가한 7편(토비토, 유딧, 지혜서, 집회서, 바룩, 마카베오 상, 하)을 외경 또는 제2경전이라 하며, AD350 경 채택되어 카톨릭에서 이를 수용하고 있다(공동번역 성서 참조).

AD400년 경 그리스어 성서를 라틴어로 그리고 1517년 종교개혁 후 독일어로, 1537년 영어로 번역되어 성서가 대중화되었으며, 우리나라는 1883년에 공관복음이 복음별로 번역되었다.

16. 독립시기 (외경, 마카베오 상, 하)

유대민족이 시리아의 영향 아래 있을 때(BC198-160) 시리아의 안티오쿠스 왕(BC175-164)이 성전을 약탈하고, 유대교 율법을 지키지 못하게 하며 율법에 규정된 부정한 음식(돼지고기 등, 레 11장)을 강요하므로, 죽음을 선택케 하는 등(마카베오하 7장)의 탄압을 강행한 바 있다. 이에 격분한 유대민족의 하스몬 가문에 속하는 마카베오 형제가 독립전쟁(BC167-162)을 일으켜 성전을 탈환 정화하며, 시리아 세력을 몰아내므로 약 100년간 종교자유의 하스몬 왕조의 독립시기(BC162-63)를 갖게 되었다.

유대인들은 성전을 탈환하여 정화한 이 시기를 기념하여 수전절(修殿節 또는 성전 봉헌절, 빛의 명절, 하누카, 양력 12월 22일, 제23장 성서의 절기 참조)로 지키고 있다(요 10:22. 마카베오하 10장).

한편 시리아의 박해 속에서(BC198-162) 율법을 지키려는 집합체로 율법주의 중심의 바리새파와 부활을 부정하는 사두개파가 발생하였다(BC137). 이들은 서로 이념을 달리 하였지만 후에 헤롯당원을 동원하여(막 3:6, 12:3), 까다로운 질문 등으로 주님을 무척 괴롭히며(마 15:1, 22:23, 23:1) 주님을 십자가에 못 박는데 동지가 되었다.

17. 로마지배 (BC63-AD395)

유대민족의 하스몬 왕조는(BC162-63) 말년에 이르러 왕조의 독재가 심해져 이에 대한 반대파의 요청으로, 로마군이 예루살렘을 점령함으로 하스몬 왕조의 독립 국가는 종말을 고하고 약 450년간의 로마 통치시대가 계속된다(BC63-AD395).

이 때 아브라함의 손자 야곱의 형 에서(에돔의 조상, 창 36:43)의 후손인 이두매(에돔) 출신 헤롯이, 로마정부에 밀착하여 유다 통치권을 얻은 후 로마군을 따라 예루살렘에 진주하여 헤롯왕(마 2장, BC37-4)이 되었다.

헤롯왕은 유대민족의 환심을 사기 위하여 예루살렘에 성전을 새로 아름답게 재건함(눅 21:5, 요 2:20, BC20-AD26)과 동시에, 로마황제를 위하여 가이사랴와 사마리아 등지에 새로운 도시를 건설하는 한편, 사해 부근의 맛사다 요새에 별궁을 지어 헌납하였는데 당시의 건물 일부가 아직도 남아있다.

한편 헤롯왕은 유다 왕으로 오시는 주님의 탄생(마 2:1)을 두려워하여 많은 어린이를 죽여(마 2:16) 최초의 순교자를 내며, 주님을 애굽으로 피난 가시게 하였다(마 2:13-15). 그런데 헤롯대왕이 BC4년에 죽었으므로 주님의 탄생을 BC4년(또는 6년)이라고 주장하기도 한다.

그런데 로마정부는 처음 약 300년간은 그리스도교를 탄압하였지만 후에는 국교로 받아들인 후, 로마에 교황청을 세우고 기독교(카톨릭) 국가의 중심지가 되어 오늘에 이르고 있다.

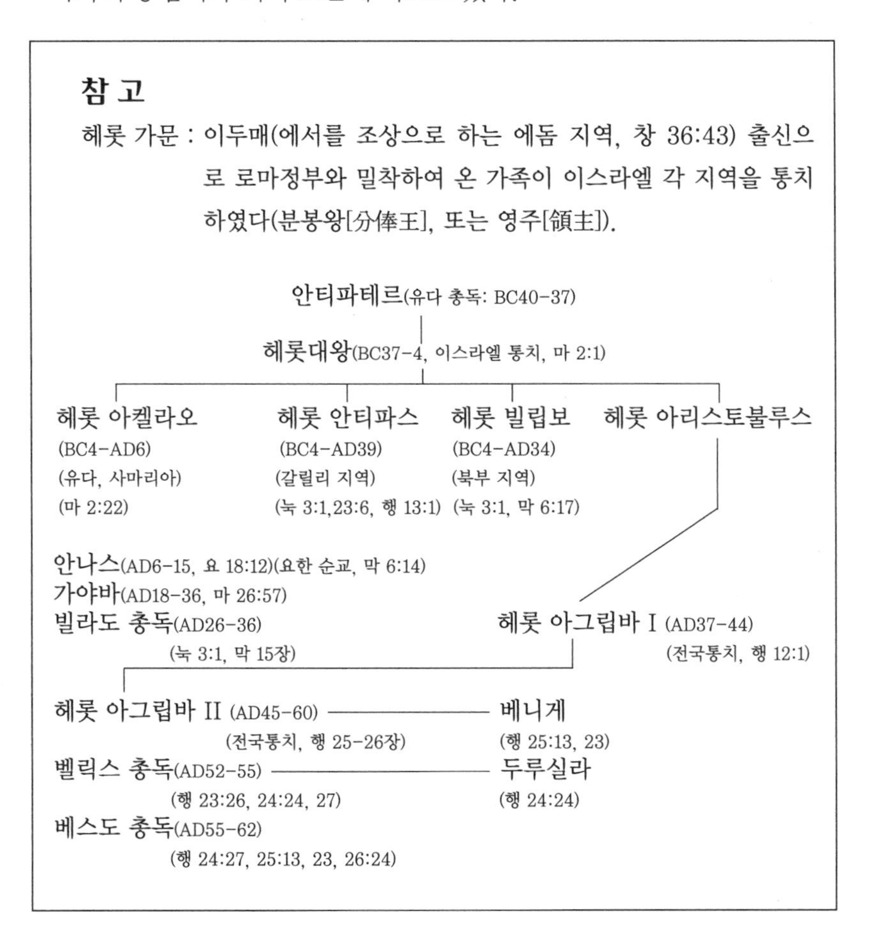

참 고
헤롯 가문 : 이두매(에서를 조상으로 하는 에돔 지역, 창 36:43) 출신으로 로마정부와 밀착하여 온 가족이 이스라엘 각 지역을 통치하였다(분봉왕[分俸王], 또는 영주[領主]).
안티파테르(유다 총독: BC40-37)
헤롯대왕(BC37-4, 이스라엘 통치, 마 2:1)
헤롯 아켈라오
(BC4-AD6)
(유다, 사마리아)
(마 2:22)
헤롯 안티파스
(BC4-AD39)
(갈릴리 지역)
(눅 3:1,23:6, 행 13:1)
헤롯 빌립보
(BC4-AD34)
(북부 지역)
(눅 3:1, 막 6:17)
헤롯 아리스토불루스
안나스(AD6-15, 요 18:12)(요한 순교, 막 6:14)
가야바(AD18-36, 마 26:57)
빌라도 총독(AD26-36)
(눅 3:1, 막 15장)
헤롯 아그립바 I (AD37-44)
(전국통치, 행 12:1)
헤롯 아그립바 II (AD45-60)
(전국통치, 행 25-26장)
베니게
(행 25:13, 23)
벨릭스 총독(AD52-55)
(행 23:26, 24:24, 27)
두루실라
(행 24:24)
베스도 총독(AD55-62)
(행 24:27, 25:13, 23, 26:24)

B. 신약 편

1. 메시야 탄생

이스라엘 민족은 출애굽 후 가나안에 입주하여 영토를 확보하며 사사(士師, 判官)시기를 지난 다음, 다윗과 솔로몬 왕 때의 약 80년 동안

(BC1004-926) 통일왕국의 전성기를 가졌다(왕하 5:5). 그러나 그 후 왕국 분열에 따른 내전과 이방민족의 침략 등에 의한 고난이 예수님 탄생까지 약 1,000년 동안 계속되었다. 따라서 유대민족은 통일왕국 시대를 그리워하며 길 잃은 양떼와 같이 헤매면서(마 15:24) 이 민족을 구원해 줄 지도자 즉 메시야 오시기를 갈망하였다(요 1:41, 4:25).

이러한 유대민족의 간절한 소망에 응답하신 하나님께서는 동정녀 마리아를 통하여(사 7:14, 마 1:18), 자신의 독생자를 아기 예수로 보내시어(사 9:6, 요 3:16) 새로운 구원의 길을 열어주셨다. 그러나 유대민족은 예수께서 메시아로 오심을 배반하여 십자가에 못 박은 후, 자기들의 취향에 맞는 모세 또는 다윗 왕과 같은 정치적 메시야를 아직도 기다리고 있다.

우리는 주님의 탄생을 기다리는 4주간을 대림절(또는 대강절)로 지키는데(AD600), 이는 인류(아담)의 창조에서 그리스도 탄생까지를 4,000년으로 생각한데서 유래되었으며, 교회 단상에 봉헌하는 촛불 하나가 1,000년을 상징한다고 한다. 그리고 주님께서 탄생하신 성탄절을 12월 25일로 정했는데(AD354), 이는 하루의 해가 가장 짧은 동지를 지나 새로운 태양을 맞이한다는 로마의 태양제에서 비롯되었다고 한다.

2. 주님의 전도

당시의 유대민족은 로마 정부의 착취와 이에 동조하는 종교 지도자들의 엄한 율법주의에 허덕이는 길 잃은 양떼와 같은 상태였다. 이때 주님께서는 나사렛의 작은 마을에서 부모님을 모시고 부친의 목수 일을 받들며(마 13:55, 막 6:3), 한편 성령의 도우심으로 성서에 대한 공부도 많이 하시어 어떠한 토론에도 응답할 수 있는 준비를 다 하셨다

(눅 2:41).

주님께서 30세 되는 해에 사생활을 정리하시고 고향을 떠나 요단강 하류 사해 부근의 유다광야에 이르러, 새로운 출발을 위하여 세례 요한으로부터 세례를 받으셨다. 이때 하늘에서 "너는 내 사랑하는 아들" 이라고 선포하시며 모든 권능을 물려주셨다(마 3:13).

그리고 주님께서는 광야에서 40일간의 단식을 통하여 인간으로서의 모든 유혹(부귀, 영화, 권세)을 물리치시고(마 4:1-11), 모든 것을 아낌없이 주시는 하나님 아버지의 뜻에 따라 갈릴리 지역을 중심으로 12 제자를 선택하시어, 사랑과 베풂의 삶을 가르치시며 하나님 나라를 선포하셨다(마 4:12).

즉 주님께서는 갈릴리(사 9:1) 호숫가의 가버나움과 예루살렘을 중심으로 활동하시며 율법주의를 추종하는 특권층에 대하여, 인간의 평등과 원수를 사랑하라는 깊은 사랑과(눅 6:27) 천국에 대한 영생의 길(마 5:3)을 선포하시며, 많은 병자를 고치심과 동시에 많은 이적을 행하셨다.

주님의 3년간에 걸친 헌신적인 사랑의 전도로 주님을 믿고 따르는 무리가 크게 불어나자, 불안해진 종교 지도자들은 주님을 제거할 음모를 꾸미기 시작하였다(마 26:1-5).

참 고

12 사도의 명단 (마 10:1−4)

(참고: [ ]는 성서에 나오는 횟수)

베 드 로(시몬, 게바): 어부, 벳새다 출신(요 1:44), 안드레와 형제(마 4:14), 주님의 수제자. 베드로 전후서 기록, 네로황제 때 로마에서 순교(AD64)[43]

안 드 레: 어부, 베드로의 동생(마 4:14), 세례 요한의 제자, 베드로 인도(요 1:35). 그리스에서 순교[16]

야 고 보[大]: 어부, 세베데의 아들(마 4:21), 우뢰의 아들(막 3:17), 주님의 사촌 사도 중 첫 순교(행 12:1, AD42)[14]
요 한: 어부, 야고보[大]의 동생(마 4:21), 주님의 사랑하는 제자, 성모 마리아 모심. 요한복음, 요한 1. 2. 3, 계시록 기록, 에베소에서 순교(AD100)[27]
빌 립 보: 베드로와 한 고향(요 1:44), 세례 요한의 제자에서 선택 받음(요 1:43)[9]
바돌로매(나다나엘): 빌립보의 인도로 제자가 됨(요 1:45), 인도에서 전도활동, 아르메니아에서 순교[6]
마 태(레위): 세리 출신(마 9:9), 마태복음 기록, 팔레스티나에서 순교[4]
도 마(쌍둥이): 목수(요 11:16, 마 10:3), 인도에서 건축사와 사도로 활약하다 순교[6]
야 고 보[小]: 알패오의 아들(마 10:3), 예루살렘에서 순교[6]
다 대 오(유다): 야고보[小]의 동생(마 10:3)[5]
시 몬: 가나안 사람, 독립단체 열혈(혁명) 당원 출신(막 3:18), 근동지방에서 순교[4]
유 다: 가룟 사람(마 10:4), 스승(예수님)을 배반, 자살[24]
마 티 아: 가룟 유다 후임으로 선임(행 1:26), 에티오피아에서 순교

3. 부활, 승천, 강림

주님의 권위와 군중들의 호응에 당황한 종교 지도자들은 주님의 12 제자 중 갈릴리 출신이 아닌 가룟 출신 유다를 은 30닢으로 매수하였다(마 26:14). 주님께서 생의 마지막 유월절을 제자들과 마가의 다락방에서 "최후의 만찬"으로 드신 다음(눅 22:7-23), 겟세마네 동산에서 피땀 흘리시며 기도하실 때 종교 지도자들은 가룟 유다를 앞세워 주님을 체포하였다(마 26:47).

그리고 주님을 존경하던 빌라도 총독(마 27:1 AD26-36. 빌라도의 보고서 참조)에게 압력을 가하여(마 27:23), 주님을 십자가에 못 박아 죽게 하였다(요 19:30). 즉 예루살렘의 군중은 처음에는 주님께서 다윗 왕과 같은 정치적 권능의 왕으로 오실 것을 기대하며 환영했지만

(막 11:10), 후에는 자기들이 무엇을 하고 있는지 모르며(눅 23:24)주님을 십자에 못 박으라는 폭도로 변하였다(막 15:12).

이때 군중들이 주님의 피에 대한 책임을 우리 후손이 지겠다고 소리친(마 27:25) 그 대가가 2,000년 후 독일의 히틀러에 의한 유대인 600만 명의 대학살로 나타났다고 생각된다.

주님께서는 자기 자신을 아버지의 뜻에 따르게 하기 위하여(마 26:42), 이 세상 모든 죄인을 위한 속죄 제물(레 4장, 요I 4:10)로 자신을 바치는 거룩한 죽음을 스스로 선택하셨다(고후 5:21, 갈 3:13, 히 13:12). 즉 친구를 위하여 자기 목숨을 바치는 큰 사랑을 몸소 실천하시며(요 15:13), 촛불이 자신을 불태우며 어둠을 정복하심같이 자신을 아낌없이 내주셨다.

그러나 주님께서는 사망의 권세를 이기시고 3일만에 부활하시어 우리들에게 영생의 길을 열어주신 후, 부활을 의심하며 실의에 빠져 있는 제자들과(막 16:11) 40일 동안 같이 하시며(눅 24:13, 요 20:1, 11, 19, 24) 믿음을 더해 주신 다음, 다시 오실 것을 약속하시며 감람산 정상에서 승천하셨다(행 1:3-9).

그런데 제자들이 계속 방황하는 것을 보시고 승천하신지 10일 후인 오순절(민 28:26) 날, 이 절기를 지키기 위하여 마가의 다락방에 모인 제자들에게 다시 성령으로 강림하셨다(행 2:1-3).

성령이 충만한 제자들은 오순절을 지키기 위하여 각 나라에서 예루살렘으로 올라온 유대인과 이방인을 위한 각 나라 말의 설교와(행 2:1-13), 그리고 베드로의 오순절 설교(행 2:14-36)와 이적(행 3:1-10)으로, 주님을 떠났던 많은 사람들이 주님을 다시 믿고 따르게 되었다(행 2:41).

이 사건을 계기로 많은 신도들이 믿음의 공동체 생활(행 2:43)을 시작하므로 오늘의 그리스도교가 탄생하게 되었다(행 4:32).

그러나 제자들의 선교활동은 순조롭지 못하고 처음부터 많은 박해를 받았다(베드로 체포[행 4:1], 제자들의 투옥[행 5:17], 스데반의 순교[행 6:54]). 그러나 교인들은 이에 굴하지 않고 각 지방으로 분산하여 주님을 증거하므로 교세는 더욱 확장되어 나갔다.

4. 사도 바울의 전도(행 8-28장)

사도 바울은 길리기아 지방(터키 동남지역) 작은 마을 다소 태생이며, 예루살렘에서 공부한 최고 학식을 가진 사람으로 베냐민 지파에 속해 있다(갈 1:14, 빌 3:4). 그리고 바리새파에 속하며(행 23:6) 로마 시민권도 갖고 있었다(행 22:22).

바울이 처음에는 교인들의 탄압에 앞장 서지만(행 8:1) 주님의 특별한 부르심을 받은 후(행 9:1, 갈 1:15, AD34), 자신의 인간적인 모든 영화를 버리고 다메섹(행 9:1-31, 갈 1:11-17)과, 시리아의 안디옥을 중심으로 전도에 정성을 다하였다(행 11:26, 갈 1:17, AD34-45).

그 후 예루살렘의 원로 사도들과(야고보[주님의 동생], 베드로, 요한) 상의하여 이방선교를 담당하기로 하였다(행 13:4, 갈 2:9, AD35). 사도 바울은 오늘의 터키와 그리스 등 각 지역의 유대교 회당(해설 구약 편 13항 참조)을 이용한 3차에 걸친, 약 20년간의 이방전도(제1차: AD45-48, 행 13-14장, 갈 2:1. 제2차: AD50-53, 행15-18장. 제3차: AD53-55, 행 18-21장)와 로마 전도(AD59-66, 행 27-28장, 딤후. AD66 로마에서 순교) 등에 헌신하므로, 그리스도교를 전 세계에 전파하는 기틀을 구축하였다.

신약 성서에는 사도 바울이 개척한 각 교회(터키지역: 갈라디아, 골로새, 에베소. 그리스지역: 고린도, 데살로니가, 빌립보)와 믿음의 동역자(디모데, 디도, 빌레몬), 그리고 히브리인과 로마인들에게 보낸 믿음과 격려의 서신 등 13편이 채택되었다(AD397). 즉 제2차 여행 중 고린도에서 데살로니가전후서를, 제3차 여행 중 에베소에서 고린도전후서와 마케도니아에서 갈라디아서를 기록하였다. 그리고 예루살렘으로 돌아가는 길에 고린도 교회에서 자신의 신앙을 총정리하며 로마인을 위한 로마서를 기록하였다.

5. 로마의 그리스도교

네로황제 통치시기에(AD54-68) 로마에 도착한 사도 바울은(행 28:11, AD59) 죄수의 몸으로 비록 감금 상태였지만, 비교적 자유로운 몸으로(엡 1:14) 로마에 거주하는 교인들에게 주님을 증거함과(행 28:16-28) 동시에, 에베소, 빌립보, 골로새, 빌레몬 등에 서신을 보냈다(AD61-63). 그 후 자유의 몸으로(AD63-65) 전도여행을 하며 마케도니아에서 에베소 교회의 디모데에게 디모데 전서와 그레데 교회의 디도에게 디도서를 보냈다.

한편 네로황제(AD54-68)는 로마시를 재건한다고 불을 지른 후(AD64. 7. 19) 그리스도 교인의 소행으로 몰며 심한 박해를 가하였다(AD64-68). 이때 바울은 다시 체포되어, 로마 감옥에서 디모데에게 겨울이 오기 전에 오라는 디모데후서를 보내며 "나는 훌륭하게 싸웠고, 달릴 길을 다 달렸으며, 믿음을 지켰다" 라고 선언하며 순교하였다(딤후 4:7, AD66).

그리고 로마에서 AD53년부터 전도사업에 전념하던 베드로가, 박해를 피해 로마를 탈출하다 로마로 들어가시는 주님을 만나 다시 로마로 돌아가 주님을 증거하다 순교하였다(AD67).

이러한 박해 속에서도 신도들은 로마 부근의 지하묘지(카타콤베)

속에서 예배를 드리며 고난을 이겨나갔다. 약 300년간의 고난시기를 지나는 동안 교세는 로마정부 고위층(로마 콘스탄틴황제[306-337]와 그의 모친 헬레나[248-328])으로 전파되어, AD313년 로마정부가 종교자유를 선언하였다(콘스탄티누스의 밀라노 칙령). 그리고 AD392년에는 그리스도교를 로마의 국교로 선포하므로 오늘의 로마 카톨릭의 기틀이 확립되었다.

오늘의 로마 교황청의 베드로 대 성당은 AD430년경 베드로의 무덤을 중심으로 세운 교회를, 약 1,000년 후에 100년에 걸쳐 새로 건축한 것이다(AD1506-1610). 이 새로운 성당 건축에 동참한 과학자이며 예술가인 미켈란젤로(1475-1564)의 작품인, 대 성당의 방대한 성화와 조각 등은 성서의 말씀과 하나님의 존재하심을 우리 피부로 직접 느끼게 해주고 있다(400년 전의 성화들을 최근 깨끗이 세척하였다고 한다[1962-1999]).

6. 성서의 기록

초대 크리스천들은 주님께서 승천하실 때 "이 모습대로 다시 오신다"라고 하신 말씀을(행 1:11) 믿고 재림을 기다렸다. 그러는 동안 주님을 직접 따르던 제자들이 세상을 떠나기 시작하였다. 이에 당황한 제자들은 주님의 행적을 기록하기 시작하여 많은 기록을 남겼다(AD66-100).

약 300년간의 박해시기를 지나 로마가 그리스도교를 국교로 선포한(AD392) 후, 많은 교회 지도자들이 모인 "칼타코 종교회의"에서 오늘의 신약성서 27권을 정경(Canon, 성서원본)으로 채택하였다(AD397). 그리고 그 외의 기록들은 "숨겨진 성서"(The Other Bible)로 전해지고 있다(문학수첩 발행).

신약성서의 관문인 4대 복음서(공관복음와 요한복음)의 특징을 들면, 마태는 유대교에서 개종한 교육수준 높은 세리 출신의 12제자 중 한 사람으로 유대인을 대상으로 주님의 정통성과 구약에서의 메시아임을 강조하였다.

마가는 베드로의 제자로 로마인에게 주님의 신성을 강조하고 가장 먼저 기록하여, 다른 복음서에서 많이 인용되고 있다. 그리고 마가는 주님께 유월절(최후의 만찬)을 올린 장소를 제공한 분으로 전해지고 있다. 누가는 비유대인(헬라인)의 역사학자이며 의사로 비유대인에게 주님의 사랑을 강조하였으며, 한편 사도 바울과 같이 로마에서 지내며 사도행전도 기록하였다.

요한은 12제자 중 가장 젊어 주님이 "사랑하는 제자"로 불렀던 제자로 주님의 언행에 가장 충실하였다. 그리고 에베소에서 주님의 어머님을 모시고 올바른 신앙과 사랑을 강조한 요한1, 2, 3의 서신 3 편과, 밧모섬에 유배되었을 때 받은 계시를 기록하였는데, 그 기록 연대는 다른 모든 기록연대(60-80)에 비하여 가장 늦은 주후 100년경으로, 다른 복음서에 없는 내용이 가장 많이 기록되어 있다.

그 외에 사도바울의 로마서를 위시한 서신 13편(신약 편 4항 참조)과 주님의 동생 야고보와 유다가 기록한 서신 2편, 베드로가 로마에서 각 교회 신도를 위한 서신 2편, 그리고 그리스도교의 박해로 개종하려는 유대인에게 그리스도교의 우월성을 강조한 작자 미상의 히브리 서신 등으로 신약 27편이 구성되어 있다.

7. 독립전쟁

주님께서 부활 승천하신 후 약 100년 사이에 이스라엘 민족은 로마 정부에 대하여 두 번의 큰 독립전쟁을 일으켰지만, 로마 군에 의하여 패하므로 조국에서 완전 추방당하고 말았다. 그 후 약 2,000년이 지난 1948년 독립될 때까지 여러 강대국이 통치하였는데, 그중 이슬람교도에 의한 피해가 가장 심했다고 본다.

제 1차 독립전쟁(AD66-70): 유대인의 독립군이 초기에는 기습으로 예루살렘 성안의 로마군을 전멸시켰지만, 주님께서 말씀하신대로(마 24:1) 5년 만에 성전이 완전 파괴되고 말았다. 이 때 모든 것이 다 불타고 돌 위에 돌 하나도 남지 않는 파괴로 옛 모습은 다 사라지고, 성전의 기초성벽의 일부인 오늘의 "통곡의 벽" 만이 남아있다. 이 전쟁 중 전국에서 110만 명의 사망자와 약 10만 명의 포로가 노예로 팔려 나갔다는 기록으로 보아 전쟁의 비참한 양상을 짐작할 수 있다.

그 당시 예루살렘을 빠져나온 독립군(열심당원 등, 막 3:18)의 일부가 가족과 함께 사해부근의 맛사다 요새(높이 450m, 약 4.5만평)를 습격하여, 로마군을 기습으로 몰아내고 헤롯의 별궁 등을 점령하며 4년간(AD70-73) 항쟁한 바 있다. 그러나 로마군이 최후의 수단으로 저 밑에서 흙을 쌓아올려 길을 만든 후 유대인을 앞세워 올라오는 것을 보고, 로마군의 노예가 되기보다는 자유인으로 역사에 남기 위하여 죽음을 선택키로 하였다.

그들은 각기 자신의 아내와 자식을 죽인 후 자결하는 방식으로 960명 전원이 자결하여 로마군을 놀라게 하였다. 이러한 사실은 물탱크 속에 숨어있던 2명의 여자와 5명의 어린이들에 의하여 알게 되었다.

현재 맛사다에는 그 당시의 유적들이 많이 남아있어 이스라엘 민족의 정신적 성지가 되어있다. 450m 높이의 이 유적지를 이스라엘 젊은이들은 옛 일을 생각하며 도보로 오르고 있지만, 관광객은 케이블카를 이용하고 있다(성지순례 참조).

제 2차 독립전쟁(AD 132-135): 제1차 독립전쟁 후 66년 만에 예루살렘을 중심으로 4년에 걸친 제2차의 치열한 항쟁에서도 로마군에 의하여 완전 추방당하므로, 조국 없는 민족(디아스포라 diaspora)으로 1948년까지 방랑하게 되었다. 한편 그 당시부터 로마군이 이스라엘 민족의 성전 접근을 사형으로 금한 역사적 전통과, 그때의 성전 파괴로 땅속에 묻혀버린 하나님의 법궤를 밟아 벌을 받을지 몰라(삼하 6:6-7), 유대인들은 지금까지도 옛 성전 부근에는 접근하지 않고 "통곡의 벽" 앞에서 자기네의 경전을 읽으며 메시야의 오심을 간구하고 있다.

그런데 오늘의 예루살렘 성벽은 이스라엘을 통치하던 오스만 터키(1517-1917)에 의하여 1540년경에 새로 축성된 것이다(성벽의 높이 3.5m, 둘레 3.5Km, 면적 30만평). 예수님 당시의 성전과 성벽은 현재의 성안 동남부의 일부(약 5만평)로, 오늘의 황금사원과 통곡의 벽이 그때의 성전 부근의 일부에 해당된다고 한다. 그리고 주님과 베드로가 다니시던 성 동남편의 미문(황금문, 행 3:2)은 메시야의 다시 오심을 두려워한 이슬람교도에 의하여 폐쇄되었다고 한다(1540).

8. 안식일

그리스도교의 초대 교회는 AD68년경부터 유대교와 분리하였지만 유대교의 안식일을 그대로 지키었다. 그러나 로마가 그리스도교를 공인(AD313)한 후 교세가 확장되며, 주님을 못 박아 죽인 유대교를 이단시하기 시작하였다. 따라서 유대교인의 안식일(오늘의 토요일)을 그대로 지키기를 거부하게 되어, AD325년 공동회의에서 안식일을 오늘의 일요일로 바꾸었다. 그러나 어떤 교파(안식교, 여호와의 증인 등)

에서는 구약의 안식일을 지키며, 그리스도교의 안식일을 비성서적이라 비판하기도 한다.

그런데 유대교의 율법에는 해야 된다는 명령이 248조, 해서는 안 된다는 금령이 365조로 총 613조로 이루어져 있다. 그중 안식일에 해서는 안 되는 규정이 추수작업과(막 2:23-28), 목숨을 잃을 정도가 아닌 병자의 치료(막 3:1-6) 등 39가지가 된다고 한다.

9. 이슬람교

아브라함의 서자 이스마엘을 조상으로 하는 아랍 민족(창 25:12) 중에서 마호멧이 출생(570-632)하여 성장한 후, 여러 곳을 순회하며 유대교와 그리스도교의 원리를 체득한 다음 자기들의 적성에 맞는(창 16:12) 교리인, 코란을 작성하고 가브리엘 천사(눅 1:19)의 계시라고 선포하며 알라신을 섬기는 이슬람교를 창건하였다(622).

이들은 코란이냐 칼이냐를 신조로 하는 절대성과 용맹성을 갖고 교세를 확장하며 예루살렘을 점령한 후(AD638), 솔로몬의 성전 터(아브라함이 이삭을 하나님께 바치려던 모리아산의 큰 바위, 창 22:9) 위에 큰 사원을 짓고(현재의 황금사원 1964년 개축) 마호멧이 승천한 성지로 삼고 있다.

한편 이슬람교는 아브라함을 조상으로 생각하며 정통의 수니파와 방계의 시아파(750 분리)로 갈리어, 서로 반목하며 그들의 세력을 전 세계에 확장하고 있는데(전 세계 약 10억), 비교적 과격한 원리주의자들은 주로 시아파에 속해있다고 한다.

10. 교회의 분열과 화해

사도 바울이 단합을 호소한 고린도 교회의 파벌문제(고 1:10-12)가

약 400년이 지나는 동안 지역적으로 분파(AD395 로마와 그리스 비잔틴)하기 시작하였다. 여기에 정치적 문제가 가미되어 로마중심의 카톨릭교회와 그리스 콘스탄티노플(비잔틴, 동로마. 지금의 이스탄불) 중심의 동방정교회(또는 그리스정교회)의 두 파로 완전 분리(1054) 되어 오늘에 이르고 있다. 한편 오스만 터키의 침략으로 콘스탄티노플의 동방정교회가 러시아로 피난 가게 되므로 러시아정교회가 탄생하게 되었다(1453).

로마 카톨릭은 오늘의 교황청인 베드로 대성당을 재건축할 시기에(1506-1610), 독일신부 마틴 루터(1483-1546)의 종교개혁으로 개신교가 분리되고(1517), 영국에서는 헨리 8세의 개인적 사정으로 로마카톨릭과 분리하여 성공회가 발생하였다(1534). 그리고 개신교는 많은 종교지도자에 의하여 장로교, 감리교, 침례교, 구세군 등으로 다시 분파되었으며, 오늘 현재 우리나라에는 60개 이상의 교단으로 나뉘어 있다.

각 교파에서는 최근에 이르러 주님께서 오늘의 이러한 분파를 걱정하시어 "이 사람들이 모두 하나가 되게 하소서" 하신 기도의 참 뜻을 깨닫기 시작하였다(요 17:21). 즉 카톨릭과 동방교회가 1965년에 화해의 길을 열었으며, 1968년에는 카톨릭과 개신교가 교회일치를 선언한 후, 우리나라에서는 신 구교 합동으로 신구약성서의 "공동번역 성서"를 발간하였다(1977).

그리고 1993년에는 교황과 이스라엘 정부(유대교)가 2,000년간의 반목을 깨고 수교하였으며, 1994년 2월에는 그리스도교와 유대교가 수교하였다. 1995년 5월에는 이삭의 후손인 유대민족과 이스마엘의 후예인 아랍 민족의 PLO가 4,000년 만에 화해의 길을 열기 시작하였다.

세계평화를 위하여 화해의 길을 모색하는 이들에게 평화와 화해의 성령이 같이 하시기를 기원하는 바이다.

참 고

믿음의 조상 아브라함에서 파생된 유대교와 이슬람교, 그리고 카톨릭과 개신교가 다 아브라함이 섬긴 창조주 하나님을 모시고 있다. 그런데 오랜 전통의 결과 유일신이신 창조주를 유대교에서는 하나님, 이슬람교에서는 알라, 카톨릭에서는 하느님, 개신교에서는 하나님으로 받들고 있다.

그리고 그리스도교(행 4:32)는 유대교에 비하여 보다 보편성(또는 대중성)을 갖는다는 뜻에서 카톨릭(Catholic)으로, 개신교는 카톨릭에 대항하였다는 뜻에서 프로테스탄트(Protestant) 혹은 종교 개혁의 뜻에서 개혁교회(Reformed Church)라 한다.

이스라엘 민족의 수난사 (BC63-AD1948, 성서 연대표 참조)

이스라엘 민족은 예수님 당시의 로마 지배에서(BC63-AD395) 동로마(395-638), 그리고 이슬람교에 속하는 아랍과 터키의 지배를 계속 받았다(638-1099).

예루살렘 성지가 이슬람교에 의하여 점령되었을 때 유럽 각국에서는 이슬람교의 추방을 위하여, 십자군을 편성한 후 약 200년 간(1096-1270) 8회의 전쟁을 반복하며 성지를 수복하였다.

그러나 다시 이집트(1291-1517)와 오스만 터키(1517-1917)와 영국(1917-1948)의 지배를 계속 받아왔다. 그리고 현재의 예루살렘 성은 오스만 터키 정부에 의하여 축성되었다(1540).

이스라엘 민족이 로마와의 독립전쟁(AD70, 135)에서 패하여, 조국에서 추방되므로 조국 없는 방랑생활(디아스포라)을 계속하다, 1897년부터 조국으로 다시 돌아가자는 시오니즘 운동을 일으키기 시작하였다. 세계 각처의 유대민족이 이에 적극 참여하면서 제2차 세계대전 때 연합군에 적극 협조하므로 전쟁이 종결된 후 1948년 독립국이 되었다.

독립 후 세계 각처에서 이주한 이스라엘 민족은 아랍계 원주민과의 4차에 걸친 전쟁(1949, 56, 67[6일 전쟁], 73)에서, 오늘의 영토를 확보하고 아랍민족과의 공존을 위하여 노력하고 있다.

한편 전 세계의 이스라엘 민족 1,400만 중 유대교인이 약 80%이며, 이스라엘 본국에는 약 530만 명이 거주하며 그중 그리스도교인은 2.7% 에 불과하다고 한다(1994년 현재).

제6장

노아의 족보
(창 10장)

아담의 10대 손인 노아 시대에(BC3000) 세상에 악이 가득하여(창 6:3) 홍수의 심판을 받은 다음(창 7-8장), 노아가 500세에 출생한 아들 3형제(셈, 함, 야벳, 창 5:32)의 후손들이 하나님의 축복으로 번창하며(창 9:1) 각 지역으로 분산 정착하면서 그 지역부족의 조상이 되고 있다(창 10장). 이들 각 부족의 관계를 정리하여 다음과 같은 '노아의 족보' 를 작성하여 보았다.

1) 셈의 제3자 아르박삿의 후손에서 하나님의 선택을 받은 아브라함을 조상으로 하는 히브리(이스라엘) 족속(창 11:16-26)과, 욕단 갈래에서 동방 족속이 갈리고 있다(창 10:30). 그리고 구약성서는 셈족을 중심으로 기록되어있다.
2) 함의 후손 중에서 가나안족이 가나안 땅에 정착하여 농경생활하면서 농경신 바알을 섬기며, 후에 셈족의 이스라엘 민족과 대적하면서 섬멸의 대상이 되고 있다(신 7:1, 20:17). 구스의 아들 니므롯의 후손이 바벨론지역에 정착하며 셈의 후손과 대립하고 있다(왕하 25장).
3) 야벳의 후손은 그리스와 구라파 전 지역에 분산 정착하고 있다.

노아의 족보

(창 10장, 대상 1장)

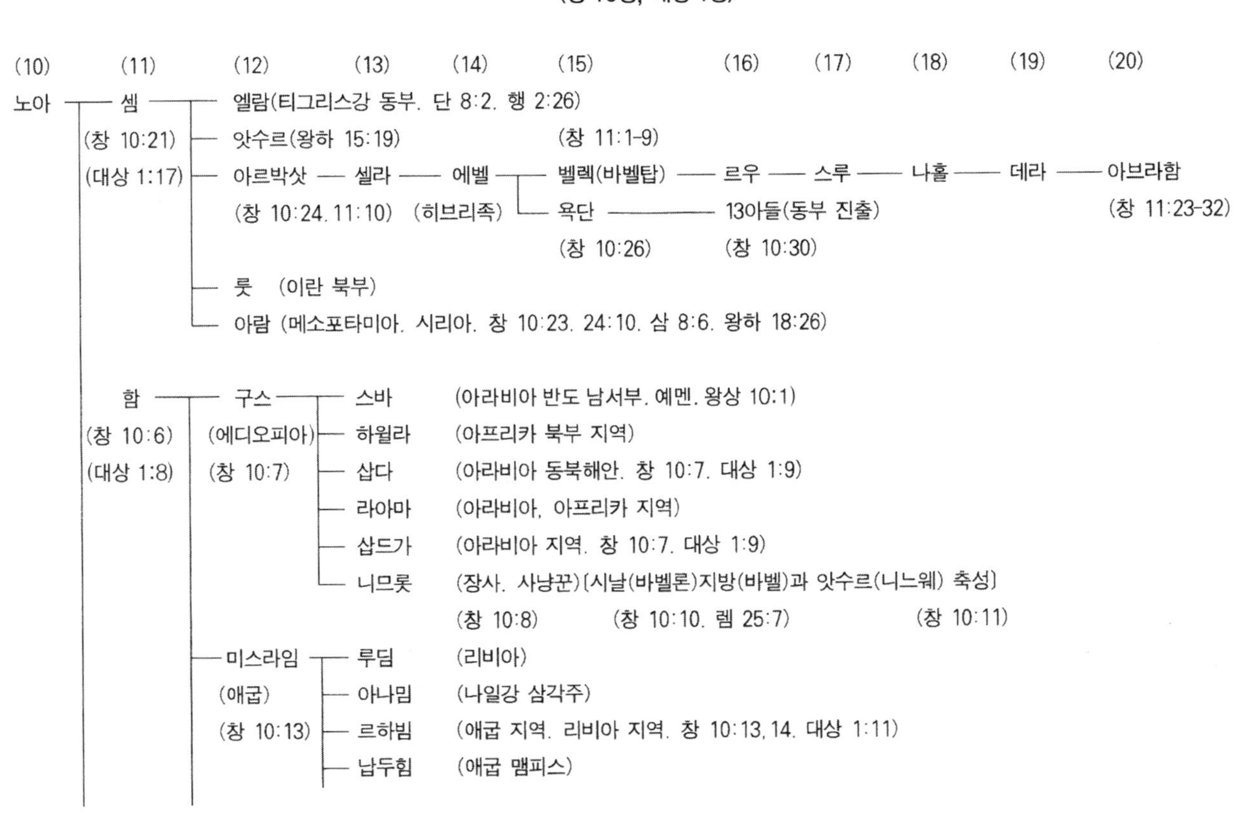
(10) (11) (12) (13) (14) (15) (16) (17) (18) (19) (20)
노아
셈
(창 10:21)
(대상 1:17)
엘람(티그리스강 동부. 단 8:2. 행 2:26)
앗수르(왕하 15:19)
아르박삿
(창 10:24. 11:10)
셀라
에벨
(히브리족)
(창 11:1-9)
벨렉(바벨탑)
르우
스루
나홀
데라
아브라함
(창 11:23-32)
욕단
(창 10:26)
13아들(동부 진출)
(창 10:30)
룻 (이란 북부)
아람 (메소포타미아. 시리아. 창 10:23. 24:10. 삼 8:6. 왕하 18:26)
함
(창 10:6)
(대상 1:8)
구스
(에디오피아)
(창 10:7)
스바 (아라비아 반도 남서부. 예멘. 왕상 10:1)
하윌라 (아프리카 북부 지역)
삽다 (아라비아 동북해안. 창 10:7. 대상 1:9)
라아마 (아라비아, 아프리카 지역)
삽드가 (아라비아 지역. 창 10:7. 대상 1:9)
니므롯 (장사. 사냥꾼)〔시날(바벨론)지방(바벨)과 앗수르(니느웨) 축성〕
(창 10:8)
(창 10:10. 렘 25:7)
(창 10:11)
미스라임
(애굽)
(창 10:13)
루딤 (리비아)
아나밈 (나일강 삼각주)
르하빔 (애굽 지역. 리비아 지역. 창 10:13, 14. 대상 1:11)
납두힘 (애굽 맴피스)

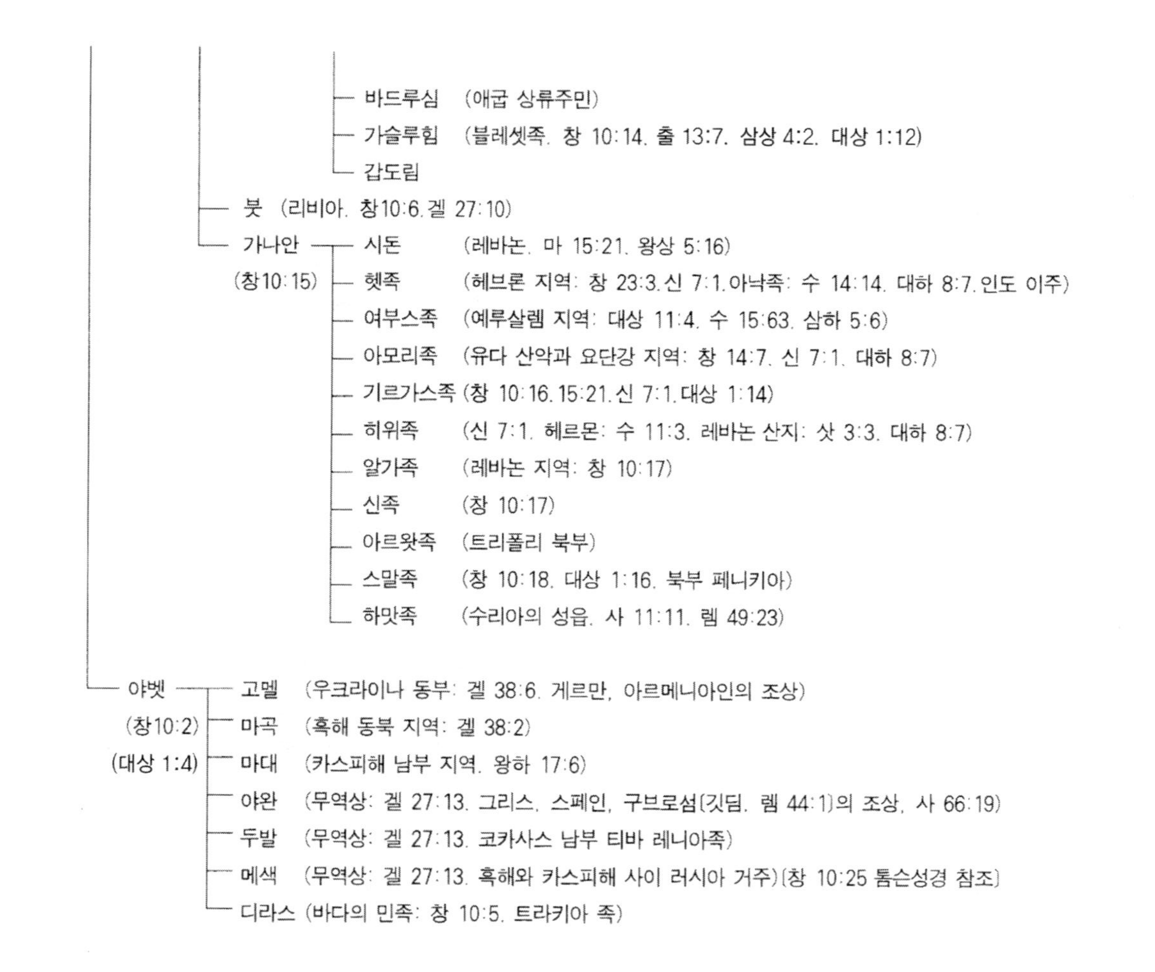

바드루심 (애굽 상류주민)
가슬루힘 (블레셋족. 창 10:14. 출 13:7. 삼상 4:2. 대상 1:12)
갑도림
붓 (리비아. 창10:6. 겔 27:10)
가나안 (창10:15)
시돈 (레바논. 마 15:21. 왕상 5:16)
헷족 (헤브론 지역: 창 23:3. 신 7:1. 아낙족: 수 14:14. 대하 8:7. 인도 이주)
여부스족 (예루살렘 지역: 대상 11:4. 수 15:63. 삼하 5:6)
아모리족 (유다 산악과 요단강 지역: 창 14:7. 신 7:1. 대하 8:7)
기르가스족 (창 10:16. 15:21. 신 7:1. 대상 1:14)
히위족 (신 7:1. 헤르몬: 수 11:3. 레바논 산지: 삿 3:3. 대하 8:7)
알가족 (레바논 지역: 창 10:17)
신족 (창 10:17)
아르왓족 (트리폴리 북부)
스말족 (창 10:18. 대상 1:16. 북부 페니키아)
하맛족 (수리아의 성읍. 사 11:11. 렘 49:23)
야벳 (창10:2) (대상 1:4)
고멜 (우크라이나 동부: 겔 38:6. 게르만, 아르메니아인의 조상)
마곡 (흑해 동북 지역: 겔 38:2)
마대 (카스피해 남부 지역. 왕하 17:6)
야완 (무역상: 겔 27:13. 그리스, 스페인, 구브로섬(깃딤. 렘 44:1)의 조상, 사 66:19)
두발 (무역상: 겔 27:13. 코카사스 남부 티바 레니아족)
메섹 (무역상: 겔 27:13. 흑해와 카스피해 사이 러시아 거주)(창 10:25 톰슨성경 참조)
디라스 (바다의 민족: 창 10:5. 트라키아 족)

제7장

출애굽의 긴 여정
(출 2-40장, 민 1-36장)

모세 5경(창세기, 출애굽기, 레위기, 민수기, 신명기) 중에서 모세가 하나님의 부르심으로, 이스라엘 민족을 애굽 땅에서 가나안으로 인도한 40년에 걸친 출애굽의 그 길을 그림3과 같이 지도로 작성하여 따라가 보기로 한다.

이스라엘 민족이 시나이 반도를 지나는 동안 애굽의 노예생활에서 구출하여 주신 은혜를 저버리고 하나님을 원망하며 애굽으로의 귀환을 주장하다가, 하나님의 진노로 엄한 벌을 받을 때 모세의 간구로 용서받고 순종하는 경우가 많았다. 그 장소를 그림 3에서 삼각형으로 표시하였다. 이와 같이 하나님께서는 이스라엘 백성을 엄한 벌과 사랑으로 다스려 강인한 하나님의 선택받은 민족으로 키우며 올바른 길을 가도록 인도하였다.

1. 이스라엘 민족의 애굽 기착

믿음의 조상 아브라함의 손자 야곱이 그의 12 아들(창 35:23, 주님의 족보 참조)과 예루살렘 남쪽 헤브론에 거주하였다(창 37:14). 야곱의 심부름을 간 요셉이(출 37:2, 17세) 사마리아 지역 세겜의 북쪽 도단에서 형들에 의하여 애굽으로 팔려갔다(창 37:17-28).

노예로 팔려간 요셉이 애굽에서 하나님의 도우심으로 30세에 애굽의 총리가 되었을 때(창 41:37), 헤브론과 가나안 지역에 흉년이 들어 야곱의 온 가족 70명이(창 46:27, 출1:5, 또는 75명, 행 7:14) 애굽으로 이주하여, 파라오의 환대를 받으며 나일강 하류지역 고센 땅 람세스에 정착하였다(창 46장, BC1700, 그림3 참조).

2. 모세의 부르심

이들은 가뭄이 끝난 후 가나안으로 돌아가지 않고 약 300년 전 하나님께서 아브라함과 약속하신 대로(창 15:13), 애굽에 그대로 머물러 약 430년(BC1730-1300)을 지나는 동안 이스라엘 민족이 장정만 60만 명 이상으로 불어나게 되었다(출 12:37, 가족을 합하면 약 200만 명 이상으로 추정됨). 이에 불안을 느낀 애굽 왕이 이스라엘 민족을 노예로 취급하며 한편 이들의 팽창을 막기 위하여 출생하는 남자를 죽이라고 하였다(출 1장).

이 시기에 출생한 모세가 하나님의 특별한 도우심으로 애굽 공주의 양자가 되어 궁중에서 성장하게 되었다(출 2:1-10). 모세가 40세로 성장하였을 때 자기 동포를 학대하는 애굽 관리를 죽이고 시나이 반도로 피신하여(출 2:11), 시내산 동부 미디안 지역의 제사장 이드로의 사위가 되어 양치는 목자로 지나며 두 아들(게르솜과 엘리에셀)을 낳았다(출 2:16, 18:3).

이스라엘 민족의 고생함을 보신 하나님께서 700년 전 아브라함과 이 민족을 구출하기로 약속하신 것을 지키기 위하여(창 15:13-16), 80세 된 모세를(출 7:7) 시내산 즉 하나님의 산 호렙으로 부르시어(출 3:2), 형 아론과 함께 이스라엘 민족을 구출하도록 지시하여(출 3-6장), 애굽왕 파라오(람세스II, BC1290-24)와의 대결이 시작되었다(출 7장).

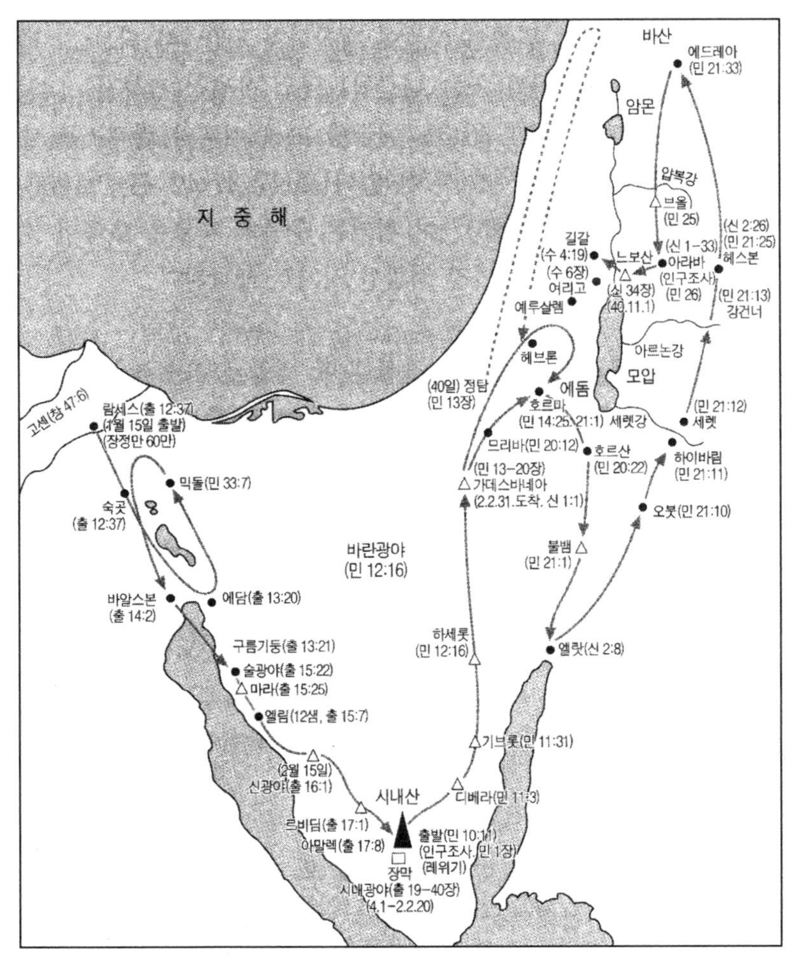

그림 3. 출애굽의 이동경로

3. 출애굽의 시작

하나님의 지시를 받은 모세가 10가지 재앙(1. 나일강 물을 피로, 2. 개구리, 3. 이의 소동, 4. 파리의 소동, 5. 가축의 죽음, 6. 피부병의 전염, 7. 우박의 소동, 8. 메뚜기 소동, 9. 암흑의 소동, 10. 처음 난 것의 죽음)으로 애굽 왕 파라오를 굴복시키고 출애굽을 시작하였다(출 7-12장). 즉 이스라엘 민족이 애굽에 정착한지 430년이 되는 그 해 유대 달력으로 정월(아빕 또는 니산월) 15일(유월절[광복절] 14일 만월 밤, 출 12:42, 민 33:3), 애굽 땅 고센 지역의 람세스를 출발하며 출애굽의 대 역사가 시작되었다(출 12:37-42, BC1280, 그림3 참조). 이 시기는 춘분이 시작되는 새로운 초목이 소생하는 계절로 출애굽의 가장 적합한 시기로 생각된다.

애굽 땅 람세스를 출발하여 전진할 때 애굽 군의 추격을 염려하여 해안 길의 블레셋 방향으로 직행하지 않고(출 13:17), 그림 3의 경로에서와 같이 숙곳을 거쳐(출 12:37) 에담에 이른 다음(출 12:20), 다시 회군하여 믹돌에 묵은 후(민 33:7) 바알스본 부근에서 홍해를 가르는 이적으로, 이스라엘 민족을 추격하던 애굽 군대를 전멸시켰다(출 14:2-14).

이들은 낮에는 구름기둥 밤에는 불기둥으로 인도하시는 그 길을 따라 전진하며(출 13:20), 하나님의 크신 업적을 찬양하는 승리의 노래를 부르면서(출 15:1-17) 술 광야로 진출하여 진을 쳤다(출 15:22).

그 다음 마라 지역에 도착하였을 때 쓴 물이 나오는 샘물에 백성들이 처음으로 불평하여, 하나님께서 모세로 하여금 이를 단물로 만들어 주셨다(출 15:23). 그리고 샘이 12개나 있는 오아시스 엘림에서 휴식을 취하며 여러 날 묵은 후(출 15:27), 애굽을 출발한지 한 달 만인 2월15일 신광야에 도착하였다(출 16:1). 이곳에서 백성들이 빵 문제로 애굽을 그리며 다시 불평하므로 하나님께서 만나와 메추라기를 배급하기 시작하여 40년간 내려 주시고(출 16:4-35, 민 11:7) 옷과 신발도 그대로 보존해 주었다(신 8:4, 29:5, 느 9:21).

그리고 시내산 부근의 르비딤에서 물 문제로 대드는 백성들을 위하여, 하나님의 지시로 모세가 지팡이로 바위를 치는 이적으로 물 문제를 해결하였다(출 17:1-7). 이때 이곳으로 공격해 오는 아말렉(에서의 후손, 창36:12)을 모세가 아론과 훌(모세의 누님인 미리암의 남편)의 협조로 팔을 드는 이적을 행하여 격파하였다(출 17:8-16).

한편 시내산 가까이 이르렀을 때 미디안의 제사장이며 모세의 장인인 이드로가 모세의 아들 게르솜과 엘리에셀을 데리고 왔다. 이때 장정만 60만(출 12:37)이나 되는 전체 약 200만 명 이상의 이스라엘 백성을 모세 혼자서 통치하는 것을 보고, 각 지파 별로 반 조직의 자치제를 채택하도록 권고하여 모세의 부담을 덜게 하였다(출 18장).

4. 시내산에서의 계약과 준비

애굽 땅을 출발한지 2개월 반이 되는 4월1일 하나님의 산 시내산(호렙산, 2,285m) 입구에 도착하여 진(장막)을 쳤다(출 19:2). 여기서 하나님의 부르심을 받은 모세는 자기의 종자(從者) 여호수아를 데리고 시내산에 올라 40일간을 지내며(출 24:13-18), 하나님으로부터 이스라엘 민족을 법으로 다스릴 십계명을 위시한 여러 가지 법령(출 20-23장)과 하나님을 섬길 성물(聖物)과 이를 보관할 성소의 규모와 건축방법을 지시 받음과 동시에(출 25-31장), 하나님께서 손수 기록하신 증거판 두 판을 받았다(출 32:16). 그리고 하나님을 섬길 제사장으로 아론과 그의 아들을 선택하셨다(출 28-29장, 그림4 모세의 족보 참조).

모세가 시내산에 올라있는 사이 시내산 밑의 백성들은 모세를 기다리다 지쳐 아론에게 부탁하여 금송아지를 만들어 섬겼다(출32:1-6). 이를 내려다보시고 진노하신 하나님의 지시를 받고 하산하던 모세가 두 개의 증거판을 백성들에게 던져 깨뜨리며, 금송아지를 깨버리고 레위인을 동원하여 3,000명을 숙청하였다(출 32:15-29).

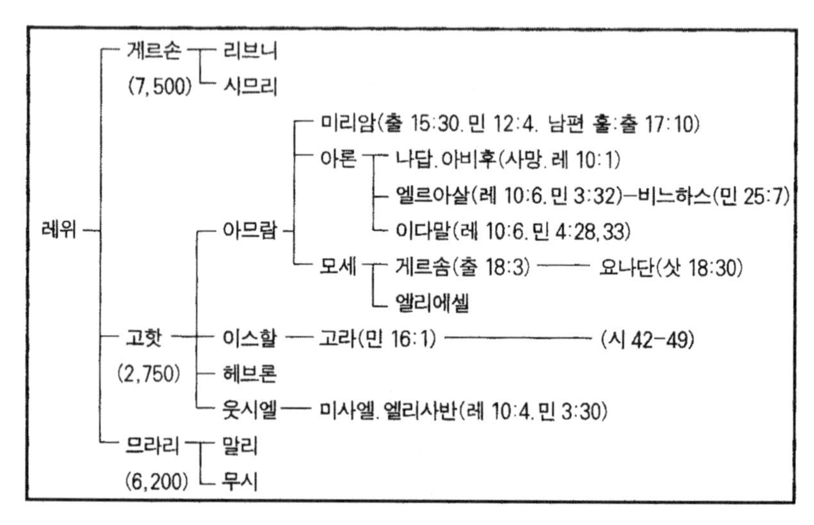

그림 4. 모세의 족보(대상 6장, 총 인원 22,270[1세 이상, 민 3:22–43])

그 후 모세는 백성들에게 하나님만 섬길 것을 맹세토록 함과 동시에 하나님께 간구하여 새 증거판 두 판을 다시 받으므로(출 34장) 이스라엘 민족이 하나님과 계약을 맺은 선택받은 민족이 되었다.

그런 후 이곳에서 하나님께서 손수 설계해 주신(출 25-26장) 법궤와 성막과 만남의 장막 등, 각종 시설의 제작에 착수하여(출 36-40장) 출애굽한지 2년 1월 1일 되는 날 완성하였다(출 40:16). 그때부터 하나님의 영광이 구름으로 성막을 덮었는데 이 구름이 걷혀야만 장막의 진을 거두고 떠날 수 있었다(출 40:34-38).

그런데 법궤(증거궤, 언약궤)에는 하나님께서 백성과 맺은 계약의 두 돌판(출 25:16, 신 10:2)과, 만나를 담은 금 항아리(출 16:33)와 싹이 난 아론의 지팡이(민 17:10)가 보관되어 있었다(히 9:4). 그러나 먼 훗날 솔로몬 왕이 법궤를 성전으로 모실 때에는 계약의 돌판 외에는 아무 것도 없었다(왕상 8:9).

성막이 완성된 후 하나님의 지시로 아론과 그의 아들을 제사장으로 임명하는 예식을 올린 다음(레 8장), 레위기에 기록한대로 하나님께서 자신을 섬기는 여러 가지 절차에 대하여 상세히 지시하셨다(출 39장, 레위기).

출애굽한지 2년 2월 1일 되는 날 제1차 병적을 조사한 결과, 요셉의 두 아들(므낫세와 에브라임)을 합한 12지파 603,550명(20-50세, 민 1:46)과, 레위지파 8,580명(30-50세, 민 4:48)을 합하여 활동할 수 있는 총 인원 612,130명이 되었다(그림5 참조).

그리고 보다 조직적인 행동을 위하여 하나님의 지시에 따라 부대가 정지하고 있을 때 그림 5와 같이, 성막[만남의 장막]을 레위지파의 세 아들과 모세와 아론이 호위하고(민 4장), 그 외각의 각 변을 12 지파가 지파별로 호위하도록 부대를 편성하였다(민 2장). 아론의 아들 엘르아살이 성막관리의 총사령관이 되고(민 3:32) 각 부대간의 연락은 나팔로 행하도록 하였다(민 10:1-9).

그리고 부대가 행진할 때에는 다음과 같이 각 지파를 배열하고 성막은 레위 지파의 게르손과 므라리 지파가 법궤를 포함한 성물은 고핫 지파가 책임지고 유다 지파를 선두로 행진하도록 하였다(민 10:12-28).

부대의 행진 순서 (민 10:12-28)

						성물(법궤)				성막						
납달리	아셀	단	베냐민	므낫세	에브라임	고핫	갓	시므온	르우벤	므라리	게르손	스불론	잇사갈	유다	→	선두행진

애굽을 출발한지 2년 2월 20일 되는 날 모든 준비가 완료되었을 때(민 10:11), 하나님의 영인 성막의 구름이 걷힘으로 이를 신호로(출 40:36, 민 9:17), 방대한 부대가 유다 지파를 선두로 시내산을 출발하였다(민 10:12).

시내산을 출발하여 진행도중에 디베라에서 백성들이 행군에 지쳐 불평하여 하나님으로부터 불세례의 벌을 받았으며(민 11:1-3), 기브롯 핫다와에서는 백성들이 고기를 요구하다 메추라기로 많은 사람이 죽는 벌을 받았다(민 11:4-6, 31-35). 그리고 하세롯에서 모세가 구스 여자를 아내로 맞이하는 것을 형 아론과 누나 미리암이 비방하다 하나님으로부터 미리암이 문둥병에 걸리는 엄한 벌을 받았다(민 12장).

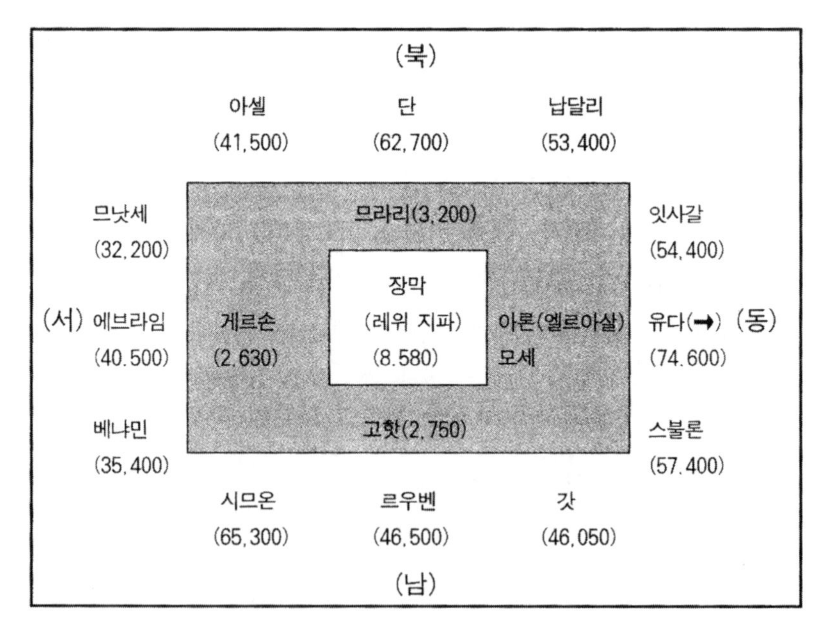

그림 5. 부대 편성 (민 2장, 4장)

각 지파 총 인원 603,550명[20세 이상] 레위 지파 8,580명[30-50세], 총계 612,130명

하나님께서 백성들이 시내산에 도착하기 전까지는 백성들의 불평을 그대로 받아주었지만, 시내산에서 하나님과의 법적인 계약을 맺어 하나님의 선택받은 민족이 된 후로는, 백성들의 불평에 대하여 엄한 벌을 내려 백성들이 공포에 싸였을 때 모세의 간절한 간구로 백성들을 용서하므로 백성들이 회개하며 하나님을 섬기도록 하였다.

5. 가데스바네아에서의 정탐과 반역

시내산을 출발한지 11일 만인(신 1:1) 2년 2월 31일 가나안 남부 네겝 지역 남쪽 바란광야의 가데스바네아에 도착하여 진을 쳤다(민 13:16, 33:36). 그리고 가데스바네아에서 각 지파의 대표 12명을 선발하여 가나안을 40일간 정탐하게 하였다(민 13:3-16). 이들은 헤브론 에스골 골짜기에서 포도송이를 메고 왔지만(민 13:18-24), 갈렙(유다 지파)과 여호수아(에브라임 지파)를 제외한 10 지파의 비관적인 보고로 회중이 반란을 일으켰다(민 14:1-9).

이때 하나님께서 염병의 벌을 내려 전멸시키려 할 때 모세의 간구로 용서하시는 대신(민 14:10-25), 갈렙과 여호수아를 제외한 20세 이상의 모든 사람들이 가나안에 들어가지 못하게 하는 큰 벌을 받게 하였다(민 14:26-38).

즉, 가데스바네아에서 직행하면 3일 만에 도달할 수 있는 가나안 땅을 사해 남서부의 에돔(에서의 후손, 창 36:1)과 사해 동부의 모압과 갈릴리 동부 암몬 지역을(롯의 후손, 창 19:30) 38년간 방황하며 세대교체를 당하게 되었다(신 2:14).

이러한 엄벌에 흥분한 백성들이 가나안으로 무모하게 진격하다 가나안족(창 10:15, 노아의 족보 참조)과 아멜렉(창 36:12, 에서의 후손) 사람들에 의해 패하여 호르마까지 후퇴하는 벌을 받았다(민 14:39-45).

가데스바네아에 체류하는 동안 모세의 사촌동생 고라가(그림4 모세의 족보 참조) 모세를 시기하며 반역을 일으키다, 하나님의 심판으로 반역에 동조한 250명이 갈라진 땅속으로 빠지는 죽음의 큰 벌을 받았다(민 16장). 한편 모세에게 불평하던 백성들도 하나님의 진노로 14,700명이 염병으로 죽는 벌을 받기도 하였다(민 17장).

출애굽한지 3년 되는 해의 정월에 모세의 누님 미리암이 죽고(민 20:1), 한편 가데스바네아 북쪽의 므리바에서 백성들의 물에 대한 불평에 흥분한 모세가 하나님의 지시를 어기고 바위를 두 번 치는 행위로 모세는 가나안에 들어가지 못하는 벌을 받게 되었다(민 20:2-13).

6. 38년 동안의 방황 (세대교체)

가데스바네아에서 약 1년 가까이 체류한 후 가나안 땅으로 직접 가는 길을 택하려 하였지만 에돔 민족(에서의 후손, 창 36:1)의 방해로 남부로 돌아가는 길을 택하였다(민 20:14-21, 그림3 참조). 이 과정에서 아론이 호르산에서 사망하고(123세) 그의 아들 엘르아살이 아론의 역할을 담당하였다(민 20:22-29).

남부로 내려가는 아다림 길가의 호르마에서 가나안 사람 아랏 왕이, 이스라엘 백성을 납치하므로 이들의 성읍을 모조리 섬멸하였다(민 21:1-3). 그리고 진행하는 동안에 행진에 지쳐 불평하는 백성들에게 하나님께서 불 뱀의 처벌을 내려 벌할 때, 모세의 간구에 의한 구리 뱀으로 백성들을 구하여 이들을 잠잠하게 하였다(민 21:6-9).

아카바만의 항구도시 엘랏과 에시온게벨을 지나(신 2:8) 다시 사해 동쪽 길로 북상하며, 오봇(민 21:10)을 지나 사해로 흐르는 세렛강과 아르논강 가의 여러 성읍(민 21:11-20, 이예아바림, 브엘, 맛다나, 나할리엘, 바못 등)을 점령하였다. 그리고 아모리 족의 시혼 왕이(창 14:7,

노아의 족보 참조) 사는 헤스본과(민 21:25) 북방 시리아지역 바산의 옥 왕을 격파하고 이들의 땅을 점령하였다(민 21:33). 그리고 돌아오는 길에 브올(싯딤)에서 바알 신에 빠진 이스라엘 백성의 일부를 아론의 손자 비느하스가 창으로 찔러 죽임과 동시에, 하나님께서 다시 염병으로 24,000명을 죽이는 엄벌을 내려 백성들에게 이방신을 멀리하도록 경고하였다(민 25장).

그 후 요단강 동편 모압광야에 도착하여 하나님의 지시로(민 26:3) 제2차 인구조사를 행한 결과 새로운 인원으로, 12 지파의 장정이 601,730명이며(민 26:51, 20세 이상) 레위 지파는 생후 1개월 이상 된 남자가 23,000명이었다(민 26:62). 이들 중에는 38년 전 시내산에서 제1차 인구조사 때 등록한 사람들 612,130명(그림5 참조) 중에서는 모세와 여호수아와 갈렙 외에는 한 사람도 없었다(민 26:64).

참고로 시내산에서의 제1차(2년 2월 1일) 인구조사에서 12 지파 603,550명(20-50세, 민 1:46)과 레위 지파 8,580명(30-50세, 민 4:48)로 활동 총 인원 612,130명이었다.

한편 하나님의 지시로 12 지파의 병력 12,000명을 동원하여 브올에서 이스라엘 백성을, 이방신에 빠지게 한 미디안 사람(민 25:16)과 다섯 왕들을 섬멸하여 이방신의 근거를 완전히 제거하였다(민 31:1-24). 그리고 모세는 이미 점령한 땅 중의 일부를 르우벤(요단강 하부 동쪽)과 갓(요단강 중부 동쪽)과 요셉의 아들 므낫세의 반 지파(요단강 상류 동편 바산 지역)에게 분배해 주었다(민 32:20-42).

7. 모세의 고별사 (신명기)

출애굽한지 40년 11월 1일 되는 날 요단강 동쪽 느보산 기슭의 아라바 광야에 진을 쳤다(신 1:1-3). 이곳에서 약 2개월에 걸쳐 모세는 세대교체로 과거를 모르는 백성들에게, 하나님께서 애굽의 노예생활에서 이스라엘 백성을 해방시켜 주시고, 출애굽의 긴 여정을 이끌어 주신 역사를 알려주었다. 그리고 가나안에 정착하였을 때 이방신에 빠지지 말고 하나님만을 섬기라는 자세하고도 긴 말씀의 간절한 최후의 부탁을 하였다(신 1-30장).

그런데 이스라엘 민족이 애굽에서 430년간을 지날 때 가나안 땅에는, 노아의 후손 중에서 가나안족의 갈래들이(출 3:8, 노아의 족보 참조) 농경생활하며 농경신인 바알 신을 섬기고 있었다(창 15:19). 따라서 하나님께서는 이스라엘 백성들이 가나안에 입주하여 이방신에 빠질 것을 염려하여, 모세로 하여금 바알 신을 섬기는 모든 신당과 족속들을 완전히 제거하도록 여러 번 강조케 하고 있다(출 23:23, 신 7:1, 16, 12:29, 20:13, 16).

그리고 출애굽의 역사를 영원히 기억하고 하나님께 감사하는 행사로, (1) 애굽의 노예생활에서의 해방절인 유월절과 무교절(신 16:1), (2) 첫 유월절의 축제 후(수 5:10, 춘분 계절) 보리를 심은 지 50일 후의 추수를 감사하는 맥추절(또는 오순절, 신 16:9), (3) 시내광야를 40년 동안 이동할 때의 초막생활을 회고하며 초막을 치고 지나는 초막절(신 16:13)의 3대 축제를 꼭 지키도록 당부하였다(신 16:16).

모세가 이스라엘 백성을 위한 모든 부탁의 말을 마치고(신 1-30장, 40년 12월 30일), 요단강 동편 느보산에 올라가 가나안 땅을 바라보며 자기의 종자 여호수아를 후계자로 추천하였다(신 31:3). 그리고 백성들에게 하나님을 섬기도록 다시 당부하고(민 28-30장), 백성들을 위한 격려와 축복의 기도를 올린 후(신 32-33장) 120세로 사망하였다(신 34장). 따라서 모세가 인도하는 40년에 걸친 출애굽의 대역사(BC1280-40)는 여기서 끝을 맺었다.

8. 여호수아의 인도

하나님께서 요셉의 아들 에브라임 지파에 속하는 눈의 아들 여호수아를 후계자로 선별하시며(이때 여호수아는 100세에 이름), "내가 너와 항상 동행하니 힘을 내고 용기를 가지라"고 격려하였다(수 1:5-6). 여호수아는 백성들을 이끌고 요단강을 막는 이적으로 도강한 후(수 3장), 출애굽한지 41년 1월 10일 되는 날 여리고 동편 길갈에서 42번째의 진(민 33:3)을 치고 기념으로 하나님께 감사하는 12개의 돌을 세웠다(수 4:10-19).

그리고 4일이 지난 41년 1월 14일 여리고 평야에서 첫 유월절 축제를 올린 다음 날, 이곳에서 소출된 곡식으로 만든 음식(무교병)을 먹으므로 40년간 내려주신 만나가 중단되었다(수 5:10-12).

인류역사상 가장 오래며(BC8000) 견고한 여리고 성을 하나님의 도우심의 이적으로 점령하였다(수 2장, 6장). 그리고 모세가 부탁한대로(신 7:1) 각 지역에 정착한 부족들을(출 3:8, 노아의 족보 참조) 제거하며, 가나안을 위시한 광활한 땅을 약 7년간에 걸쳐 정복하였다(수 14장). 그리고 각 지파에 토지를 분배한 후(수 12-22장) 세겜에서 백성들에게 하나님만 섬길 것을 맹세시킨 다음 110세로 천수를 다하였다(수 23-24장).

한편 민수기 33장에는 이스라엘 민족이 애굽 땅 람세스를 출발한 후(1월 15일, 출 12:17), 41년 1월 10일 되는 날 요단강 서편 길갈에 진주하는(수 4:19) 출애굽의 대 여정에서, 41년 동안 장막(초막)을 친 42곳의 지명들이 자세히 기록되어 있다(민 33:3-49).

9. 출애굽의 정리

출애굽의 역사를 기록한 출애굽기, 레위기, 신명기, 민수기를 간단히 정리하였다.

출애굽기: 모세의 출생과 성장과 망명생활 그리고 하나님의 부르심으로 지도자가 되어, 파라오를 굴복시키고 이스라엘 민족을 이끌고 출애굽하여 시내산으로 인도한다. 시내산에서 약 1년간 체류하며 하나님께서 이스라엘 민족을 법치민족으로 다스리기 위한 법령(십계명 등)을 돌판에 새겨주시며 이스라엘 민족과 특별한 계약을 맺으셨다. 그리고 하나님을 섬기는 성막을 제작케 하고 제사장(아론과 그의 아들)을 선정하신 후 하나님을 섬기는 여러 가지 절차에 대하여 지시하고 있다.

레위기: 시내산에서 하나님을 섬길 성막이 완성된 후 부대를 편성하여 다시 출발하기 직전에, 하나님의 지시로 아론과 그의 아들들을 제사장으로 임명하여 제사를 올리게 한 후(레 8-10장), 하나님을 섬기는 여러 가지 의식과 절차에 대하여 상세히 지시하고 있다(레 1-7장, 11-27장).

민수기: 시내산에서의 모든 준비가 완성된 후 제1차 인구조사를 행한 다음, 부대를 편성하고 시내산을 출발하여 가데스바네아에 도착한 후 백성들이 반란을 일으키므로, 하나님께서 세대교체의 벌을 내려 사해 남동부 지역을 38년간 방황토록 하였다. 그리고 백성들이 요단강 동편 느보산까지 도착하는 과정과 가나안에 입주한 후 하나님을 섬겨야 할 여러 가지 절차에 대하여 지시하고 있다.

신명기: 출애굽한지 40년 만에 요단강 동쪽에 도착한 모세가 과거를 알지 못하는 새로운 세대의 백성들에게, 하나님께서 이스라엘 민족을 애굽의 종살이에서 구원하고 이곳까지 인도해주신 과거를 알려주었다. 그리고 백성들에게 하나님께 감사하며 하나님만을 섬기라는 세밀하고도 구체적인 부탁의 말을 전하고 축복의 기도를 올려주었다.

제8장

사울 왕과 다윗
(삼상 10-31장)

이스라엘 민족이 하나님의 인도하심으로 40년간의 출애굽의 대역사를 끝내고, 가나안에 정착한 후 약 200년간의 사사시기를 지난 다음, 이스라엘 민족사에서 첫째 왕으로 세워진 사울 왕은 영토문제로, 가자지구의 블레셋과의 전쟁을 계속하였다.
이때 다윗이 큰 공적을 세워 사울 왕에 의해 발탁되었지만 곧 사울 왕의 질투의 대상이 되어 사울 왕을 피해 도망 다니게 된다. 그런데 다윗은 도피 중에도 하나님께 간구하며 찬양하는 노래를 올리고 있다(시편 150편 중 73편). 다윗이 사울 왕을 피해 다닌 경로를 그림 6과 같이 각 곳을 번호로 표시하고, 각 곳에서의 사건들을 다음과 같이 정리하였다.

1. 선지자 사무엘을 통하여 하나님의 선택을 받은 사울이 길갈에서 이스라엘의 왕으로 등극한 후 자기 고향 기브아에 왕궁을 건설함(삼상 11:14, 10:26, 15:34, BC1012).
2. 사울 왕이 사무엘로부터 통치권을 위임받은 다음 국권을 확장하는 여러 전쟁에서, 하나님의 지시를 어기므로 하나님의 버림을 받기 시작함(삼상 12-15장).
3. 소년 다윗이 자기 고향 베들레헴에서 사무엘을 통하여 하나님의 선택을 받음(삼상 16:1-13).

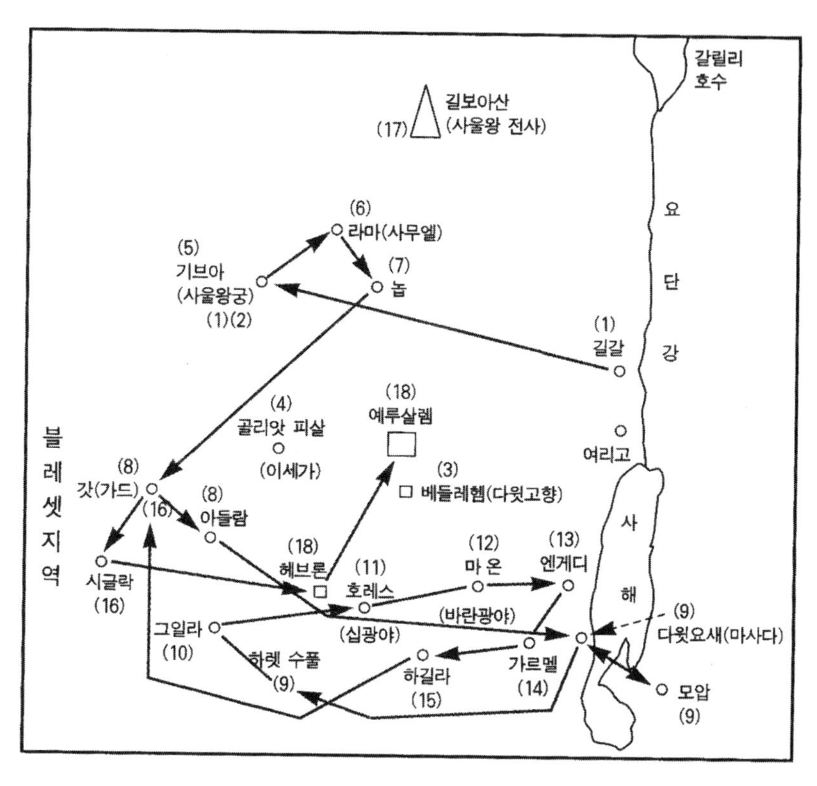

그림 6. 다윗의 도피경로

4. 소년 다윗이 전쟁터 이세가에서 블레셋 장군 골리앗을 죽이고 사울 왕에 발탁되어 사위가 되고, 여러 전투에서 큰 업적을 올림으로 사울 왕의 질투를 받기 시작함(삼상 17:1-18:30).
5. 다윗은 사울 왕의 질투로 죽을 고비를 여러 번 당하나, 사울 왕의 아들 요나단의 도움으로 위기를 여러 번 모면함(삼상 18:6-19:17, 시 59편).
6. 사울 왕을 피하여 다윗이 라마에서 도주할 때 요나단과 앞날의 우정을 다짐함(삼상 20:1-42).

7. 다윗이 사울 왕을 피하여 도망할 때 놉에서 선지자 아히멜렉의 도움을 받음과 동시에 보관 중이던 골리앗의 칼을 받음(삼상 21:1-10, 시편 52편).
8. 다윗이 블레셋 땅의 가드에 있는 아기스 왕에게 망명하여 미친 체 위장한 후(삼상 22:1-2), 아둘람의 굴로 피신하여 다윗의 가족을 포함한 추종자 400명의 지도자가 됨(삼상 21:14-22:2, 시편 34편, 56편, 142편).
9. 다윗이 자기의 증조모 룻의 고향(룻 1:4, 4장) 모압 땅 미스바로 피신하여, 모압 왕에게 부모와 가족을 부탁한 후, 사해 서편 다윗의 요새(마사다)에 머물렀다가, 예언자 갓의 지시를 받고 유다 땅으로 다시 돌아오며 하렛 수풀 속으로 은신함(삼상 22:3-5).
10. 다윗이 블레셋군이 점령한 그일라성을 탈환하여 사울 왕에게 넘기고 피신함(삼상 23:1-13).
11. 다윗의 일행이 십 광야(헤브론 동편 지역) 골짜기 호레스에 은거할 때, 이곳으로 찾아 온 요나단의 위로를 받음. 십 사람이 다윗을 사울에게 밀고하여 마온으로 감(삼상 23:14-23, 시편 54).
12. 마온 황무지에 숨은 다윗 일행을 추적하던 사울 왕이 블레셋군의 침공 소식을 보고 받고 회군함(삼상 23:24-28).
13. 블레셋군을 물리친 사울 왕이 다시 추적하였을 때 다윗이 사해 부근의 엔게디 오아시스 계곡에서, 사울 왕을 살려주므로 사울 왕이 회개하고 돌아감(삼상 24:1-23, 시 57편).
14. 사무엘이 라마에서 사망하였을 때 다윗이 가지 못하고 바란 광야에서 활동하다, 갈멜에서 둘째 아내 아비가일을 맞이함(삼상 25:1-44).
15. 다윗이 십 광야의 하길라에 숨어 있을 때 추격해 온 사울 왕을

다시 살려줌으로, 사울 왕이 다시 회개하고 자기 왕궁(기브아)으로 돌아감(삼상 26:1-25).

16. 다윗은 사울 왕의 계속적인 추적을 우려하여 온 가족 일행 600명을 이끌고, 블레셋 땅 가드의 아기스 왕에게 다시 망명하여 시글락 성을 양도받고(삼상 27:1-12, 시 56편), 주위의 각 성을 공략하며 자신의 세력을 착실히 보강함(삼상 29-30장). (이때 갓, 베냐민, 요셉의 아들 므낫세 등 각 지파에서 많은 장사들이 다윗을 돕기 위하여 찾아옴[대상 12:1-23]).
17. 사울 왕이 다윗의 공적을 질투하며 공격하는데 국력을 소모하므로, 블레셋과의 길보아산 전투에서 요나단과 함께 전사함(삼상 31:1-13).
18. 사울 왕이 전사하여 모든 권한이 돌아와 하나님께 감사하며(삼하 22장, 시 18편) 30세에 헤브론에서 유다 왕으로 즉위하여(삼하 5:4), 7년 반을 통치한 후(BC1004-997) 예루살렘으로 천도하여 33년 동안(BC997-965) 국토를 확장하며 통일 왕국을 건설함(삼하 2:1-7, 5:1-10). (이 시기에 12 지파의 장병들이 헤브론에 집합하여[대상 12:24-41], 블레셋과 주위의 각 민족을 정복하며 국토 확장에 동참함[대상 18장]).

제9장

열왕기와 역대기의 정리

열왕기 상하와 역대기 상하를 다윗 왕과 솔로몬 왕의 업적과, 남북왕조와 선지자들의 활동 그리고 침략국과의 관계를 아래와 같이 정리하고, 남북왕조의 관계를 '남북왕조의 계보' 의 일람표로 작성하였다.
이 표에서 왕들의 통치연대 옆의 [ ]는 성서에 기록된 왕들의 통치 햇수이며, *표는 왕위 찬탈의 경우로 이스라엘 왕족은 혈통이 여러 번 바뀌고 있다. 그리고 @표는 하나님을 섬긴 왕을 표시한 것으로 유다왕국은 20명의 왕 중 8명, 이스라엘왕국은 19명의 왕 중 2명만이 하나님을 섬기고 있다.

A. 다윗 왕과 솔로몬 왕의 업적

1. 다윗 왕의 업적(대상 1-29장)

a. 다윗 왕의 성장과 통일왕국 건설(삼상 16장-삼하 24장, BC1034-1004)

b. 다윗 왕과 이스라엘 각 부족의 족보(대상 1-10장)

c. 다윗 왕 30세 등극과 법궤 옮김
(삼하 2-6장, 대상 11-16장, 수도 헤브론 7년 반, BC1004-996)

d. 다윗 왕의 치적과 영토 확장
(삼하 5장, 대상 17-22장, 예루살렘 천도 33년, BC996-965)

e. 다윗 왕의 성전 건축 준비 왕권 확립(대상 23-29장)

f. 다윗 왕 40년 통치 70세 사망(대상 29:26, BC1004-965)

2. 솔로몬 왕의 업적(왕상 1-11장, 대하 1-9장)

a. 솔로몬 왕의 즉위와 명성(왕상 1-4장, BC965)

b. 솔로몬 왕의 성전과 왕궁 건축(왕상 5-8장, 대하 1-9장, BC962-944)

c. 솔로몬 왕의 예루살렘 성 축성과 국토확장(왕상 9장)

d. 솔로몬 왕의 부귀와 타락과 하나님을 배반
(왕상 10-11장, 왕비 700+300=1,000명, 이방신 섬김)

e. 솔로몬 왕의 사망(왕상 11:41, BC926, 40년 통치: BC965-926)

B. 남북왕조와 선지자의 활동

열왕기와 역대기에 기록된 유다와 이스라엘 각 왕조의 계보와 하나님께서 각국에 파송하신 선지자와 그들의 활동 시기, 그리고 유다와 이스라엘 왕국을 침략한 나라(시리아, 앗수르, 애굽, 바벨론)와 포로를 귀환시킨 페르샤와의 관계를 별표 "남북왕조의 계보"로 집약하고 각각에 성서 구절을 삽입하여 성서 이해에 도움이 되도록 하였다.

1. 이스라엘 왕국과 선지자

솔로몬 왕이 죽은 다음 요셉의 아들 에브라임지파의 후손 여로보암(솔로몬 왕의 사령관,왕상 11:26)이, 10지파를(유다와 베냐민 지파 제외) 이끌고 세겜에서 이스라엘 왕국을 건국한 후, 금송아지를 만들어 섬기며 하나님을 배반하였다(왕상 12-14장).

그리고 제7대 아합 왕(BC871-852)이 바알신(農耕神)을 섬기는 이

세벨을 아내로 맞이하며 바알신에 푹 빠지고 말았다(왕하 16:29-33).

이때 하나님께서 선지자 엘리야를 파견하여 갈멜산 정상에서, 이세벨을 따라온 바알신의 예언자 850명을 멸하고 비를 내리게 하며(왕상 18:20-40), 회개할 것을 권했지만 순응하지 않고 상아궁을 짓는 등(왕상 22:39) 하나님 보시기에 악한 일을 계속하였다. 그 후 하나님께서 선지자 엘리사를 파견하여 제10대 예후 왕으로 하여금 아합 가문과 바알 숭배자들을 완전 제거하고 하나님을 섬기도록 하였다(왕하 9-10장).

그러나 그 후의 왕들이 계속하여 하나님을 배반하고 타락하여 요나, 아모스, 호세아 등 여러 선지자를 파송하였지만, 회개하지 않으므로 이스라엘 왕국은 건국한지 약 200년 만에 앗수르에 의하여 망하고 말았다(왕하 17장, BC722).

이때 앗수르는 이스라엘왕국 10지파의 포로들을 카스피해 남부의 깊은 산속에 이주시키고(왕하 17:6), 이방민족을 사마리아로 끌어들여 혼혈시키므로 새로운 사마리아인의 조상을 만들었다(왕하 17:24). 최근 위의 잃어버린 10지파의 후예라고 주장하는 민족이 나타나고 있다(아프리카, 일본, 중국 등).

2. 유다 왕국과 선지자

유다와 베냐민 지파를 중심으로 솔로몬 왕의 정통을 이어 받은, 초기의 유다왕국의 왕들은 솔로몬 왕이 끌어들인 이방신을 그대로 섬겼다(왕상 11장). 그러나 다윗 왕을 본받은 제3대 아사 왕과 제4대 여호사밧 왕은 이들 우상을 제거하고 하나님을 섬겼다(왕상 15-22장).

그런데 제5대 여호람 왕이 이스라엘왕국 아합 왕의 사위가 되면서(대하 21:6) 그의 부인 아달랴(아합의 딸, 제7대 왕, 왕하 11장)와 그의 아들 제6대 아하시아 왕이 바알신을 끌어들이게 되었다(왕하 8:25).

제8대 요아스 왕은 바알신과 우상 등을 제거하고 성전을 보수한 후 하나님을 섬겼지만(왕하 12:1-17), 후에 하나님을 배반하므로 죽임을 당했다(대하 24:17-25). 이 시기에 천재지변이 발생하여(욜 1:4) 선지자 요엘이 회개와 구원의 길을 선포하므로(욜 2-4장), 제11대 요담 왕까지 하나님을 섬기는 통치가 계속되었다.

그러나 제12대 아하스 왕부터 하나님을 배반하며 온 백성이 이방신에 빠지므로, 선지자 이사야와 미가를 파송하여 회개할 것을 선포하였다. 이때 이사야 선지자가 700년 후 메시야(예수) 오심을 예언하고 있다(사 7:14).

제13대 히스기야 왕 때 이스라엘 왕국을 점령한 앗수르 산헤립 왕(BC704-681)이 예루살렘을 침략한바 있었다(왕하 18:13). 이때 히스기야 왕과 이사야 선지자의 간절한 기도로(사 37-38장) 침략군을 퇴각시켰다(왕하 19장). 그 후 제14대 므낫세 왕이 자기 아들을 우상에게 바치는 등의 학정을 이사야 선지자가 비판하다(왕하 21:1-9) 왕의 미움으로 순교 당하였다(왕하 21:10-16, BC680).

유다왕국 말기에 스바냐, 예레미야, 하박국 등의 선지자가 활동하였지만 제16대 요시아 왕을 제외한 모든 왕이 회개하지 않으므로, 하나님의 징계로 바벨론의 침략을 여러 차례 받으며 다니엘, 에스겔 등이 포로로 끌려가게 되었다(왕하 23:31-24:20, 단 1:1, BC605-593). 그래도 회개하지 않으므로 유다왕국은 건국 340년 만에 바벨론에 의하여 성전이 파괴되며 멸망하였다(왕하 25장, BC587).

이때 약 7만 명의 포로가 4차에 걸쳐 바벨론으로 끌려가(왕하 25장) 포로생활 중에, 하나님을 섬기며 회개하여 일부는 바벨론의 고관으로 등용되기도 하였다. 특히 다니엘은 약 80년간 바벨론과 페르샤의 왕궁에서 선지자로 활약하였다(BC605-522, 단 9:1).

포로생활 70년 만에 하나님의 계시를 받은 페르샤왕 고레스(BC538-530)의 도움으로 3차에 걸쳐 귀환할 때(1차: BC538, 대하 36:22, 스 1-6장, 2차: BC458, 스 7장, 3차: BC445, 느 1-6장) 동행한 선지자 스룹바벨, 학개, 스가랴, 에스라, 느헤미야 등의 지도로 성전과(BC521-515) 성벽(BC445)을 재건하였다. 여기서 스룹바벨은 예수님의 11대 조상이 된다(주님의 족보 참조).

예루살렘을 중심으로 정착한 백성들은 선지자 에스라의 지도로, 하나님을 섬기는 믿음의 생활에 정성을 다하여(스 7-10장) 유대교를 확립하였다(BC458-444). 그리고 모세 5경 등 오늘의 구약을 다시 편집하였다(BC420).

이상의 여러 선지자 중 요나는 이스라엘 왕국을 위하여 활동한 후(왕하 14:25), 하나님의 지시로 앗수르의 니느웨의 멸망을 경고하고 있다(BC760). 선지자 나훔은 요나의 경고에 회개하지 않는 니느웨에 다시 경고를 보내고 있다(BC640).

그리고 선지자 오바다는 야곱의 형 에서의 후손인 에돔(이두매) 족속이(창 36장) 유다왕국을 침략하는 바벨론을 도와준 것을(옵 1:10-14) 책망하고(옵 1:1-9), 유다민족의 앞날에 새로운 희망이 올 것을 선포하고 있다(옵 1:17-21, 586).

남북 왕조의 계보(열왕기와 역대기)

참고: 〔 〕는 성서에 기록된 통치기간.
@는 야훼를 섬긴 왕.
※는 왕위 찬탈.

유다 왕국(B.C.926-587) (예루살렘)		이스라엘 왕국(B.C.926-722) (세겜. 사마리아)	침략 왕국
1. 르호보암(926-910〔17〕) 왕상 12:17. 대하 10-12. 애굽왕 침입(왕상 14, 25장) 2. 아비얌(910-908〔3〕) 왕상 15장. 대하 13장.		1. 여로보암(926-907〔22〕) 왕상 12:20. (세겜. 독립선언. 우상섬김)	시리아〔아람〕 왕국 (수도 다메섹-B.C.732)
3. @아사(908-868〔41〕) 왕상 15:9-24. 대하 14-16. (솔로몬왕의 산당 철거 · 하나님 섬김 (이스라엘과 전쟁 계속)		2. 나답(907-906〔2〕) 왕상 15:25. 3. ※바아사(906-883〔24〕) 왕상 15:33.	벤하닷 1세 (885. 왕상 15:18-20)
		4. 엘라(883-882〔2〕) 왕상 16:6. 5. ※시므리(882-7일) 왕하 16:21. 6. ※오므리(882-871〔12〕) 왕하 16:23. (사마리아 천도)	
4. @여호사밧(868-847〔25〕) 왕상 22:41. 대하 17-20 (신상 파괴. 하나님 섬김. 왕국 부흥). (아합과 사돈. 대하 18:1)	(왕상 17장) 엘리야 875~848	7. 아합(871-852〔22〕) 왕하 16:29-22:40. (바알신 도입. 엘리야와 대결) (상아궁 건축. 왕상 22:39) (암 3:10)	벤하닷 2세 (왕상 20장. 왕하 8:15)

5. 여호람(847-845(8)) 왕하 8:16. 대하 21장
(아합의 사위)

6. 아하시야(845(1)) 왕하 8:25. 대하 22:1

7. 아달랴(846-840(6)) 왕하 11장. 대하 22:10
(아합의 딸)

8. @요아스(840-801(40)) 왕하 12장. 대하 24장
(하나님을 섬기며 성전 보수. 후에 우상 섬김)

9. @아마샤(801-787(29)) 왕하 14:1. 대하 25장

10. @웃시아(이사랴:787-759(52)) 왕하15:1. 대하26장.
(군비 확장. 국가 안정)
(왕 교만, 문둥병 은퇴)

(이사야 활동. 사 1:1(760))

11. @요담(759-744(16)) 왕하 15:32. 대하 27장.
(하나님의 축복, 국력확장)

12. 아하스(744-729(16)) 왕하 16. 대하 28장.

요엘 835~796

이사야 760~680

미가 750~722

(왕하 2장) 엘리사 848~795

(왕하 13:14) 요나 795~760

(왕하 14:25) 아모스 760~746

호세아 746~733

8. 아하시야(852-851(2)) 왕상 22:52.

9. @여호람(요람 851-845(12)) 왕하 3장.

10. ※@예후(845-818(28)) 왕하 9-10.
(아합 가문 숙청. 바알 제거)

11. 여호아하스(818-802(17)) 왕하 13:10.

12. 여호아스(802-787(16)) 왕하 13:10
(또는 요아스)

13. 여로보암 2.(787-748(41))왕하 14:23.
(선지자 요나의 인도로 국가 부강.
영토 확장.)

(종교적 부패. 금송아지 섬김)

14. 스가랴(747-6개월) 왕하 15:8.

15. ※살롬(747-1개월) 왕하 15:13

16. ※므나헴(747-737(10)) 왕하 15:17

17. 브가히야(737-736(2)) 왕하 15:23.

하사엘(845-802)
(왕상 19:15)
(왕하 8:7. 10:32. 12:17)

벤하닷 3세(왕하 13:3)

앗수르 제국(B.C. 1363-)
앗수르단 3(772-755)
요나. 니느웨(욘 3:3)

불(디글랏빌레셀3. 744-727)
(왕하 15:17-16:18)
(르신왕. 왕하 15:37-16:9)

13. @히스기야(738-700(29))
왕하 18-19. 대하 29-32.
(종교개혁. 하나님 섬김)
(히스기야 터널 굴착. 앗수르군 격퇴)

14. 므낫세(699-642(55)) 왕하 21장.
대하 33:1.(바알신에 아들 바침.
이사야 순교. 왕하 21:16)

15. 아몬(641-640(2)) 왕하 21:19. 대하 33:21.

16. @요시야(639-609(31))왕하 22-24. 대하 24.
(법전 발견. 종교개혁(622).
대하 39. 렘 3:6)
(이방신 철거. 하나님 섬김.
므깃도에서 전사)

17. 여호아하스(609-3개월)
왕하23:31. 대하 36:1.

18. 여호야김(609-598(11))
왕하 23:35. 대하 36:5.

19. 여호야긴(598-3개월) 왕하 24:8. 대하 36:9.

20. 시드기야(597-586(11))
왕하 24:18. 대하 36:11.

바벨론 침략. 포로 7만
(605. 597. 587. 581) 왕하 25장. 렘 52장.

이사야 739~680

미가 740~722

나훔 640~620

스바냐 630~610

예레미야 627~586

하박국 608~597

다니엘 605~530

에스겔 593~570

18. 베가(735-732(20)) 왕하 15:27

19. ※호세아(732-722(9)) 왕하 17:1

앗수르. 사마리아 점령. 왕하 17:5.

북 왕국 멸망(722) 왕하 17:23

사마리아인 혼혈. 왕하 17:24

애굽 제26왕조(609-525)
네고 2(609-594)
(왕하 23:29.33. 대하 35:20)

오브라(588-568)
(587. 렘 37:5. 44:30)
(586:왕하 25:26.
렘 42-44장. 겔 31.32장)

살마네살 5(726-722)
(왕하 17:3-6)

사르곤 2(721-705)
(왕하 17:24)

산헤립(세나케리부)
(704-681)
(왕하 18장. 대하 32장.
사 36장)

에살핫돈(681-669)
(왕하 19:37. 사 37장. 스 4:2)
(앗수르 멸망 B.C.609)

바벨론제국(B.C.625-539)
느브갓네살(605-562)
(왕하 24장. 대하 36:6.
렘 21:52)

예월모르닥(561-560)
(왕하 25:27. 렘 52:31)

벨사살(555-538)
(단 5.7.8장)

성전 파괴. 왕국 멸망(587)
왕하 25장. 대하 36:17.

오바댜
586 ~ 582

페르샤왕 포로 귀환 허가(538)
대하 36:22. 학 1:1

스룹바벨
538 ~ 515
제1차귀환

페르샤제국(B.C.539-332)
고레스왕(538-530)
(렘 29:10. 대하 36:22.
사 45장. 스1장.
학1장. 단 10장)

성전 재건(521-515) 슥 6:14

학개
520 ~ 519

스가랴
520 ~ 475
(에스더:480)

다리우스(522-486.
스 4:5. 6:1. 단 6.9장)

아하수에로
(485-465. 스 4:6. 에스더)

에스라
458 ~ 444
제2차귀환

아닥사스다
(465-423. 스 7-8장)

예루살렘성 재건(445) 느 1-13

느헤미야
445 ~ 430
제3차귀환

아닥사스
(465-423. 느 2:6. 13:6)

(모세 5경 등 구약성서 편집. 420)

말라기
430 ~ 425

제10장

법궤의 이동 경로

모세의 인도로 출애굽 한 이스라엘 민족에게 하나님께서 계약으로 주신 십계명의 돌 판을 보관한 법궤[계약궤, 언약궤]를 시내산에서 예루살렘 성전까지 운반하는 경로를 정리하였다.

모세의 인도로 애굽의 람세스를(출 1:11) 1월 15일[유월절] 출발하여(출 12:37-42) 4월 1일 시내산에 도착한 후 약 20개월 동안 체류하며, 하나님께서 주신 십계명의 돌 판을 보관할 법궤와 성막 등 모든 준비를 완료한 후(출 20-40장, 2년 1월 1일), 출애굽 2년 2월 20일 12지파가 대열을 정비하여 법궤를 중심으로 시내산을 출발하였다(민 10:11, 그림6 참조).

시내산을 출발한지 11일 만에(신 1:2) 바란광야 가데스에 도착하여(민 12:16, 2년 3월 1일) 하나님을 배반하는 친 애굽파의 숙청을 위하여, 38년간의 긴 여정으로 세대교체를 단행한 후 출애굽 40년 11월 1일 요단강 동쪽 느보산 기슭 아라바 광야에 도착하였다(신 1:1).

이곳에서 120세 된 모세는 과거를 모르는 새 세대에게 출애굽의 긴 역사를 자세하게 전한 다음 하나님만을 섬길 것을 강조한 후(신 1-30장), 느보산에서 가나안 땅을 바라본 후 100세 된 여호수아에게 지휘권을 이양하고 생을 마감하였다(신 34장). 이때 하나님의 법궤에는 십계명이 새겨진 두 돌판(신 10:5)과 만나를 담은 금 항아리(출 16:33)와 싹이 난 아론의 지팡이(민 17:8)가 보관되어 있었다(히 9:4).

여호수아의 지휘 하에 가나안땅을 향하여 진군할 때 법궤를 운반하는 레위인 제사장이 요단강 물을 밟는 순간 강물이 멈추는 이적으로, 온 민족이 강을 건너(수 3:15) 출애굽한지 41년 1월 10일 가나안 땅 길갈에 도착하였다(수 5:10). 그 후 하나님의 지시로 법궤를 따라 행진하며 여리고성을 점령한 후(수 6:4-20) 사마리아 세겜의 그리심산과 에발산으로 모신 법궤 앞에서 온 백성이 하나님만을 섬기기로 맹세하였다(수 8:33). 그리고 여호수아는 약 7년에 걸쳐(수 14장) 가나안 땅을 정복 분배한 다음 110세에 사망하였다(수 24장).

그 후 약 200년의 사사시기를 지나는 동안 하나님의 법궤는 벧엘에서(삿 20:26) 실로로 모시며(삼상 1:3) 사무엘 선지자 시대가 시작되었다(삼상 4:1). 이 시기에 이스라엘군이 블레셋과 싸울 때 실로에서 에벤에셀의 진영으로 모신 법궤를(삼상 4:3-4) 블레셋군이 빼앗아(삼상 4:11) 블레셋 땅 아스돗으로 옮겼다(삼상 5:1). 이때 하나님께서 아스돗에 큰 재앙을 내리어(삼상 5:3-6) 법궤를 가드와 에그론으로 이동하였으나 계속 재앙이 내려(삼상 5:9-12), 법궤를 이스라엘 지역으로 보내(삼상 6:1-12) 벧세메스 여호수아의 밭을 경유하여(삼상 6:18-21) 기럇여아림 아비나답의 집으로 모신 후 사무엘의 인도로 20년간 섬기었다(삼상 7:1-2).

한편 실로에서 법궤를 에벤에셀 진영으로 모실 때 법궤를 보관하던 성막은 예루살렘 북서쪽의 성지 기브온 산당으로 모시고 있다(대상 16:39, 21:29, 대하 1:3).

그 후 사울 왕이 블레셋과의 싸움에서 법궤를 기랏여아림에서 예루살렘 북쪽 게바 진지로 모신 일이 있다(삼상 13:16, 14:18, 그림 참조). 그리고 다윗 왕이 헤브론에서 예루살렘 다윗성(시온산)으로 천도한 후(삼하 5:1-7) 기랏여아림 아비나답의 집에 모신 법궤를, 새 수레에 모시고 나오다 나곤의 타작마당에서 소가 뛸 때 법궤를 잡은 사람이 죽으므로 오벧에돔의 집에 3개월간 모셨다(삼하 6:3-11, 대상 13:13-14).

다윗 왕이 헤브론에서 예루살렘으로 천도하며 다윗성 안에 법궤를 모실 장막을 설치 한 후(삼하 6:17, 대상 15:1) 레위인을 동원하여 법궤를 장막으로 모셨다(삼하 6:12-23, 대상 15:2-28). 그 후 다윗 왕이 사해 동북 지역 랍바에서(삼하 11:1) 암몬족과 싸울 때 법궤를 진지로 모신 일이 있으며(삼하 11:11), 아들 압살롬의 반란으로 피난 갈 때 모신 법궤를 기드론 골짜기에서 돌려보내고 있다(삼하 15:10-29).

솔로몬 왕이 등극한 후 예루살렘 모리아산(현재 이슬람 황금사원)을 중심으로 법궤를 모실 성전을 7년 만에 완성하고(왕상 6:38, BC962-955), 레위인을 동원하여 다윗성 안의 법궤를 새 성전으로 모신 후(왕상 8:1-3, 대하 5:2-4) 성대한 헌당식을 올리었다(왕상 8:62-66, 대하 5:11-13). 이때 법궤에는 십계명이 새겨진 두 돌판 외에는 아무것도 없었다(왕상 8:9, 대하 5:10).

그 후 유다왕국이(BC962-587) 바벨론에 의하여 망할 때까지 성전에 대한 약탈의 기록 뿐 법궤에 대한 기록은 없다. 그런데 약 430년이 지난 독립시기에(BC160-63) 발견된 고문서에 "유다왕국이 멸망하기 직전 예레미야 선지자가(BC627-586) 예루살렘 성전의 법궤를 그 옛날 모세가 가나안땅을 바라본 느보산(신 34:1) 어느 동굴에 보관하였다" 하여 탐색해 보았다는 기록이 있다(공동번역 성서 외경, 마카베오 하편 2:4-).

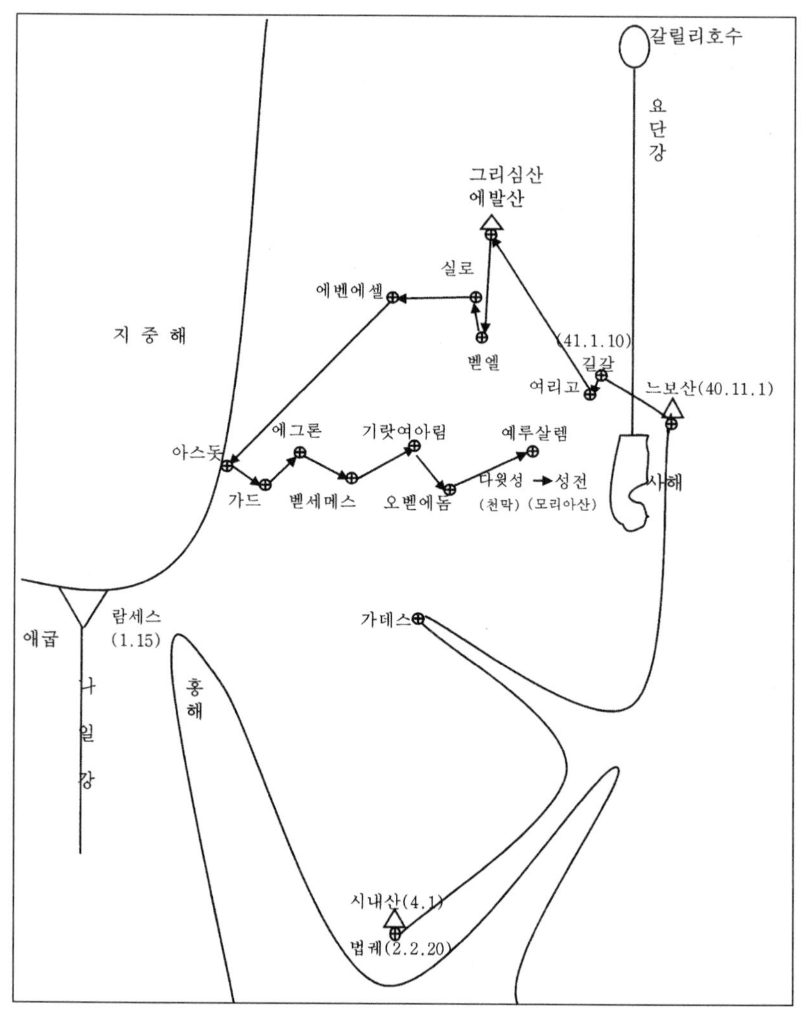

법궤의 이동 경로

제11장

예루살렘 성전

이스라엘 민족이 모세의 인도로 출애굽한 후 시내산에 도착하여 하나님의 선택받은 백성의 계약으로 주신 십계명의 돌 판을 넣은 법궤를 중심으로 건설한 예루살렘 성전의 역사를 다음과 같이 정리하였다.

1. 다윗 왕의 성전 준비

다윗 왕이 유다왕으로 즉위하여(삼하 2:4, BC1004-962) 예루살렘 남쪽 아브라함의 가족묘지가 있는 헤브론에서 통치하다(창 23:19, 25:9), 예루살렘으로 천도한 후(삼하 5:5) 다윗성 안에 임시로 만든 장막에 하나님의 법궤를 모시고(삼하 7:2, 대상 15:2-29) 성전 건축을 준비하였지만 하나님께서 허락하지 않으셨다(삼하 7:13, 대상 17:12, 22:9-10).

2. 솔로몬 왕의 성전건축 (솔로몬 성전)

솔로몬 왕이 즉위한 후(왕상 1:28-40, BC962-926) 성전건축에 대한 모든 것을 정리한 다음(왕상 5장, 대하 2장) 옛날 아브라함이 아들 이삭을 하나님께 바치려던 모리아산을(창 22:1-19, 현재 이슬람의 황금사원) 중심으로 성전건축에 착공하여 7년 만에 완성하였다(왕상 6:1-38, 대하 3:1-5:1, BC962-955).

그리고 레위인을 동원하여 다윗성 안의 법궤를(삼하 7:2, 대상 15:2) 새 성전으로 모신 다음(왕상 8:3, 대하 5:2-5) 성대한 봉헌식을 올리어(왕상 8:63, 대하 5:11-13) 하나님의 축복을 받았다(왕상 9:1-9). 이때 법궤 안에는 모세가 넣어 둔 하나님과의 계약을 새긴 두 개의 돌판뿐이었다(왕상 8:9, 대하 5:10).

3. 예루살렘 성전의 파괴

솔로몬 왕이 성전을 건축한지 약 350년 후 유다왕국 말기의 제18대 여호야김왕(BC609-598) 제19대 여호아긴 왕(BC597) 제20대 시드기야 왕(BC597-587)까지 약 20년간 바벨론 느브갓네살 왕(BC605-562)이 4번에 걸쳐 예루살렘을 침략하여 유대인 왕족과 지식인들을 포로로 잡아 가고(왕하 24:1, 단 1:1, 왕하 24:10, 25:1, 25:8, 렘 52:28-30) 성전의 약탈과 방화로 성전이 파괴되며 유다왕국이 멸망하였다(왕하 24:12, 렘 52:13, BC587).

4. 성전 재건 (스룹바벨 성전)

하나님께서 선지자 이사야와(사 45:1, BC700) 예레미야를 통하여 말씀하신대로(렘 25:11, BC604) 포로생활 70년 후 페르샤(바사) 고레스 왕(BC538-530)이 하나님의 계시로(대하 36:22, 스 1:11), 유다왕족의 후손 스룹바벨(마 1:12, 스 1:8)을 총독으로 약 5만의 포로 후손들과 예루살렘으로 귀환케 하여 성전을 재건토록 하였다(스 1:3, 2:64, 느 7:66, BC538)

그런데 사마리아인의 방해로 18년 동안 중단하였다가(스 4장) 페르샤 다리우스왕(BC522-486)과 선지자 학개와 스가랴의 협조로 다시 착공하여 7년 만에 성전을 재건하고 봉헌식을 올렸다(스룹바벨 성전, 스

6:1-22, BC521-514).

그리고 약 70년 후 페르샤 아닥사스다왕(BC465-423) 때 선지자 느헤미야가 총독(BC445)으로 많은 포로 후손들과 귀환하여 유다왕국이 망할 때 파괴된 성을(왕하 25:10, 렘 52:14, BC587) 사마리아인의 방해를 막으며 52일 만에 복원하였다(느 1-4장, 6:15, BC445).

현재의 예루살렘 성은 약 1,000년이 지난 후 오스만 터키 통치시기에(AD1517-1917) 축성한 것이다(AD1540).

5. 성전 정화 (수전절)

그리스왕국의 알렉산더 대왕(BC336-323, 단 8:20)이 예루살렘을 점령한 후(BC332) 유대민족이 종교자유의 애굽의 통치(BC323-198)를 지나, 시리아의 영향 아래 있을 때(BC198-162, 마카베오상 1:1-19) 시리아 안티쿠스 왕(BC175-164)이 유다 땅을 헬라화하기 위하여 예루살렘 성전을 약탈하며 유대인을 박해하면서 율법을 지키지 못하게 하였다(BC169, 마카베오상 1:20-61).

이에 격분한 유대민족 하스몬 가문의 마카베오 형제들의 독립전쟁으로(BC167-162, 마카베오 상 2-4장) 성전을 탈환하여, 성전의 부정탄 모든 시설을 교체하고 성전을 정화한 후(BC164, 마카베오 상 4:36-51) 로마 통치 시기까지(BC63) 약 100년 동안 종교자유의 독립 국가를 이룩하였다.

유대교인들은 이때의 성전 정화를 기념하여 유대력 9월 25일(양력 12월 22일)을 수전절(修殿節 또는 하누카)로 지키며 8일간 축제를 올리고 있다(요 10:22, 마카베오상 4:52-61). 한편 시리아 안티쿠스 왕의 종교 탄압 시기에 율법을 지키기 위한 율법주의의 바리새파와 부활을 부정하는 사두개파가 발생하였다.

6. 제3의 성전 (헤롯 성전)

아브라함의 손자 에서(창 25:19)의 후손 에돔(이두매) 출신 헤롯이 로마정부에 밀착하여 유다통치권을 얻은 후 헤롯 왕으로 예루살렘에 입성하여 이스라엘 땅을 통치하면서(BC37-4), 유대민족의 환심을 사기 위하여 제3의 성전을 46년 동안(요 2:20, BC20-AD26) 웅장하고 아름답게 개축하였다(막 13:1, 눅 21:5). 예수께서는 이 성전에서 12살 때 학자들과 토론하신(눅 2:41) 후 성전 꼭대기에서 사탄의 유혹을 물리치신 다음(눅 4:9) 성전에서 여러 번 가르치셨다(요 7:14, 막 11:27-13:39).

그리고 고난주간 중에 성전을 정화하신 후(막 11:11-17) 제자들과 감람산에 올라가시어 성전을 바라보시며 앞날의 성전파괴를 말씀하셨다(막 13:1-2).

7. 독립전쟁과 성전 파괴

로마정부가 이스라엘을 통치하기 시작한(BC63) 후 약 100년 동안에 유대민족의 두 번에 걸친 독립전쟁에서(AD66-70, 132-135) 로마군에 의하여 완패하므로 예수께서 말씀하신대로(마 24:1-2) 성전이 완전 파괴되고 성전의 서쪽 벽인 "통곡의 벽"만 남아 유대교인의 기도장소가 되고 있다.

그리고 독립전쟁 후 로마정부가 유대민족의 예루살렘 접근을 사형으로 금지하여 조국 없는 민족으로(디아스포라) 1948년까지 세계를 방랑하게 되었다.

참 고

현재 예루살렘 모리아산에 세워진 황금사원은 마호멧(AD570-632)이 창립한 이슬람교가(622) 예루살렘에 진주한 후(638) 마호멧이 승천한 성지로 주장하며 세운 이슬람교의 예배장소이다(황금 돔, 1964 개축).

제12장

주님의 족보

[신구약성서 여러 곳에 기록되어 있는 성서의 족보(창 5장, 11장, 대상 1-9장, 마 1장, 눅 3장 등) 중에서 창세기 5장과 11장 그리고 마태복음 1장에서 별표와 같이 주님의 족보를 정리하였다.]

아담에서 노아까지(창 5:3-36)와 노아에서 아브라함까지(창 11:10-26)와 아브라함에서 예수까지의 족보(마 1:2-16)를 정리하니 예수께서 아담의 60대 손이 된다. 그런데 누가복음(눅 3:23-38)에 기록된 주님의 족보에는 예수로부터 아담까지 77대가 되고 있다. 이는 마태복음은 다윗 왕의 10째 아들(대상 3:5) 솔로몬의 갈래를 채택하고 누가복음은 다윗 왕의 9째 아들 나단의 갈래를 채택한 결과로 생각된다.

주님의 족보 일람표에서 조상들의 이름 우편에 수명을 기입하였는데 아담에서 그의 10대 손 노아까지 900세 이상 장수하며 아담에서 노아의 출생까지 1,000년이 지나고 있다 한편 노아시대 이후부터는 인간들이 점차 증가하며 집단생활과 도덕성 타락으로(창 6:5) 아담의 20대 손 아브라함까지 인간의 수명이 300세 이하로 감소하다가(창 11:10) 120세로 제한받고 있다(창 6:3).

아담의 10대 손 노아 때의 홍수 후 노아의 가족이 분산되며 삼남 야벳은 북 구라파 각 만족의 조상이 되고(창 10:2), 차남 함은 에티오피아와 애굽과 리비아와 가나안 민족의 조상이 되고(창 10:6-15) 장자 셈의 후손 중에서 히브리민족의 조상이 선출되어 구약성서의 중심을 이루고 있다.

이 족보에서 아담의 15대 손 벨렉 시대에 바벨탑사건이 일어나며(창 10:25, 11:2) 그의 동생 욕단의 가족이 멀리 동방의 높은 산으로 이동하고 있다(창 10:30, 백두산 ?). 그리고 19대 손 데라가 하란에 거주할 때(창 11:31) 이방신을 섬김으로(수 24:2) 하나님을 섬기는 아브라함과 롯의 가족을 가나안으로 인도하여(창 12:1) 이스라엘민족의 믿음의 조상으로 선택하여 자손이 번창하고 있다.

한편 아담의 20대 손 아브라함의 증손인 23대의 12지파 중 유다지파가 선택되어 33대 다윗 왕에 이르는 약 1,000년 동안에 요셉이 애굽의 총리가 되며(창 41:37) 12지파가 애굽으로 이주하여(창46:8-27) 430년의 단련생활을 한 후(출 12:40) 레위지파 모세의 출애굽 인도와 여호수아의 인도로 가나안에 정착하며(수14장), 사사시대와 사울 왕 시대를 지나 33대 다윗 왕과 34대 솔로몬 왕의 통일왕국의 가장 번창한 시대를 맞이하게 된다.

그러나 35대 르호보암 왕 때 통일왕국이 유다왕국과 이스라엘왕국으로 분열되며(왕상 12장) 서로 반목하여 선지자들을 (유다왕국 : 요엘, 이사야, 미가, 나훔, 스바냐, 예레미야, 하박국), (이스라엘왕국 : 엘리야, 엘리사, 아모스, 호세아) 파송하였지만 하나님을 배반하다 각각 멸망하는 큰 벌을 받고 있다.

즉 아담의 46대 손 요시아(유다 16대왕)의 아들 때(대하 36:6) 바벨론에 의하여 다니엘을 시작으로(단 1:1, BC605) 47대 손 에고니야(19

대 여호야긴 왕, BC598)와 많은 지도자들이 바벨론으로 끌려가며 유다왕국이 망하고 있다(렘 52:28-36).

포로생활 시작 70년 후(BC605-538) 페르샤 통치가 시작되며(BC539) 아담의 49대 손 스룹바벨을 총독으로 예루살렘 성전을 복원한 다음, 계속하여 약 100년에 걸쳐 많은 선지자와 포로 후손들의 귀환으로 예루살렘이 원상복구 되면서 구약시대가 마감되며 히브리어 구약성서를 정리하게 된다.

그 후 알렉산더대왕(BC336-323)에 의한 헬레니즘시대(BC332-160)에 히브리어 성서를 헬라어로 번역한 "70인 성서 번역"을 완성하고(BC250), 시리아왕국의 종교탄압시기(BC175-164)에 율법을 지키기 위한 바리새파가 발생하고 있다.

그리고 독립시기(BC160-63)를 지나 로마통치 시기(BC63-)의 헤롯왕 때(BC37-4) 아담의 59대 손 요셉과 약혼한 마리아의 몸을 통하여 예수께서 아담의 60대 손으로 탄생하셨다.

그림 7. 주님의 탄생지에 세운 교회 내부

주님의 족보 (창 5:3-33, 11:10-32, 마 1:2-16)

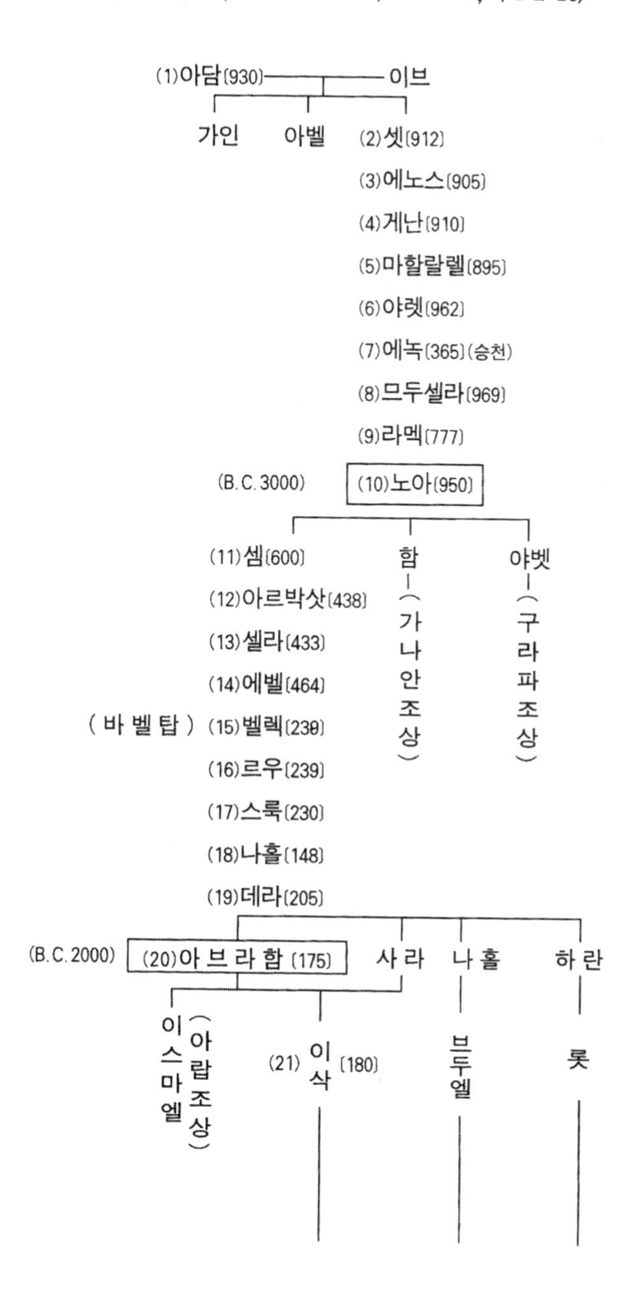

(1)아담(930)
이브
가인
아벨
(2)셋(912)
(3)에노스(905)
(4)게난(910)
(5)마할랄렐(895)
(6)야렛(962)
(7)에녹(365)(승천)
(8)므두셀라(969)
(9)라멕(777)
(B.C.3000)
(10)노아(950)
(11)셈(600)
(12)아르박삿(438)
(13)셀라(433)
(14)에벨(464)
(바벨탑)
(15)벨렉(239)
(16)르우(239)
(17)스룩(230)
(18)나홀(148)
(19)데라(205)
함
(가나안조상)
야벳
(구라파조상)
(B.C.2000)
(20)아브라함(175)
사라
나홀
하란
이스마엘
(아랍조상)
(21)이삭(180)
브두엘
롯

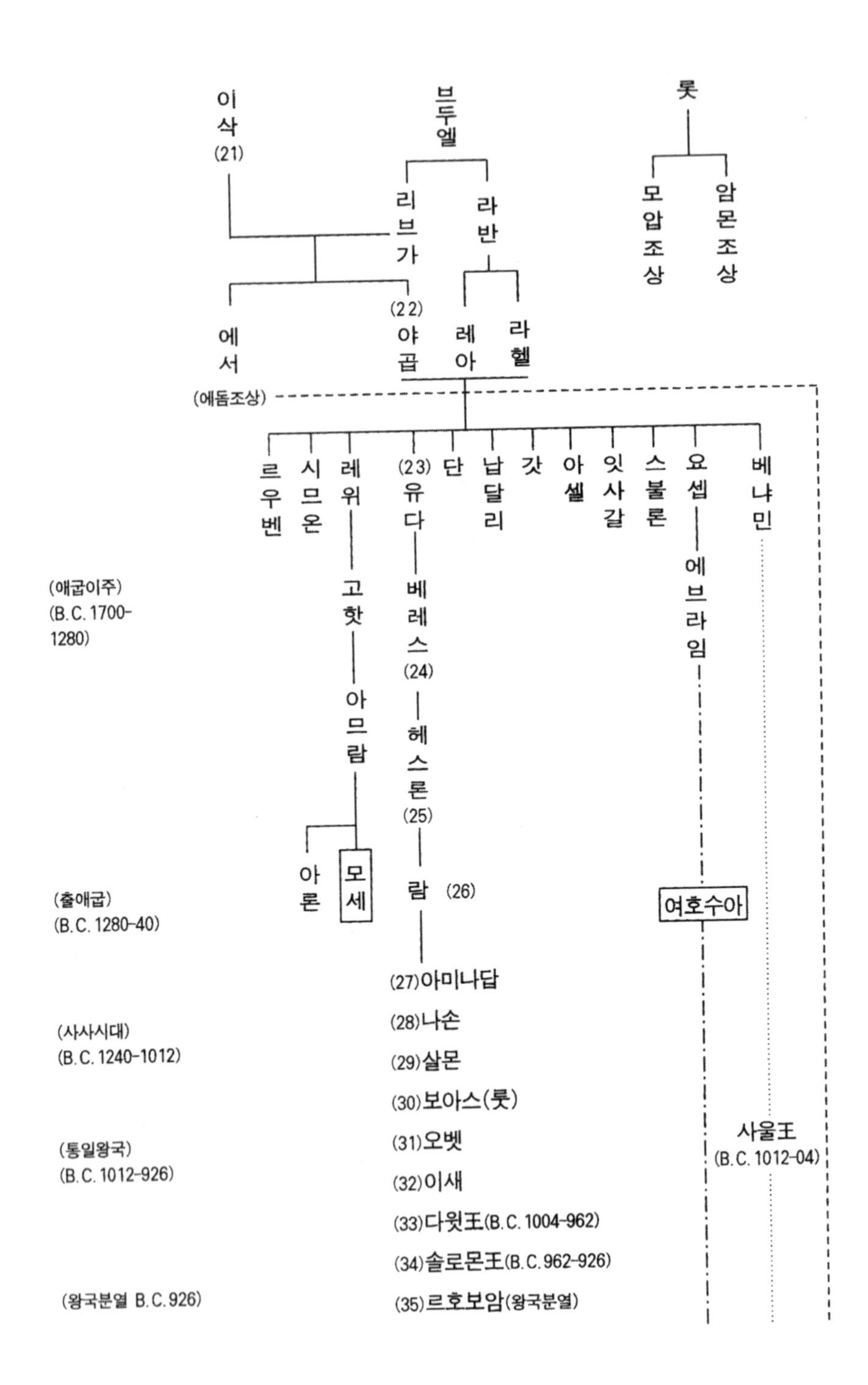

이삭 (21)
브두엘
롯
리브가
라반
모압조상
암몬조상
에서
(22) 야곱
레아
라헬
(에돔조상)
르우벤
시므온
레위
(23) 유다
단
납달리
갓
아셀
잇사갈
스불론
요셉
베냐민
(애굽이주)
(B.C. 1700-1280)
고핫
베레스 (24)
에브라임
아므람
헤스론 (25)
아론
모세
람 (26)
여호수아
(출애굽)
(B.C. 1280-40)
(27)아미나답
(사사시대)
(B.C. 1240-1012)
(28)나손
(29)살몬
(30)보아스(룻)
(31)오벳
사울王
(B.C. 1012-04)
(통일왕국)
(B.C. 1012-926)
(32)이새
(33)다윗王(B.C. 1004-962)
(34)솔로몬王(B.C. 962-926)
(왕국분열 B.C. 926)
(35)르호보암(왕국분열)

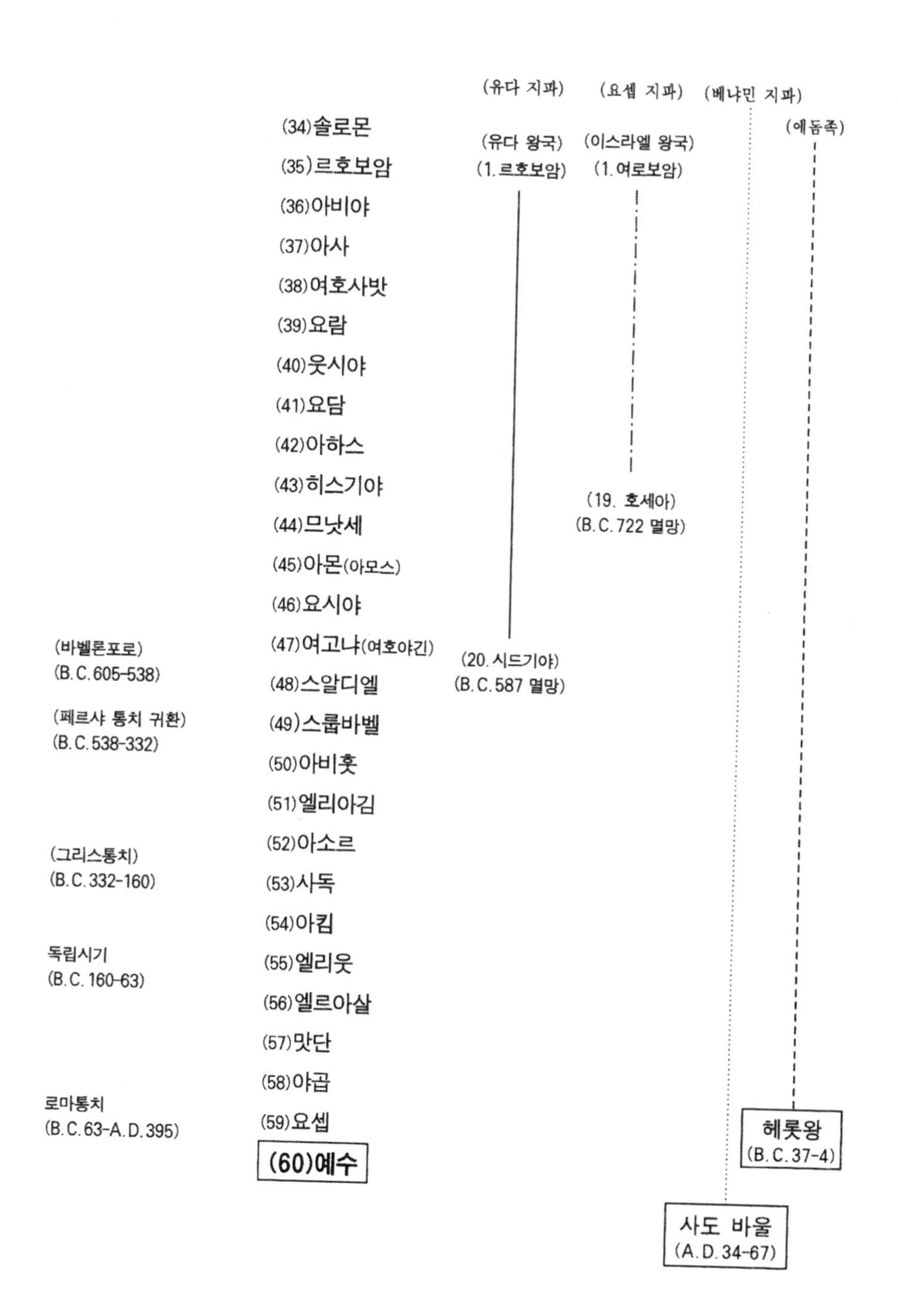
(유다 지파)
(요셉 지파)
(베냐민 지파)
(에돔족)
(34)솔로몬
(35)르호보암
(유다 왕국)
(1. 르호보암)
(이스라엘 왕국)
(1. 여로보암)
(36)아비야
(37)아사
(38)여호사밧
(39)요람
(40)웃시야
(41)요담
(42)아하스
(43)히스기야
(19. 호세아)
(B.C. 722 멸망)
(44)므낫세
(45)아몬(아모스)
(46)요시야
(바벨론포로)
(B.C. 605-538)
(47)여고냐(여호야긴)
(20. 시드기야)
(B.C. 587 멸망)
(48)스알디엘
(페르샤 통치 귀환)
(B.C. 538-332)
(49)스룹바벨
(50)아비훗
(51)엘리아김
(52)아소르
(그리스통치)
(B.C. 332-160)
(53)사독
(54)아킴
독립시기
(B.C. 160-63)
(55)엘리웃
(56)엘르아살
(57)맛단
(58)야곱
로마통치
(B.C. 63-A.D. 395)
(59)요셉
(60)예수
헤롯왕
(B.C. 37-4)
사도 바울
(A.D. 34-67)

제13장

신구약 각 편의 분류

신구약성서의 이해를 돕기 위하여 구약성서 39편(AD90 제정)과 외경(제2경전) 7편(AD350? 제정), 그리고 신약성서 27편(AD397 제정)을 각 편별로 분류하여 보았다.

A. 구약성서(39편과 외경 7편)

1. 각 편의 분류

1) 율법서[5편, 모세 5경]

창세기, 출애굽기, 레위기, 민수기, 신명기

2) 역사서[12+(4)편, 히브리인 역사]

여호수아, 사사기, 룻기, 사무엘 상하, 열왕기 상하, 역대기 상하, 에스더, 에스라, 느헤미야, (토비트), (유딧), (마카베오 상하)

3) 지혜 문학서[5+(2)편]

욥기, 시편, 잠언, 전도서, 아가서, (지혜서), (집회서)

4) 예언서[17+(1)편]

이사야, 예레미야, 예레미야 애가, 에스겔, 다니엘, 호세아, 요엘, 아모스, 오바다, 미가, 요나, 나훔, 하박국, 스바냐, 학개, 스가랴, 말라기, (바룩)

5) 소 예언서[12편]

호세아, 요엘, 아모스, 오바댜, 요나, 미가, 나훔, 하박국, 스바냐, 학개, 스가랴, 말라기

6) 외경[제2 경전][(7)편]

토비트, 유딧, 지혜서, 집회서, 바룩, 마카베오 상하

2. 선지자의 활동

1) 족장 시기[BC2000-1240] - 욥, 모세, 여호수아

2) 사사 시기와 통일왕국[BC1240-926] - 사무엘, 나단

3) 이스라엘왕국 시기[BC926-722] - 엘리야, 엘리사, 요나, 아모스, 호세아

4) 유다왕국 시기[BC926-538] - 요엘, 이사야, 미가, 나훔, 예레미야, 스바냐, 하박국

5) 포로 시기[BC605-538] - 다니엘, 에스겔, 오바댜

6) 귀환 시기[BC538-420] - 에스라, 학개, 스가랴, 느헤미야, 말라기, (에스더)

7) 이방인을 위한 선지자 - 요나(니느웨, BC700), 나훔(니느웨, BC600), 오바댜(에돔, BC580)

3. 각 편의 배경

1) 모세 5경:

a. 창세기: 우주 만물의 창조와 아브라함, 이삭, 야곱, 요셉의 가족과 애굽 기착

b. 출애굽기: 모세의 출현과 이스라엘 민족의 구출 그리고 법치 제도의 확립

c. 레위기: 하나님에 대한 예배 방법 교시

d. 민수기: 광야에서의 행군과 세대교체

e. 신명기: 모세의 새 세대에 대한 훈계와 가나안 입주를 위한 준비

2) 여호수아:

가나안 정복과 토지 분배(수 13-22)와 하나님에 대한 믿음 약속 (수 24장)

3) 사사기:

가나안 정착 후 13명의 사사(士師, 판관[判官])로 하여금 약 200년 동안 통치케 함(삿 3-16) (사사의 명단: 옷니엘, 에훗, 삼갈, 드보라, 기드온, 돌라, 야일, 입다, 입산, 엘론, 압돈, 삼손, 사무엘)

4) 사무엘 상하:

사무엘의 성장(삼상 1-7장)과 왕 제도 도입(삼상 8장)

사울 왕(삼상9-15)과 다윗 왕의 통일 왕국 건설(삼상16-삼하24)

5) 열왕기와 역대기:

다윗 왕과 솔로몬 왕의 통일왕국 통치(왕상 1-11장, 대상 1-29장)

왕국 분열과 왕들의 업적과 하나님에 대한 배신(왕상 12장-왕하 25장, 대하 10-36장) (북 이스라엘왕국 왕 19명 중 17명, 남 유다 왕국 왕 20명 중 8명이 배신함)

왕국의 멸망(북왕국[왕하 17:23], 남왕국[왕하 25장, 대하 36:17])

포로생활과 예루살렘 귀환(대하 36:20-23)

6) 지혜 문학서:

a. 시편(詩篇): 각종 예배에서 하나님을 찬양하고 간구하는 시로, 전체 150편 중 다윗 왕이 73편을 기록하고, 다윗 왕이 성가대로 임명한(대상 6:16) 레위 지파에서 많이 참여하고 있다(시편의 작시자 참조).

b. 잠언(箴言): 솔로몬 왕의 자손을 위한 훈계의 말씀이다(900수)

c. 전도서(傳道書): 솔로몬 왕의 인생론과 하나님만을 섬기라는 권면의 말씀이다.

d. 아가(雅歌): 솔로몬 왕의 하나님을 섬기는 아름다운 노래

e. 애가(哀歌): 예루살렘의 함락을 목격한 선지자 예레미야의 비탄한 심정과 예루살렘의 회복을 간구한 노래이다.

7) 선지자의 활동:

각 선지자의 활동은 각 편에 기록되어 있다.

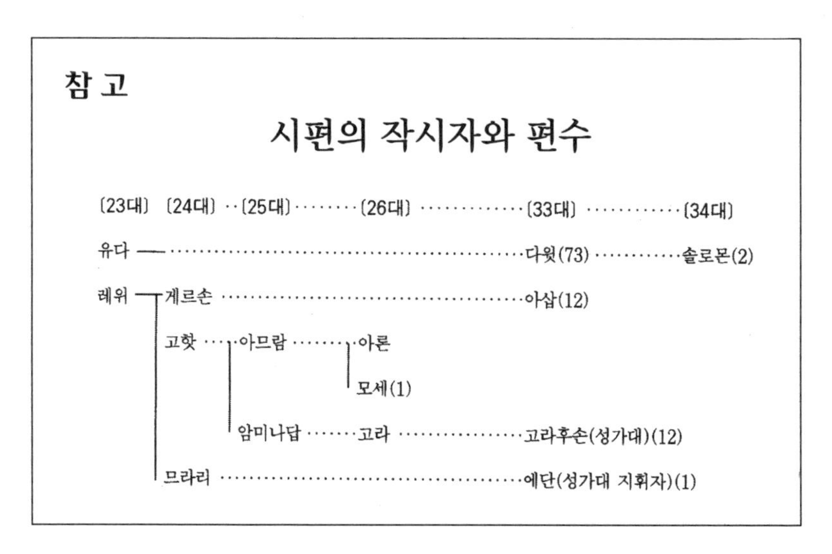

B. 신약성서(27편)

1. 4복음서(4편)

1) 공관복음(3편)

마태복음(주님의 제자, 세리, 유대교인 출신) - 유대인에게 주님의 정통성 강조(AD80 기록)

마가복음(베드로의 제자) - 로마인에게 주님의 신성 강조(가장 먼저 기록 AD65-70)

누가복음(그리스인, 의사, 사학자) - 이방인에게 주님의 사랑 강조(AD80 기록)

2) 제4복음(1편)

요한복음(주님의 사랑을 가장 많이 받은 제자, 주님의 언행에 충실)

주님의 이적(요 1-11장)과 마지막 한 주일간의 행적(요 12-21)

(헬라어로 기록 AD85-90)

2. 역사서(1편)

사도행전(사도 바울과 로마까지 동행한[딤후 4:11] 누가의 기록, AD62)

성령강림과 베드로의 전도, 그리스도교 탄생(행 1-8장)

사도 바울의 땅 끝까지의 전도(행 9-28장)

3. 사도 바울의 서신(13편)

1) 로마인을 위한 서신(1편): 로마서

(제 3차 전도여행 중 고린도교회에서 작성[AD57], 더디오 대필[롬 16:22])

2) 각 교회에 보낸 서신(8편)

터키지역(3편): 갈라디아서(AD56), 골로새서, 에베소서

그리스지역(5편): 고린도 전후서(AD55), 데살로니가 전후서(AD50), 빌립보서

3) 동역자에게 보낸 서신(4편): 디모데 전후서, 디도서, 빌레몬서

참 고

로마에서 발송한 서신(7편)

제1차 옥중서신(4편, AD62): 에베소서, 빌립보서, 골로새서, 빌레몬서
자유활동중 서신(2편, AD63): 디모데전서, 디도서
제2차 옥중서신(1편, AD66): 디모데후서

4. 공동 서신(8편, 일반 교인을 위한 서신)

야고보와 유다의 서신(2편): 주님의 동생(마 13:55)의 서신(AD62, 70)
베드로전후서(2편): 로마에서 소아시아 각 교회에 보낸 서신(AD64, 66)
히브리서(1편): 작자 미상(유다인), 박해로 실망하는 신도들에게 그리스도교의 우월성 강조(AD64-69)
요한 1, 2, 3 서신(3편): 에베소에서 요한이 발송한 서신(AD90)

5. 계시록(1편)

요한이 밧모섬에서 받은 계시, 그리스도의 최후 승리 선언(AD81-96)

제14장

주님의 구약 인용

예수님께서 말씀하실 때 인용하신 구약성서를 마태, 마가, 누가, 요한의 4복음서에서 정리하며 마태복음과 요한복음에서 구약성서의 인용 구절을 기록하였는데 마태복음이 가장 많이 기록하고 있다. 마가복음과 누가복음은 구약을 인용한 편수와 구절만 정리하였다.

마태복음(28장 중 구약성서 15편 45회 인용)

구약성서 15편 : 출애굽기(7회), 레위기(8회), 신명기(11회), 사무엘상(1회), 열왕기상(1회), 시편(10회), 잠언(1회), 이사야(9회), 예레미야(2회), 다니엘(5회), 요나(1회), 미가(1회), 호세아(1회), 스가랴(1회), 말라기(1회)

4:4--신8:3, 4:7--신6:16, 4:10--신6:13, 5:5--시37:11, 5:21--출20:13, 신5:17, 5:27--출20:14, 신5:18, 5:31--신24:1, 5:33--레19:12 민30:2 신23:21, 5:34--사66:1, 5:38--출21:24 레24:20 신19:21, 5:43--레19:18, 7:23--시5:5, 6:8, 8:4--레14:2, 9:13--호6:6, 10:35--미7:6, 11:5-사42:7; 61:1, 11:10--말3:1, 11:23--사14:13, 15, 12:3--삼상21:6, 12:5--민28:9; 10, 12:7--호6:6, 12:40--욘2:1, 12:42--왕상19:1-10, 13:14--사6:9-10, 15:4--출20:12 레20:9 신5:16, 15:8--사29:13, 16:27--시62:12 잠24:12,

19:19--레19:18, 19:18--출20:12-16, 신5:16-20, 21:13--사56:7, 21:13--렘7:11, 21:16--시8:2, 21:33--사5:1-2, 21:42--시118:22-23, 22:32--출3:6, 22:37--신6:5, 22:39--레19:18, 22:44--시110:1, 23:38--렘22:5, 23:39--시118:26, 24:15--단9:27; 11:31; 12:11, 24:30--단7:13-14, 26:31--슥13:7, 26:64--시110:1, 단7:13, 27:46--시22:1

마가복음(16장 중 27회 인용)

누가복음(24장 중 29회 인용)

요한복음(21장 중 15회 인용)

1:51--창28:12, 3:14--민21:4-9, 4:37--욥31:4, 5:46--신18:15, 18, 6:45--사54:13, 7:22--창17:10 레12:3, 7:37--레23:36, 8;15--왕상16:17, 8:17--신17:6, 19:15, 10:34--시82:6, 13:18--시41:9, 13:34--레19:18, 15:25--시35:19, 69:4, 17:2--단7:14, 19:28--시22:15 (공동번역 성서, 에이스 성경)

제15장

사순절 주님의 행적 묵상

사순절은 부활의 영광을 위하여 십자가의 죽음을 선택하신 주님의 고난을 묵상하며, 자신을 반성하고 거듭나는 새로운 삶을 찾는 40일 간으로 AD325년부터 지키고 있다.
주님께서 "나를 따라 오라" 고 여러 번 말씀하시며(마 4:19, 막 1:17, 요 2:43) 앞서 가신 고난의 길에 동참하기 위하여, 2,000년 전 주님께서 지나가신 그 길을 그림8과 같이 "주님의 행적" 의 지도로 작성해 보았다.

이 지도는 예루살렘을 중심으로 작성한 성지의 입체적 위치를 표시한 것으로, 그림8의 숫자는 마을 사이의 거리를 km로 표시한 것이다. 주님께서는 주로 예루살렘과 갈릴리 지역을 중심으로 활동하셨는데, 예루살렘은 해발 800m의 고지대이고 갈릴리 호수는 해면보다 200m나 낮은 지역이다(사해는 해저 400m). 따라서 주님께서 이곳을 왕복하시는데 무척 힘드셨을 것으로 생각된다.

주님의 각 지역에서의 행적을 누가복음을 기준으로 주님의 행적 지도(그림8)의 번호에 따라, 주님의 탄생과 성장과 전도(1-13번) 그리고 십자가의 죽음을 위하여, 예루살렘으로 올라가시는 길(14-18번) 까지 동참하며 주님의 고난을 묵상하기로 한다.

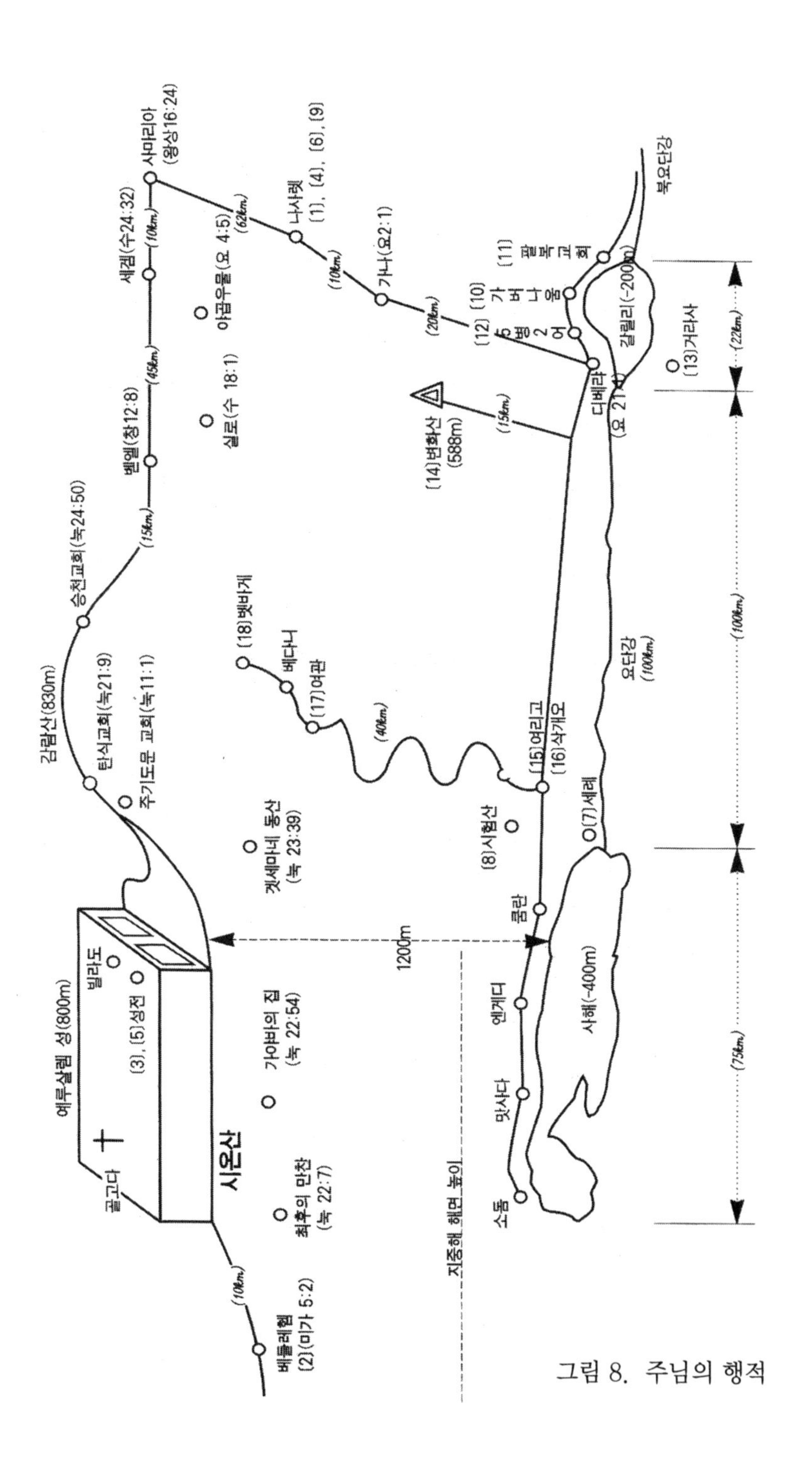

사마리아
(왕상16:24)
세겜(수24:32)
(10km)
나사렛
[1], [4], [6], [9]
(62km)
야곱우물(요 4:5)
가나(요2:1)
(10km)
(20km)
[12] [10]
5 가
병 버
2 나
어 움
[11]
팔복교회
북요단강
갈릴리(-200m)
디베랴
(요 21:1)
[13]거라사
(22km)
벧엘(창12:8)
(45km)
실로(수 18:1)
[14]변화산
(588m)
(15km)
승천교회(눅24:50)
(15km)
감람산(830m)
탄식교회(눅21:9)
주기도문 교회(눅11:1)
[18]벳바게
베다니
[17]여관
(40km)
[15]여리고
[16]삭개오
요단강
(100km)
(100km)
겟세마네 동산
(눅 23:39)
[8]시험산
[7]세례
쿰란
예루살렘 성(800m)
빌라도
[3], [5]성전
1200m
가야바의 집
(눅 22:54)
엔게디
사해(-400m)
(75km)
골고다
시온산
맛사다
최후의 만찬
(눅 22:7)
소돔
지중해 해면 높이
(10km)
베들레헴
[2](미가 5:2)

그림 8. 주님의 행적

주님의 행적

① 나사렛에서 동정녀 마리아가 성령으로 잉태하심을 통고 받으심 (눅 1:26-38)

② 베들레헴에서 아기 예수 탄생하심(눅 2:1-7)

③ 예루살렘에서 아기 예수를 성전에 바치심(눅 2:22, 출 13:2)

④ 나사렛에서 부모님을 모시고 자라심(눅 2:39-40)

⑤ 예루살렘 성전에서 12 살의 주님이 학자들과 토론하심(눅 2:41-48)

⑥ 나사렛에서 부모님 모시고 사시며 지혜가 풍부해지심(눅 2:51-52)

⑦ 주님께서 30세에 고향 나사렛을 떠나 유다 광야에서 세례 받으실 때, 하늘에서 "너는 나의 사랑하는 아들" 로 선포하심(눅 3:21-22)

⑧ 광야에서 40일간 단식하시며 마귀의 시험(부귀,영화,권세)을 이기심(눅 4:1-13)

⑨ 고향 나사렛에서 배척하므로 가버나움으로 가심(눅 4:16)

⑩ 가버나움을 선교 본부로 삼고 많은 이적을 행하심(눅 4:31)

⑪ 제자들에게 8가지 영생의 말씀을 전하심(눅 6:20, 팔복교회)

⑫ 떡 다섯 덩이와 물고기 두 마리로 5,000명을 먹이심(눅 9:10, 오병이어 교회)

⑬ 거라사 마을에서 마귀 들린 사람의 군대마귀를 돼지에게 쫓아내심(눅 8:26-33)

⑭ 3년간의 공생애를 마무리하시기 위하여 예루살렘으로 올라가시

는 길에, 제자들에게 앞으로 다가올 수난에 대하여 첫 번째로 말씀하신 후(눅 9:22), 변화산에 오르시어 하늘나라의 모습으로 변화하신 후 모세와 엘리야와 부활의 영광에 대하여 말씀하시는 모습을 제자들에게 보여주심(눅 9:28). 이때 하늘에서 "이는 내가 택한 아들이니 그의 말을 들어라" 고 말씀하심(눅 9:35)

⑮ 예루살렘으로 가시는 길에 여리고에서 소경을 고치심(눅 18:35)

⑯ 세리 삭개오의 집에 묵으신 후 예루살렘으로 향하심(눅 19:1)

⑰ 예루살렘으로 올라가시는 길(약 40km)에 날이 저물어 선한 사마리아인의 여관에 묵으심(눅 10:30)

⑱ 여관을 출발하여 베다니 마을을 지나 종려주일 오후에 감람산 기슭의 벳바게 마을에 도착하여, 나귀 타시고 호산나 환호 속에 예루살렘으로 입성하셨다(눅 19:28). 아멘!

제16장

주님의 수난 예고

주님께서 3년간의 행적을 정리하시고 앞으로 다가올 십자가의 수난과 부활을 제자들에게 3회에 걸쳐 예고하신 장소와 시기를 묵상하기로 한다.

제1차 예고(가이사랴 빌립보[마 16:21])

예수께서 3년간의 전도사업을 마무리하시며 이스라엘 북부 지역, 북 요단강의 발원지인 가이사랴 빌립보에 도착하셨다. 여기서 "선생님은 살아계신 하나님의 아들 그리스도이십니다."라는 베드로의 신앙 고백을 받고, 하늘나라의 열쇠를 베드로에게 주셨다(마 16:16-19). 그리고 앞으로 약 3주 후에 일어날 자신에 대한 십자가의 고난과 부활을 제자들에게 다음과 같이 미리 알려주셨다.

예수께서 제자들에게 "예루살렘에 올라가면 원로들과 대제사장들과 율법학자들에게 많은 고난을 받고 그들의 손에 죽었다가 사흘 만에 다시 살아날 것이다."라고 알려 주셨다(마 16:21, 막 8:31, 눅 9:22).

이때 베드로가 주님을 붙들고 "주님, 안 됩니다. 결코 그런 일이 있어서는 안 됩니다." 하고 말린데 대하여, 베드로에게 "사탄아, 물러가라. 너는 나에게 장애물이다. 너는 하나님의 일을 생각하지 않고 사람의 일만 생각하는구나!" 하고 꾸짖으셨다(마 16:22-23).

그리고 가이사랴 빌립보에서 약 80km 떨어진 갈릴리 호수 남서쪽의 변화산에서(588m), 선택받은 제자들(베드로, 야고보, 요한)에게 확신을 주기위하여 하늘나라의 영광스러운 모습을 보이시며 "이는 내 사랑하는 아들, 내 마음에 드는 아들이니 너희는 그의 말을 들어라"라는 부탁의 말씀을 하셨다(마 17:1, 막 9:2, 눅 9:28).

제2차 예고(갈릴리 지역에서[마 17:22])

갈릴리 지역을 지나가시며 제자들에게 "사람의 아들은 머지않아 사람들에게 잡혀 그들의 손에 죽었다가 사흘 만에 다시 살아날 것이다"라고 하실 때 제자들은 매우 슬퍼하였다(마 17:22-23, 막 9:30-32, 눅 9:43-45).

제3차 예고(예루살렘으로 올라가시며[마 20:17])

예수께서 모든 일을 끝내시고 예루살렘으로 올라가시기 위하여 여리고로 가시는 길에 마지막으로 열두제자를 가까이 부르시어 "우리는 지금 예루살렘으로 올라가고 있다. 거기에서 사람의 아들은 대제사장들과 율법학자들의 손에 넘어가 사형 선고를 받을 것이다. 그리고 이방인의 손에 넘어가 조롱과 채찍질을 당하며 십자가에 달려 죽었다가 사흘 만에 다시 살아나게 될 것이다." 제자들은 이 말씀을 듣고도 그 뜻을 깨닫지 못하였다(마 20:18, 막 10:32, 눅 18:31).

그리고 예수께서는 여리고 부근에서 두 소경의 눈을 뜨게 하신 다음(마 20:29-34, 막 10:46-52, 눅 18:35-43), 돌 무화과나무 위에 올라갔던 세관장 삭개오의 집에 묵으신 후(눅 19:1-10), 종려주일에 베다니 마을을 지나 감람산 중턱의 벳바게에 도착하시어 예루살렘으로 입성하셨다(마 21:1, 막 11:1, 눅 19:28, 요 12:12).

제17장

고난주간 주님의 행적

주님께서 우리를 위하여 스스로 십자가의 죽음을 선택하신 마지막 한 주일간인 고난주간의 행적을 마가복음에 따라 그림9와 같이 정리하며 마태복음과 누가복음 그리고 요한복음을 첨가하였다.

일요일(종려주일, 막 11:1-11)

여리고에서 예루살렘으로 올라가시는 길(약 40km의 산길)에 선한 사마리아인의 여관에 묵으신 후 베다니 마을을 지나 감람산 중턱의 벳바게 마을에 도착하신 주님께서는 제자들이 준비한 나귀를 타시고 시민들의 호산나 환호를 받으시며 예루살렘에 입성하시어 성전을 둘러보신 후 날이 저물어 베다니로 가셨다(마 21:1-11, 눅 19:28-40, 요 12:12-19).

월요일(막 11:12-19)

베다니에서 아침 일찍 나오시다 길가의 무화과나무 열매를 못 찾으시고 책망하심은 종교적 의식만 무성한 사회를 책망한 말씀으로 생각된다. 주님께서 성전에 들어가시어 유월절 축제를 위하여 각 나라에서 온 유대교인들을 위한 환전소와 제물인 비둘기 등을 파는 상인들을 쫓아내시며 성전은 만인이 기도하는 곳이라 하신 후 베다니로 가셨다(마 21:12-22, 눅 19:28-40, 요 12:12-19).

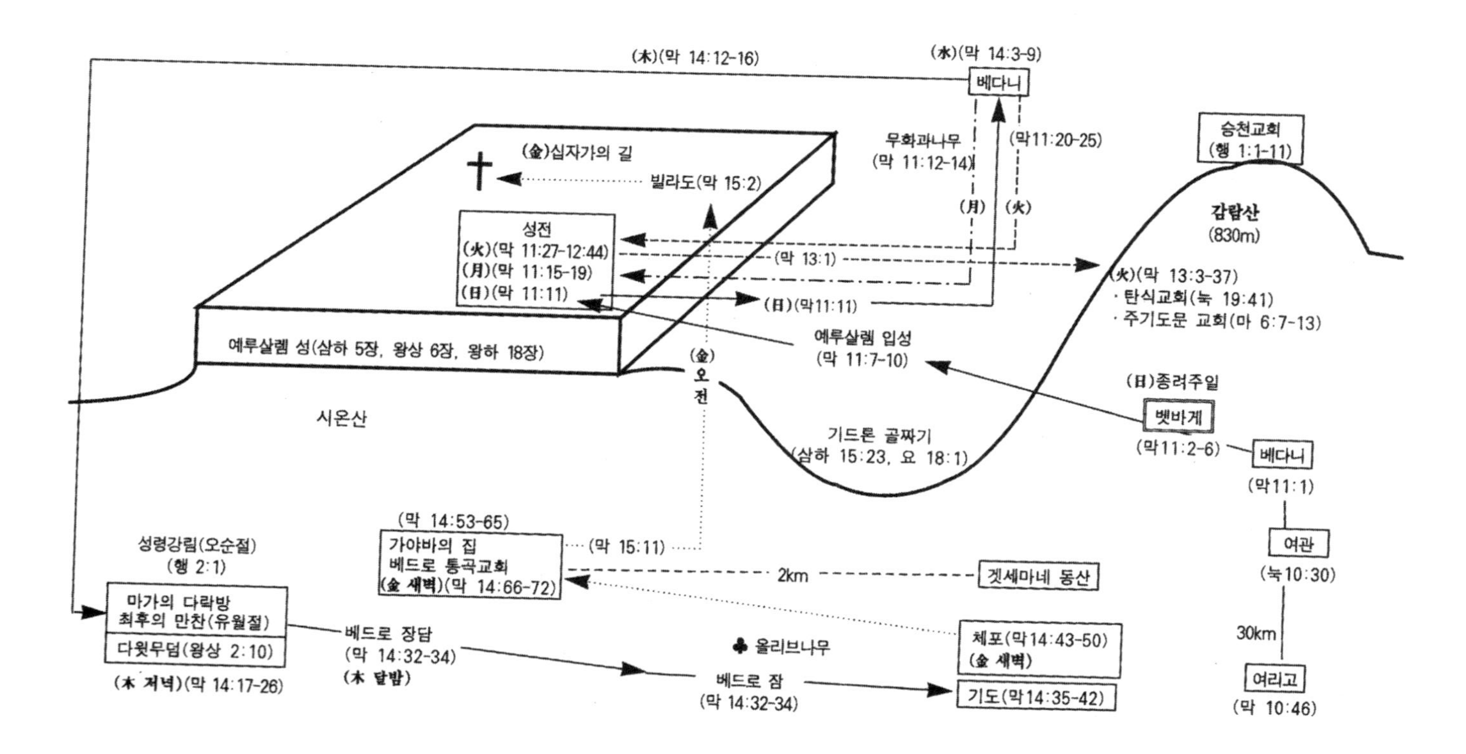

그림 9. 고난주일의 행적(막 11-15장)

화요일(막 11:20-13:37)

베다니에서 나오시다 어제의 무화과나무를 보시며 믿음을 강조하신 후 성전으로 들어가시어 많은 종교 지도자들과 장시간 여러 문제에 대하여 토론하시며 올바른 길을 가르치셨다(막 11:20-12:44).

그리고 오후에는 제자들과 감람산에 올라가 석양의 아름다운 성전을 보시며 앞날의 종말과 재림을 말씀하시며 탄식하셨다(마 21:3-24:45, 눅 20:1-21:33). 그런데 이 성전은 주후 70년 독립전쟁 때 로마군에 의하여 완전히 파괴되었다.

수요일(막 14:3-9)

베다니 마을 나환자 시몬의 집에서 쉬실 때 나사로의 동생 마리아가 주님의 머리에 향유를 부어드렸는데 주님께서는 나의 장례를 위한 행동이라고 칭찬하셨다.

그리고 제자들의 발을 씻어 주시며 서로 도울 것을 당부하셨다(마 26:6-13, 요 12:1-8, 13:1-20).

목요일(막 14:12-42)

주님께서는 자기 생애의 마지막 유월절(출 12:1, 정월 보름)의 축제를 마가의 다락방에 준비시킨 후 제자들과 "최후의 만찬"으로 드신 다음, 보름달을 바라보시며 제자들과 겟세마네 동산으로 가시는 길에, 제자들이 나를 버리고 흩어지며 베드로는 세 번이나 배반할 것을 말씀하셨다(막 14:27-31).

겟세마네 동산에 도착하신 주님께서 다가올 죽음의 고난을 생각하며 "제 뜻대로 마시고 아버지의 뜻대로 하소서" 하며 피땀 흘리시며 기도하셨다(마 26:17-46, 눅 22:7-46, 요 13:26-38).

금요일(막 14:43-15:41)

새벽 3시경 체포되시어 가야바의 집으로 끌려 가셨는데 이때 베드로는 닭이 울기 전에 주님을 세 번 배반한 후 통곡을 하였다. 그 후 빌라도의 법정에서 재판 받으신 후 십자가를 지시고 "십자가의 길"(성지순례 30 참조)을 따라 골고다 언덕에 도착한 주님께서는 오전 9시에 "유다인의 왕"이라고 기록한 십자가에 못 박히셨다(막 15:24-26). 주님께서는 십자가상에서 가상칠언[架上七言]을 남기시고 오후 3시에 운명하신 후 저녁에 무덤에 드셨다(마 26:47-27:56, 눅 22:47-23:49, 요 18:2-19:30).

토요일(안식일, 막 15:42-47)

무덤에 계심(마 27:57-66, 눅 23:50-56, 요 19:38-42)

일요일(부활절, 막 16장)

주님께서는 무덤에 드신지 3일만의 새벽에 부활하시어 제자들과 40일을 같이하시며, 새로운 믿음과 사명을 더해주시고 승천하셨다(마 28장, 눅 24장, 요 20-21장).

승천하신 후 10일만인 오순절 날 제자들에게 다시 성령으로 강림하시어 그리스도교를 땅 끝까지 전파하게 하셨다(행 2장). 아멘!

제18장

빌라도의 보고서

[2,000년 전 빌라도 총독(AD26-36)이 예수님을 재판한 결과에 대하여, 로마의 디베리오 황제(AD14-37, 눅 3:1)에게 보낸 보고서(터키 성 소피아 사원 소장) 중의 일부를 발췌하였다.]

로마의 황제 '디베리오 가이사' 각하에게

그 '나사렛 사람' 이 모습을 나타냈을 때 저는 저의 접견실에 있었습니다. 그런데 갑자기 저는 꼼짝할 수가 없었으며, 그 '나사렛 젊은이' 는 조용히 서있는데도 저는 떨고 있었던 것입니다. 비록 그는 말 한마디 없이 제 앞에 서있는 것만으로 "내가 여기 왔나이다" 라고 말하는 것 같았습니다. 한참 동안 저는 이 비범한 사람을 존경과 두려움으로 응시하였습니다.

"나사렛 예수여, 지난 3년 동안 나는 그대에게 연설할 수 있는 자유를 허락하였소. 그대의 말은 현인(賢人)의 말이오. 나는 그대의 설교가 '소크라테스' (BC469-399)나 '플라톤' (BC427-347)을 능가하는 것으로 생각하오.

그러나 나는 그대의 설교가 강력하고도 원한 깊은 적대자를 만들고 있음을 알려드려야겠소. '소크라테스' 도 대적이 있어 결국은 그들의 증오의 희생물이 되었소. 나의 부탁은 '그대가 설교할 때 좀더 온화한 말로 하여 그대를 적대하지 않도록 하고, 나로 하여금 법의 도구 노릇을 하지 않도록 해달라는 것이요".

그 '나사렛 사람' 은 조용히 입을 열었습니다.

"땅의 군주여, 격류를 명하여 산골짜기에 머물러 있으라고 말해 보십시오. 그러면 계곡의 나무들은 뿌리 채 뽑혀버릴 것입니다. 진실로 그대에게 이르노니 샤론의 장미가 피기 전에 정의의 피가 엎질러질 것입니다"

저는 깊은 감동을 받아 대답하였습니다.

"당신의 지혜는 로마 정부에 의하여 허용된 자유를 남용하는 거칠고 오만한 '바리새인' 보다 더욱 값진 것이오. 그들이 악한 계획을 도모하기 위해서 때로는 양의 가죽을 쓰는 티베르강의 여우임을 그들 자신은 모르고 있소. 나의 총독 관저는 그대의 도피처로 제공될 것이오" (중략).

예수는 근엄한 미소를 띠면서,

"때가 이르면 그때는 땅 위나 땅 아래 어느 곳에도 인자를 위한 도피처는 없을 것입니다. 의(義)의 도피처는 저기 있습니다" 라면서 하늘을 가리키는 것이었습니다. (중략)

그들은 예수를 붙들고 '그를 십자가에 못 박으소서' 라고 고함치기를 계속하였습니다. 그때는 바리새파와 헤롯당(막 3:6)과 사두개파가 하나로 뭉쳤습니다.(중략)

디베리오 황제 각하여!

제가 할 수 있는 한 사실대로 기록한 것입니다. 저는 진실로 이 사람은 하나님의 아들이었다고 말하고 싶습니다.

각하의 가장 충실한 신하인 저는 각하의 건승을 빕니다.

– 본디오 빌라도 –

참고 : 마 27:11–26, 막 15:1–25, 눅 23:1–25, 요 18:28–18:16
("빌라도의 보고서", 구영재 번역, 아가페 서원 발행, 1996)

제19장

가상칠언

[架上七言]

예수께서 금요일 오전 9시에 십자가에 달리신 후 오후 3시에 운명하실 때까지(막 15:25-37), 십자가상에서 주님을 위한 구약성서의 예언을 몸소 실천하시며 다음의 말씀으로 완성하셨다(공동번역 성서).

1. 오전 9시 십자가에 달리신 후

"아버지, 저 사람들을 용서하여 주십시오. 그들은 자기들이 하는 일을 모르고 있습니다."(눅 23:34), (사 53:12, 많은 사람들의 죄를 짊어지고 그들을 용서해달라고 기도하십니다.)

2. 십자가에 달린 한 죄수의 간청에 대하여

"오늘 네가 정녕 나와 함께 낙원에 들어갈 것이다." (눅 23:43)
(사 53:11, 나의 의로운 종이 자기 지식으로 많은 사람들을 의롭게 하리라.)

3. 십자가 아래 서있는 어머니와 제자 요한에게 말씀하셨다.

"어머니, 이 사람이 어머니의 아들입니다." "이분이 네 어머니시다."
(요 19:26-27), (출 20:12, 너희는 부모를 공경하여라.)

4. 낮 12시부터 오후 3시까지 어둠이 땅을 덮을 때 예수께서 큰 소리로 말씀하셨다.

"엘리 엘리 라마 사박다니?" (마 27:46)

"엘로이, 엘로이, 라마 사박다니?" (막 15:34)

"나의 하나님, 나의 하나님, 어찌하여 나를 버리셨나이까 ?" (마 27:46, 막 15:34), (시 22:1, 나의 하나님, 나의 하나님, 어찌하여 나를 버리십니까?)

5. 예수께서 모든 것이 이루어지심을 아시고

"목마르다." 라고 말씀하셨다.(요 19:28), (시 69:21, 목마르다 하면 초를 주는 자들)

6. 예수께서 포도주를 맛보신 다음

"이제 다 이루었다." 라고 말씀하시고 고개를 떨구셨다(요 19:30), (사 53:12)

7. 오후 3시 성전 휘장이 두 폭으로 갈라질 때 예수께서 큰 목소리로

"아버지, 제 영혼을 아버지 손에 맡깁니다" 하신 후 숨을 거두셨다(눅 23:46).

(시 31:5, 이 목숨 당신 손에 맡기오니 건져주소서.)

참 고

주님의 십자가상의 말씀 중에서 1, 2, 3은 인간에 대한 사랑을 4, 5, 6, 7은 하나님에 대한 신뢰를 표현하고 있다.

제20장

주님의 부활과 승천과 강림

[예수께서 부활하신 후 40일 동안 사도들에게 자주 나타나시어 하나님 나라에 관한 여러 가지 말씀을 들려주셨다(행 1:3). 주님의 나타나심에 동참하여 더 가까이 모시기로 하자.]

1. 부활에 대한 천사의 증언 (공동번역 성서)

마태복음: "너희는 십자가에 달리셨던 예수를 찾고 있으나, 전에 말씀하신 대로 다시 살아나셨다"(마 28:5, 막 16:8, 눅 24:5-7).

마가복음: "너희는 십자가에 달리셨던 나사렛 사람 예수를 찾고 있지만 예수는 다시 살아나셨다"(막 16:8).

누가복음: "너희는 어찌하여 살아계신 분을 죽은 자 가운데서 찾고 있느냐? 사람의 아들이 십자가에 처형되었다가 사흘 만에 다시 살아나리라고 하시지 않았느냐?"(눅 24:5-7).

2. 부활하신 주님의 발현

(1) 부활하신 새벽 막달라 마리아와 다른 마리아에게(마 28:1-10)

부활하신 예수께서 막달라 마리아와 다른 여자들에게 "평안하냐" 하신 후 "두려워하지 말라. 내 형제들에게 갈릴리로 가라고 전하여라. 그들은 거기서 나를 만나게 될 것이다" 하고 말씀하셨다(막 16:9, 요 20:11-17).

(2) 부활하신 오후 엠마오로 가는 두 사람에게(눅 24:13-33)

"너희는 어리석기도 하다! 예언자들이 말한 모든 것을 그렇게도 믿기 어려우냐? 그리스도는 영광을 차지하기 전에 그런 고난을 겪어야 하는 것이 아니냐?" (눅 24:25-26) 하시며 당신에 관한 많은 예언을 설명하셨다(막 16:12).

(3) 부활 오후 베드로에게(눅 24:34)

예루살렘에서 11제자와 다른 사람들과 엠마오의 두 사람이 모여서 "주께서 확실히 다시 살아나셔서 시몬(베드로)에게 나타나셨다" 고 말하였다(고전 15:5).

(4) 부활 저녁 제자들에게(눅 24:36-49, 요 20:19-23)

도마 없는 제자들에게 당신의 손과 옆구리를 보여 주신 후 "너희에게 평화가 있기를, 내 아버지께서 나를 보내주신 것처럼 나도 너희를 보낸다" (막 16:15, 고전 15:5).

(5) 부활 8일 후 제자들에게(요 20:26-29)

8일 후 도마가 있는 곳에 오시어 "네 손가락으로 내 손과 옆구리에 넣어 보아라. 그리고 의심을 버리고 믿어라. 나를 보지 않고도 믿는 사람은 행복하다."

(6) 갈릴리 바닷가의 7 제자에게(요 21:1-23)

베드로, 도마, 나다나엘, 야고보, 요한과 다른 두 제자를 합한 7제자가 갈릴리 호숫가에서 고기잡이할 때, 부활하신 예수께서 세 번째로 나타나시어 고기를 많이 잡게 하신 후(153마리) 주님께서 준비하신 조반을 드시고, 베드로에게 "내 양을 잘 돌보라" 라고 세 번이나 분부하신 후 "나를 따르라" 하고 말씀하셨다.

(7) 갈릴리 산에서 11제자들에게(마 28:16-20)

"나는 하늘과 땅의 모든 권한을 받았다. 내가 너희에게 명한 모든 것을 지키도록 가르쳐라. 내가 세상 끝날까지 항상 너희와 함께 있다."

(8) 사도들과 함께한 자리에서(행 1:4-8)

사도들에게 "너희는 예루살렘을 떠나지 말고 내가 전에 일러준 아버지의 약속을 기다려라. 요한은 물로 세례를 베풀었지만 오래지 않아 너희는 성령으로 세례를 받게 될 것이다"(행 1:4-5). 제자들의 "주님, 주님께서 이스라엘 왕국을 다시 세워주실 때가 바로 지금입니까?"라는 물음에 대하여, 예수께서 "그 때와 시기는 아버지께서 당신의 권능으로 결정하셨으니 너희가 알 바 아니다" 하셨다.

(9) 사울의 부르심(행 9:3-6)

다메섹으로 가는 사울에게 나타나시어 "사울아, 사울아, 네가 왜 나를 박해하느냐? 나는 네가 박해하는 예수다. 시내로 들어가면 네가 할 일을 일러줄 사람이 있을 것이다." 사도 바울의 증언 "팔삭둥이인 나에게도 나타나셨다"(고전 15:8).

(10) 아나니아에게(행 9:10-19)

다메섹의 신도 아나니아에게 나타나시어 "아나니아야! 다소 사람 사울에게 손을 얹어 나의 사도로 만들어 이방인에게 내 이름을 전파할 사람으로 만들어 주어라" 고 말씀하셨다.

(11) 5백 명이 넘는 형제들과 야고보(예수의 동생, 갈 1:19)와 사도들에게 (고전 15:6-8)

3. 예수의 승천

마가복음: 예수께서 제자들에게 말씀을 다 하시고 승천하셔서 하나님 오른편에 앉으셨다(막 16:19).

누가복음: 예수께서 그들을 베다니 근처로 데리고 가서 두 손을 들

어 축복하시며 그들을 떠나 하늘로 올라가셨다(눅 24:50-51).

사도행전: 예수께서는 이 말씀을(행 1:7-8) 하시고 사도들이 보는 앞에서 승천하셨다(행 1:9). 그 때 흰옷을 입은 사람 둘이 이렇게 말했다. "갈릴리 사람들아, 왜 너희는 하늘만 쳐다보고 있느냐? 너희 곁을 떠나 승천하신 저 예수께서는 너희가 보는 앞에서 하늘로 올라가신 그 모양으로 다시 오실 것이다" (행 1:10-11).

4. 오순절 성령 강림

예수께서 신도들의 믿음을 더해주시기 위하여 승천하신지 10일만인 오순절 날 신도들이 모두 모여있는 곳에(마가의 다락방) 성령으로 강림하셨다. 즉 "갑자기 하늘에서 세찬 바람과 소리가 온 집안을 가득 채우고, 혀 같은 불길이 갈라지며 각 사람 위에 내리므로, 그들의 마음에 성령이 충만하여 성령이 시키시는 대로 여러 가지 외국어로 말을 하기 시작하였다" (행 2:1-4).

5. 그리스도교 탄생

오순절을 지키려 예루살렘에 온 15개 나라의(행 2:9-11) 유대교인을 위한 사도들의 그 나라 방언의 설교와(행 2:4-6) 베드로의 오순절 설교로 3 천명의 신도가 개종하였다(행 2:14-42). 그리고 사도들이 모여 공동생활하며 하나님을 섬김으로(행 2:43-47, 4:32-37) 오늘의 그리스도 교회의 기틀이 이루어졌다. 그리고 사도 바울의 이방전도로(행 13-28장) 그리스도교가 땅끝까지 전파하게 되었다.

제21장

사도 바울의 행적

주님께서 나에게 맡겨 주신 달란트에 보답하는 마음으로 신약성서 27편의 52%를 차지하는 사도행전과 사도 바울의 서신 13편에서[@표] 사도 바울의 행적을 정리해 보았다.
여기서 내가 할 수 있는 능력의 한도로 사도 바울이 전도한 경로를 중심으로 정리하고, 사도 바울의 전도 행적에 대하여는 성경 구절을 기입하여 사도 바울과 직접 대화하도록 하였다.

신약전서 27편과 바울 서신 @

[마] 마태복음	[엡] 에베소서@	[히] 히브리서
[막] 마가복음	[빌] 빌립보서@	[약] 야고보서
[눅] 누가복음	[골] 골로새서@	[벧전] 베드로전서
[요] 요한복음	[살전] 데살로니가전서@	[벧후] 베드로후서
[행] 사도행전	[살후] 데살로니가후서@	[요일] 요한일서
[롬] 로마서@	[딤전] 디모데전서@	[요이] 요한이서
[고전] 고린도전서@	[딤후] 디모데후서@	[요삼] 요한삼서
[고후] 고린도후서@	[딛] 디도서@	[유] 유다서
[갈] 갈라디아서@	[몬] 빌레몬서@	[계] 요한계시록

1. 사울의 출생과 성장(행 22:3, AD10-32)

사울(바울의 본명, 행 7:38, 12:9)은 길리기아 지역의 수도 다소에서 (터키 동남 지역, 그림1 참조) 로마 시민권을 갖고(행 22:28) 출생하여 (행 22:3, AD10?) 8일 만에 할례를 받았으며(빌 3:5) 베냐민 지파에 속하고 있다(빌 3:5). 고향에서 헬라어와 라틴어의 기초교육을 받은 후 예루살렘의 누나 집에 유하며(행 23:16), 바리새파의 율법학자 가말리엘 선생에게서(행 5:34) 유대교 율법에 대한 엄격한 교육을 받았다(행 22:3, AD20-30). 그리하여 훗날 전도여행에서 유대교인과(행 21:40) 헬라인(행 17:16-32), 로마인등 이방인 전도에 큰 도움이 되었다.

그리고 종교적으로는 유대교(갈 1:14, 빌 3:5)의 바리새파에 속하며 (행 23:6) 고향 다소에서 가업에 종사하며(AD30-32) 장막제조의 기술을 습득하여 전도사업에 큰 도움이 되었다(행 18:1, 3).

2. 사울의 그리스도교 신도 박해(행 7:58-8:3, AD32-33)

예수께서 부활하신지 50일 되는 오순절 날 성령으로 강림하시어 (행 2:2) 성령이 가득한 베드로의 오순절 설교로(행 2:14) 많은 신도들이 주님을 섬기며(행 2:43, 4:32) 교회가 부흥되어, 사도들을 보필하기 위하여 선출한 7명의 집사(행 6:5) 대표 스데반이 순교할 때(행 7:58-60, AD32), 예루살렘으로 진출한 사울이 폭도들에 가담하는 한편(행 7:58, 22:20) 남녀 신도를 체포하여 감옥으로 보내는데 앞장서는(행 8:3) 유대교의 골수파에 속해있었다(행 26:5, 갈 1:13, 딤전 1:13).

그런데 예루살렘의 신도들이 이러한 박해를 피하여 각 지방 도시로 [사마리아(행 8:5, 9:31), 수리아 안디옥(행 11:19), 다메섹(행 19:2), 로마(롬 1:7) 등] 피신하여 그리스도교 전파에 큰 도움이 되기도 하였다 (행 8:1, 9:31).

3. 사울의 회심(행9:1-19,AD33)과 다메섹 전도(행9:20,AD33-35)

사울이 신도 체포의 사명을 띠고(행 9:1) 다메섹으로 가는 길에서 주님의 부르심으로 회심한 후(행 9:1-18, 22:6-16, 26:12-18, 갈 1:16, AD33), 세례를 받은 다음(행 9:18) 다메섹의 각 회당에서 주님을 증거하여 많은 유대인이 믿게 되었다(행 9:20-22, 26:20).

그 후 아라비아로 가서 당분간(약 1년?) 자신을 정리한 후 다시 다메섹으로 돌아와 주님을 증거하였지만(갈 1:17), 유대교인들의 박해와(고후 11:24) 살해음모로 다메섹 성밖으로 피신하였다(행 9:23-25, 고후 11:33).

4. 제1차 예루살렘 방문(행 9:26, 갈 1:18, AD35)

사울이 회심한지 3년 후(갈 1:18, AD35) 다메섹에서의 전도 결과를 예루살렘 교회의 원로들에 보고하기 위하여 예루살렘으로 올라갔다(행 9:26). 그러나 예루살렘에서는 사울을 불신하여 바나바의 증언으로 베드로와 야고보(주님의 동생)의 인정을 받게 되었다(행 9:27, 갈 1:19).

그리고 예루살렘에서 바나바의 생질인(골 4:10) 마가의 집에서(16절 참조) 베드로와 15일간 지내며(갈 1:18) 외국에서 온 헬라파 유대인과 많이 토론하며 주님을 증거하였다(행 9:28-29). 그러나 본토 유대인들의 사울에 대한 살해음모를 탐지한 교우들의 권유와(행 9:29) 주님의 계시로(행 22:18), 가아사랴를 경유하여 고향 다소로 돌아가 당분간 지내게 되었다(행 9:30, AD35-38).

여기서 바나바는 구브로섬 출신의 레위인으로 초대교회에 많은 재물을 기증한 믿음이 충실한 신도로(행 4:36, 11:24) 사울과는 예루살렘 유학 선배로 추측된다(행 13:1).

5. 수리아 안디옥 교회의 부흥(행 11:19-26, AD39-41)

예루살렘에서 스데반의 순교와(행 7:53) 유대교인들의 박해로(행 8:1) 당시의 헬라문화 중심도시인 수리아 안디옥으로 피신한 신도들이 세운 교회가 부흥하였는데(행 11:20), 이 소식을 전해들은 예루살렘의 원로들이 성령이 충만한 바나바를 파송하여 더욱 부흥하게 되었다(행 11:22). 이때 바나바가 다소에 거주하는 사울을 안디옥 교회로 초청하여(행 11:25) 1 년 동안(AD41) 공동으로 교회를 받들므로 더욱 부흥하여 안디옥 교회의 신도를 처음으로 "그리스도인"이라고 불리게 되었다(행 11:26).

6. 제2차 예루살렘 방문(행 11:30-12:25, AD42-44)

예루살렘 지역에서 발생한 흉년으로[로마 글리우리오 황제(AD41-54)때] 예루살렘 교회를 돕기 위한(행 11:28) 수리아 안디옥 교회 신도들의 구호금을(행 11:29) 전달하기 위하여 사울과 바나바를 예루살렘으로 파송하였다(행 11:30, AD42).

사울과 바나바가 예루살렘에서 약 2년간 체류하는 동안(행 12:23, 마가의 집에서?) 헤롯 아그립바 I세(AD37-44)의 박해로 주님의 제자 야고보(요한의 형)가 순교하였다(행 12:1, AD42). 그리고 베드로가 체포 투옥되었다가 천사의 인도로 탈옥하여 마가의 집에 모인 야고보를 위시한 많은 신도들에게 출옥 경과를 보고한 다음 다른 곳으로 피신하는 사건이 발생하였다(행 12:6-19). 그 후 헤롯 아그립바 I세가 죽은 다음(행 12:23, AD44) 사울과 바나바는 마가를 데리고 수리아 안디옥 교회로 돌아갔다(행 12:25).

7. 사도 바울의 소명과 개명(행 13:2-9, AD45)

성령께서 바나바와 사울을 선택하시어(행 13:2) 이방전도를 명하시므로(행 22:21) 마가를 데리고(행 13:5) 수리아 안디옥 교회를 출발하여(행 13:3), 수리아 안디옥 교회가 세계 선교의 최초의 전초기지가 되었다. 그런데 사울은 이방전도를 시작하며 유대식 이름인 사울(크다는 뜻)을 로마식 이름인 바울(적다는 뜻)로 개명한 후 사도 바울의 칭호를 받게 되었다(행 13:9).

사도 바울이 이방전도에서 이용한 전도 장소는 옛날 유다왕국(BC926-587)이 망할 때(왕하 25장), 바벨론으로 끌려간 포로 외의 시민들이 각국으로 피난 가서 정착하며 세운 유대교 회당과 신도의 가정 등을 이용하고 있다(가정교회, 행 16:14, 고전 16:19, 몬 1:2, 골 4:15).

즉 사도 바울은 안식일 회당에서 자신의 전공인 유대교 율법에 대한 해설과 예언서의 메시야(예수)에 대한 강론으로 많은 유대교인과 이방인을 영입하여, 주님께서 땅끝까지 전파하라는 말씀을(행 1:8) 완수하였지만 유대교인들의 박해로(딤후 11:23-27) 많은 고난을 겪기도 하였다.

8. 제1차 전도여행(행 13:3-14:28, AD45-48)

성령의 지시를 받은 사도 바울과 바나바는 마가를 데리고(행 13:5) 수리아 안디옥교회의 후원과 환송을 받으며 제1차 전도여행을 출발하였다(행 13:4, AD45, 그림1 참조).

사도 바울과 바나바는 구브로 섬 전도에서 섬의 중심도시 바보의 서기오 총독을 영입하는 등 많은 성과를 올렸다(행 13:4-12). 그리고 밤빌리아 버가로 진출할 때 마가가 예루살렘으로 가버려(행 13:13) 바울과 바나바만이 밤빌리아 지역 각 도시를 순회 전도하였다.

특히 루스드라에서 선교할 때 부근의 비시디아 안디옥과 이고니온의 유대인 박해로 바울이 큰 상처를 받을 때(행 14:19-20), 루스드라 출신 신도 디모데도(행 16:1, 16절 참조) 고난을 당하고 있다(딤후 3:11). 이러한 박해 중에도 이방인과 유대인의 개종으로 각 곳에 교회를 세우는 성과를 거두고 있다(갈 1:2).

수리아 안디옥교회(13:3) [마가 동반 출발] → 구브로 섬(살라미, 바보)(13:4-12) [여러 회당에서 선교, 총독 개종] → 밤빌리아 버가(13:13) [마가 예루살렘 행] →

비시디아 안디옥(13:14-50) [선교 박해 추방] → 이고니온(14:1-5) [선교 박해] → 루스드라(14:8-20) [선교 기적, 박해] [디모데 핍박, 딤후 3:11] → 더베(14:20) [선교] →

루스드라 → 이고니온 → 안디옥(14:21-23) [귀로에 각 교회 신도와 원로 격려] → 앗달리아(14:25) [통과] → 수리아 안디옥교회(14:26-28) [이방전도 성과 보고, 교회 근무]

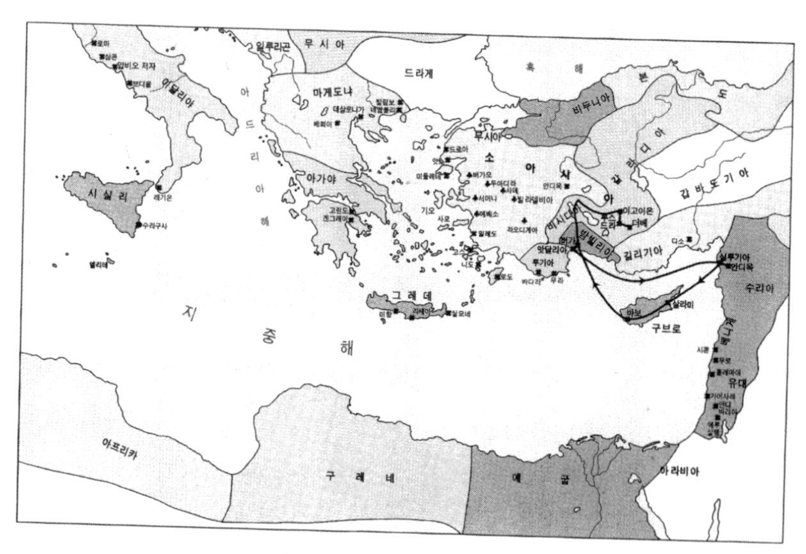

사도 바울의 1차 전도여행

9. 제3차 예루살렘 방문(행 15:1-35, 갈 2:1-10, AD49)

제1차 예루살렘 방문(행 9:26, 갈 1:18-20, AD35) 후 14년 되는 해에(갈 2:1, AD49) 수리아 안디옥 교회에서 이방인 전도에 대한 할례문제로 바울과 바나바를 예루살렘으로 파견할 때(행 15:1-2) 바울은 믿음의 아들로 여기는(딛 1:4) 헬라인 무할례자 디도를 동행하고 있다(갈 2:1, 16절 참조).

예루살렘 공의회 원로인 야고보와 베드로와 요한으로부터 무할례 이방인을 영접하라는 판결을 받은 후(행 15:4-21), 바울과 바나바는 무할례 이방인을 베드로는 할례 받은 사람을 대상으로 전도하기로 한 후 친교의 악수를 나누었다(갈 2:7-9).

이 결과를 예루살렘 교회 신도 대표 유다와 실라를(16절 참조) 파견하여 보고한 후(행 15:30-33) 유다는 예루살렘으로 돌아가고 실라는 바울과 바나바와 안디옥 교회의 전도에 전념하였다(행 15:34-35).

그 후 안디옥교회를 방문한 베드로가 이방인과의 접촉문제로 바나바와 같이 바울의 면박을 받은 사건이 있었다(갈 2:11-14). 그 후 베드로는 소아시아(행 2:9, 오늘의 터키) 각 지역을 순회하며 여러 교회를 세운 다음(벧전 1:1) 아가야(그리스)의 고린도에서 전도한 후(고전 1:12) 로마로 가서 실라(실루아노)와 마가를 만나고 있다(벧전 5:12-13).

10. 제2차 전도여행(행 15:40-18:22, AD50-53)

얼마 후 바울과 바나바는 제1차 전도여행에서의 전도 결과를 알아보기로 하였는데(행 15:36), 마가의 중도 탈락 문제로(행 13:13) 바나바는 마가와 구브로 섬으로 가고(행 15:37-39), 바울은 수리아 안디옥 교회에 와있던 실라와 같이 출발하였다(행 15:39-41).

제2차 전도여행 중 루스드라에서 디모데를 영입한 후 여러 교회를 순회하던 중(행 16:1-5) 갈라디아에서(행 16:6) 발생한 병으로 고생하며 그곳에 많은 교회를 세웠다(갈 4:13-16).

그리고 드로아로 가서 누가를 영입한 다음(행 16:7-9) 빌립보로 이동하여 두아디라(계 1:11) 출신 여신도 루디아의 가정교회를 중심으로 많은 여신도와 젊은 로마인 동역자 글레멘드와 같이 선교하다가(행 16:12-15, 빌 4:3) 박해로 투옥되는 사건이 있었다(행 16:16-40). 이 사건 후 바울이 데살로니가로 갈 때 누가는 이곳 빌립보에서 대기하였다가(행 16:40) 제3차 전도여행 때 바울과 재회하고 있다(행 20:5).

데살로니가로 간 바울은 친척 야손의(롬 16:21) 집에서 빌립보교회의 도움을 받으며 (빌 4:16) 선교하다 추방되어(행 17:1-9) 베뢰아를 거쳐(행 17:10-15) 아덴으로 가서 그곳 철학자들을 영입하며(행 17:16-34) 디모데를 데살로니가로 파견하였다(살전 3:2) 그리고 고린도로 가서 로마에서 추방되어온(행 18:3, AD49) 아굴라의 집을 중심으로 1년 동안 전도하며(행 18:1-11) 고린도 교회를 세운 후(고전 1:3), 데살로니가에서 돌아온 디모데의 보고로(살전 3:6) 칭찬과 격려의 서신 "데살로니가 전후서"를 보내고 있다(살전 1:1). 그 후 고린도의 유스도의 집에서 1년 반 동안(행 18:7, 11) 전도하다 박해로(행 18:12-17) 아굴라 가족과 에베소로 이동한 후 아굴라 가족을 에베소에 남기고 예루살렘을 거쳐 안디옥 교회로 돌아갔다(행 18:18-23).

수리아안디옥(15:40) → 길리기아(15:41, 다소) → 루스드라 → 브루기아, 갈라디아 →
[실라 동행 출발] [심방] (16:1-5) (16:6) [각 교회 심방 격려]
[디모데 할례 후 동행] [갈라디아서 병 치료, 갈 4:13]

드로아(16:8-10, 환상) → 사모드라게, 네압볼리(16:11) → 빌립보(16:12, 마게도니아) →
[마게도니아 선교 지시] [통과] [실라, 디모데, 누가 동행]
[눅(16:10), 딛(고후 2:13) 동참]

빌립보(16:12-40, 선교,체포,석방) → 데살로니가(17:1-9, 야손의 집 3주간 선교, 박해 추방) →
[루디아 개종, 가정교회, 누가 대기] [실라, 디모데 동행(롬 15:16)]

베뢰아(17:10-14,선교,헬라인 개종,박해 투옥) → 아덴(17:15-34,단독 선교,아데네 철학자 인도)
[실라, 디모데 대기 후 아덴 행] [디모데 데살로니가 파견(살전 3:2)]

고린도
(8:1-18,1년 6개월 전도,회당장 등 인도,주님의 격려,고린도 교회 설립[고전 1:2] 박해. 에베소 행) →
[아굴라 집과 유스도 집 가정교회 전도, 디모데 도착, 데살로니가 전후서(살 1:1)]

에베소(18:19-21, 각 교회 지도자 격려 후 출발) → 항해(18:21) → 가이사랴(18:22) →
[아굴라 에베소 정착(18:19), 가정교회(고전 16:19)]

예루살렘(18:22,제2차 선교 보고) → 수리아 안디옥 교회(18:22-23,귀환 보고,교회 근무)

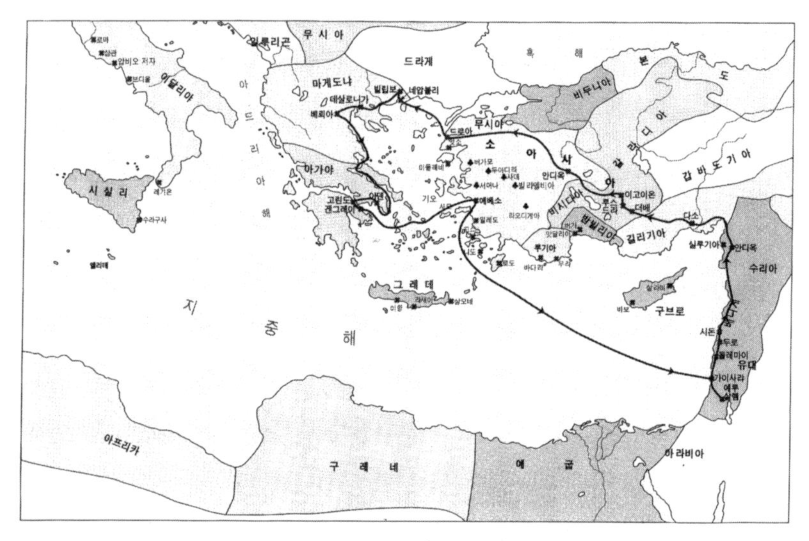

사도 바울의 2차 전도여행

11. 제4차 예루살렘 방문(행 18:22, AD53)

제4차 예루살렘을 방문한 사도 바울은 제2차 전도여행의 성과를 원로회에 보고한 후 수리아 안디옥 교회로 돌아가, 얼마동안 지낸 다음 디모데와 디도와 함께 제3차 전도여행을 계획하였다(행 18:23, 고후 12:18).

12. 제3차 전도여행(행 18:23-21:26, AD53-55)

사도 바울이 제3차 여행을 디모데와 디도와 함께 시작할 때 에베소와 고린도에는 유대교에서 개종한 아볼로와(행 18:24-19:1) 베드로의 전도로(고전 9:5) 아볼로파와 베드로파가 발생하여(고전 1:12) 후에 아볼로와 만나고 있다(고전 16:12).

수리아 안디옥 교회를 출발한 사도 바울은 자신의 고향인 다소를 지나 제1, 2차 여행 때의 각 교회를 심방한 후(행 18:23), 에베소에서 아굴라의 집을 중심으로(고전 16:19) 2년 이상 전도하며 고린도 교회에 분파 등 여러 문제를 훈계하는 서신 "고린도 전서"를 디도 편에 보내고 있다(고후 7:8). 한편 에베소에서 사도 바울의 전도로 신도가 된 골로새 출신 에바브라가 골로새와 라오디게아에 교회를 세우고 있다[골 1:7, 2:13, 골로새(빌레몬의 집, 몬 2장), 라오디게아(눔바의 집, 골 4:15) 등].

그런데 에베소에서 이방신 문제로 큰 소동이 발생한 후(행 19:21-41) 마케도니아 지역 빌립보로 이동하여 누가와 재회한 후(행 20:5) 제1차 방문 때 세운 갈라디아 지방 각 교회에 믿음을 바로 세우라는 훈계의 서신 "갈라디아서"를 보냈다. 그리고 고린도로 이동하여(롬 16:21) 로마에 있는 신도들에게(행 2:10, 41, 롬 1:8, 16:2) 주님을 섬기는 올바른 길을 지시하는 "로마서"를 보낸 후(롬 16:1), 동역자 7명을 선출하여(행 20:4: 디모데, 두기고, 가이오, 아리스다고 등) 드로아로 보낸 다음(행 20:5), 다시 빌립보로 가서 디도의 고린도에 대한 보고로(고후 7:7) 고린도 교인들을 격려하는 서신 "고린도 후서"를 디도 편에 다시 보내고 있다(고후 8:17).

그리고 드로아로 가서 7명의 동역자를 만난 후(행 20:6-12) 각 교회의[고린도(롬 15:26), 갈라디아(고전 16:1), 빌립보(고후 8:1, 10)] 구제금을 갖고 예루살렘으로 가는 길에(행 20:16), 밀레도에서 에베소 교회 장로들을 격려하고(행 20:18-38) 예루살렘으로 향하고 있다(행 21:1-26).

수리아 안디옥 교회→**갈라디아**→**브루기아 방문**(18:23)→**아볼로 전도**(18:24-19:1)→
(18:23) [디모데 동행] [각 교회 순방 격려] [에베소 고린도교회 파벌 조성]

에베소[19:1-41, 2년3개월, 두란노서원, 골로새, 밀레도 교회건립, 이적(11-20), 이방신 문제로 소란(23-41)]→
[아굴라가 아볼로 교육, 18:26] [행 19:10, 몬 1:2, 행 20:17] [고린도 전서] [디모데 파견, 19:22]

마케도니아 지역(20:1-2: 빌립보에서 누가와 재회) → **고린도**(20:2-4: 3개월 체류) →
[네압볼리, 빌립보, 데살로니가, 베뢰아 순방] [디모데 회합, 로마서 뵈뵈 전달, 롬 16:1]
[갈라디아서] [동역자 7명 선발 드로아 파송(20:4)]

빌립보(20:5-6: 무교절 지냄) → **드로아**(20:6-12: 7일 체류, 청년 구함) → **앗소**(20:14) →
[누가 재회(20:5), "우리"에 누가 포함] [항해, 누가 동행]
고린도후서[디도 전달(고후 8:6, 17)]

미둘레내(20:15) → **밀레도**(20:15-41) → **항해**(21:1-3) → **두로**(21:4-6, 7일 체류) →
[에베소 교회 장로 초청 고별사] [고스, 로도, 바다라 통과] [신도 격려]
[예루살렘 행 만류, 강행]

돌레마이(21:7, 1일 체류) → **가이사랴**(21:8-16) →
[신도 격려] [빌립보(행 6:5)의 집 체류, 에베소의 유대교인 바울 살해 음모, 예루살렘 행 만류, 바울 강행] [누가, 디모데, 아리스다고 동행]

예루살렘(21:17-26) [제5차 방문, 누가 동행]

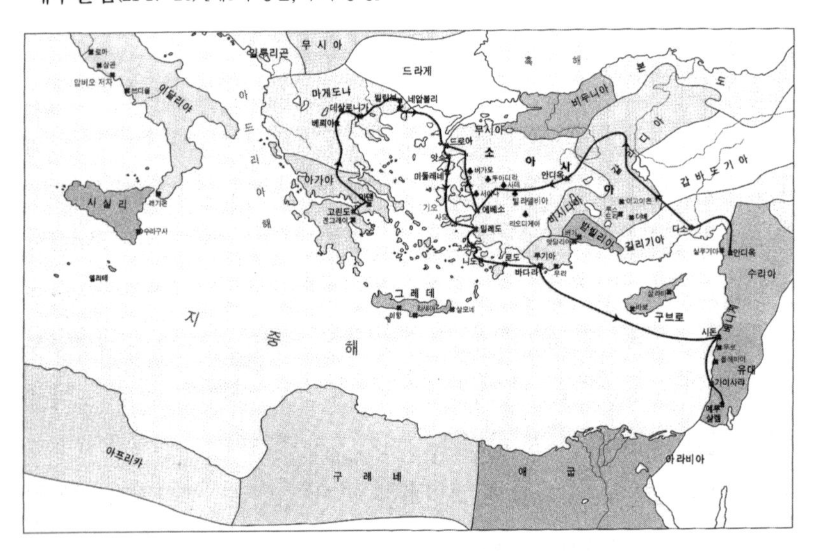

사도 바울의 3차 전도여행

13. 제5차 예루살렘 방문과 체포(행 21:17-20, AD55)

제3차 전도여행을 끝내며 가이사랴에 도착하여 초대교회의 집사 빌립보(행 6:5, 8:5)의 집에 유할 때(행 21:8), 에베소에서 따라온 유대교인들의(행 19:23) 살해음모를 감지한 신도들이(행 21:11), 예루살렘 행을 만류하였지만 구호금을 가지고(롬 5:28) 예루살렘으로 강행하여(행 21:12-15) 야고보를 위시한 원로들에게 전도 결과를 보고하여 환영을 받았다(행 21:17-26).

그런데 예루살렘 성전에서 바울에 대한 에베소의 유대교인들의 소동으로(행 21:27-22:23), 로마군영에 보호 유치된 바울을 이들이 다시 살해하려는 음모를 탐지한 바울의 생질의 고발로(행 23:16), 가이사랴로 이송되어(행 23:23-33), 벨릭스 총독(AD52-55)의 재판에서 자신의 행적을 해명한 후(행 24:1-23)] 가이사랴 감옥에 2년 간 보호 수감되었다(행 24:27).

2년 후 새로 부임한 베스도 총독(AD55-62)의 재판에서(행 25:1-9) 로마 시민권을 행사하여(행 22:28), 로마 황제 가이사에 상소함으로(행 25:10) 로마로 가게 되어(행 25:12) 주님께서 로마로 가라는 계시가(행 23:11) 이루어지게 되었다.

이 때 가이사랴에 온 헤롯 아그립바 II세(AD45-60, 헤롯대왕의 증손)가 바울의 그리스도에 대한 증거와 바울 자신의 전도에 대하여 감명 깊게 청취하고 있다(행 25:13-26:32).

14. 사도 바울의 로마 행(행 27-28장, AD58-59)

사도 바울이 로마로 호송되는(행 27:1) 배에는(276명 승선) 누가와 아리스다고(행 19:29, 20:4)가 동행하고 있다(행 27:2). 가이사랴를 가을에 출항함으로(AD58) 역풍에 의한 위험을 감지한 바울이, 그레데 섬의 미항에서 겨울을 지날 것을 주장하였지만(행 27:10) 강행하여 태풍으로 14일간 표류하다가 이태리 남쪽의 멜리데 섬 앞에서 파선하여 겨울을 이곳에서 보내며(행 28:1-11) 3개월이 지난 다음해 봄에 신도들의 환영 속에 로마에 도착하였다(행 28:16, AD59).

가이사랴(행27:2,AD58 가을출발)→ **시돈**(27:3)→ **역풍**(27:4-5)→ **무라**(27:6)→ **역풍**(27:7-8)→
[누가, 아리스다고 동행] [신도 송별] [큰 배(276명) 환승]

미항(27:8-12:그레데 섬 남쪽 항구 미항에서 겨울 대기 건의, 항해 강행)→

표류(27:13-38: 태풍 14일간 표류) → **파선**(27:39-44) →

멜리데 섬(28:1-11: 이태리 남쪽 섬 상륙, 바울의 이적, 3개월 체류 겨울 지나 출항)→

수라구사(28:12: 3일간 체류) → **레기온**(28:13: 1일 체류)→

보디올(28:13-14: 신도 환영 7일 체류) → **압비오**(28:15: 로마 남쪽 70km, 신도 환영)→

삼판(3 여관)(28:15 : 로마 남쪽 50km, 신도 환영)→

로마 도착(28:16-28: AD59 봄,자유 전도,유대인 대표에 해명,전도 무관심, 2년 간 로마인 선교)→

로마 전도[28:16-31: 옥중 전도(AD59-61)→ 자유 전도(AD62-64)→ 옥중 전도(AD64-66)]→

순교(AD66)

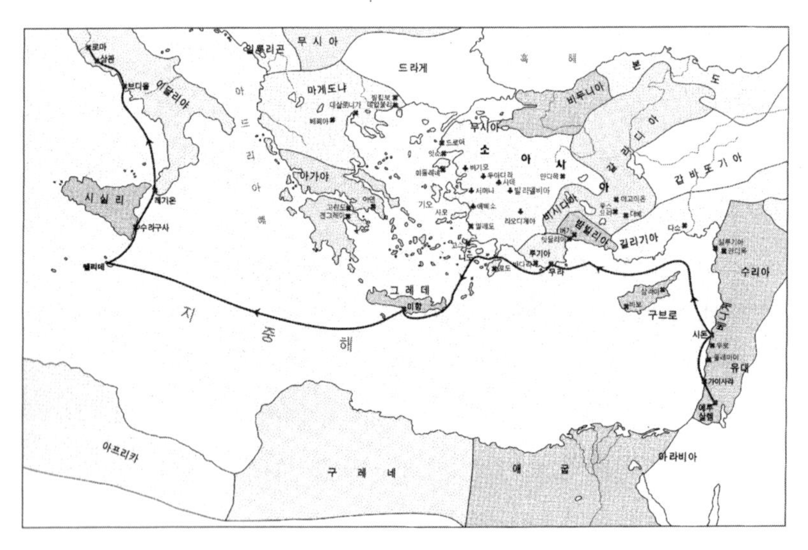

사도 바울의 로마여행

15. 사도 바울의 로마 전도(AD59-66)

로마에 도착한 사도 바울은 처음 비교적 자유스러운 몸으로 셋집에 살며 유대인 지도자들과 접촉하면서 전도하였지만 이들은 받아들이지 않았다(행 28:16-25). 그러나 로마인들은 하나님에 대한 구원의 말씀을 받아들여(행 28:29) 만 2년 동안 이방전도에 정성을 다하여(행 28:30) 로마왕실의 직원을 비롯한(빌 4:22) 남녀 각층의 많은 사람들이 주님을 영접하게 되었다.

이와 같은 제1차 옥중 생활 중(AD59-60) 누가, 마가, 디모데, 두기고(행 20:4) 등 10여명의 많은 동역자들이 찾아옴과(골 4:7-14, 빌 2:19, 몬 1:24) 동시에 빌립보교회 등의 원조로(빌 4:18), 큰 도움이 되어 마음의 여유를 가진 바울은 많은 원조를 보내준 각 교회에(고후 8:1-5, 11:9) 감사와 격려와 축복의 서신 "빌립보서"와, "에베소서"와 "골로새서"를 각각 보내고(빌 2:25, 엡 6:21, 골 4:7), 특별히 골로새 교회의 신도 빌레몬에게 노예 오네시모의 해방을 부탁하는 친필 서신 "빌레몬서"를 보내고 있다.

그 후 약 3년 동안(AD61-63) 바울은 자유인으로 동역자(누가, 디모데, 디도, 두기고 등)를 대동하고 각 지방을 순방하며, 소아시아 에베소에서 디모데를 목회자로 임명한 후(딤전 1:3, 4:14) 마케도니아(빌립보?)로 가서 디모데에게 "디모데전서"의 목회서를 보냈다(딤전 1:2).

그레데 섬으로 건너가 디도를 목회자로 임명한 후(딛 1:5) 그리스 북서부 항구도시 니고볼리로 가서 두기고(16절 참조) 편에 디도에게 "디도서"의 목회서를 보내며 겨울을 같이 지낼 것을 부탁하고 있다(딛 3:12). 그리고 드로아로 가서 가보의 집에서 전도하고 있다(딤후 4:13).

그 후 네로황제(AD54-68)가 로마시를 방화하고(AD64. 7. 19) 그리스도 교인을 박해할 때 다시 체포되어 로마로 압송된 제2차 옥중 생활 중(AD64-66), 많은 신도들이(골 4:7) 떠나버리고(딤후 1:15) 누가와 두기고 만 남아있을 때(딤후 4:11), 첫 재판 후(딤후 4:16) 두기고를 에베소로 파견하며(딤후 4:12) 디모데에게 마가를 데리고 겨울이 오기 전에 드로아 가보의 집에 두고 온 외투와 책을 가져오라며(딤후 4:11, 13), "나는 믿음을 지키며 선한 싸움을 싸우고 달려갈 길을 다 마쳤다" (딤후 4:7)라는 친필의 마지막 서신(딤후 1:2) "디모데 후서"를 전한 다음 최후 재판에서 순교하였다(AD66).

로마에서 발송한 서신

제1차 옥중 서신(AD59-60) 에베소서 빌립보서 골로새서 빌레몬서
[마가, 누가, 디모데 동석] [교회] [교회] [교회] [골로새 교회 신도]
[노예 해방서]

자유활동 서신(목회서신, AD61-63) 디모데 전서(에베소 교회) 디도서(그레데 섬 교회)
[마케도니아, 니고볼리에서] [믿음의 아들, 딤전 1:2] [믿음의 아들, 딛 1:4]
(딤전 1:3) (딛 3:12)

제2차 옥중 서신(유언서, AD64-66) 디모데 후서(에베소 교회)
[누가 동석, 딤후 4:11] [믿음의 아들, 딤전 1:2]

16. 바울의 동역자

1) 바나바

오늘의 사도 바울을 인도한 믿음의 대 선배인(행 13:1) 구브로 섬 출신의 레위인 바나바(위로의 아들, 요셉)는 초대교회에 큰 재물을 헌납한(행 4:36) 성령과 믿음이 충만한 사람으로(행 11:29) 마가의 숙부이기도 하다(골 4:10). 사울이 회심한 후 다메섹에서 전도한 사실을 예루살렘교회 공의회에서 증언하여 사울을 예루살렘교회 원로회의 인

정을 받게 하였다(행 9:27).

그리고 예루살렘교회에서 수리아 안디옥 교회로 파송되어 사울과 같이 1년 동안 전도하여 처음으로 "그리스도인" 을 양성하였다(행 11:22-30). 그 후 안디옥 교회에서 파송하는 제1차 전도여행을 사도 바울과 동행하여 큰 성과를 올린 후(행 13:3-14:28), 제2차 전도여행을 계획하던 중 마가의 제1차 전도 중도 탈락문제로(행 13:13) 사도바울과 결별하고 마가를 데리고 구브로 섬으로 떠났다(행 15:37-39).

2) 마가 (로마식 이름, 요한: 유다식 이름, 행 12:12)

예루살렘의 큰 2층집(행 1:15) 주인 마리아의 아들로(행 12:12), 이 집은 주님의 최후의 만찬(막 14:13)과 성령 강림(행 2:1)과 제자들의 기도 장소이며(행 1:13, 12:17), 마가의 삼촌 바나바(골 4:10)가 재산을 많이 기증한 초대교회이기도 하다(행 4:36). 따라서 마가는 주님을 가까이 접촉하여 예수께서 최후의 만찬을 마가의 다락방에서 드신 후 겟세마네 동산으로 가실 때 따라가 예수께서 잡히실 때 알몸으로 달아났다(막 14:51).

마가는 제1차 전도여행에서 중도 탈락하여(행 13:13) 바울이 불신하였지만(행 15:38, AD50), 약 10년 후 로마에서의 바울의 제1차 옥중 생활에서 골로새 교회에 편지할 때 바울과 동석하고 있으며(골 4:10, 몬24, AD60), 제2차 옥중 서신에서는 마가를 가장 필요한 사람으로 기록하고 있다(딤후 4:11, AD64).

한편 마가는 베드로가 아들로 여길 정도로 로마에서 베드로와 밀접하게 접촉하며(벧전 5:13), 주님에 대한 모든 것을 전수받은 후 로마에서 로마인을 위한 "마가복음" 을 기록하였다(AD67).

3) 누가

수리아 안디옥 출신의 그리스인 의사로(골 4:14) 유력 인사에 속하며(행 1:1) 드로아에서 의사 개업을 하다가(행 16:8), 사도 바울의 제2차 전도여행 때 바울의 설교에 감복하여 동역자로 또 주치의로(고후 12:7), 에베소까지 동행한 후(행 16:12) 제3차 전도여행 때 바울을 따라(행 20:5) 예루살렘과 로마의 제1차, 2차 감옥까지 동행하고 있다(몬 1:24, 딤후 4:11). 그리고 "사도행전"과 "누가복음"(AD80)을 기록하였는데 사도행전에 기록된 "우리"에는 누가 자신이 포함되고 있어 누가의 활동 경로를 알 수 있다(행 16:10, 12, 13, 16, 17, 20:5, 21:18, 27:1, 28:16). 누가는 그 후 에베소에서 성모 마리아를 모시고 84세까지 헌신한 것으로 전해지고 있다(누가의 무덤이 에베소에 있다).

4) 디모데

소아시아의(터키 중서부 지역, 그림1 참조) 중남부 루가오니아 지역의 루스드라(행 14:6) 출신의 독실한 유대인 모친 유니게와 헬라인 부친 사이의 아들로(행 16:1, 딤후 1:5), 바울의 제1차 전도여행 때 루스드라에서 바울과 같이 박해를 받고 있다(행 14:19, 딤후 3:11). 사도 바울의 제2차 전도여행 때 선발되어 할례를 받은 후(행 16:3) 바울의 믿음의 아들로(딤전 1:2) 제2차, 제3차 전도여행 중 데살로니가(행 17:1, 롬 15:16), 고린도(행 18:5, 롬 16:21), 에베소(고전 4:17), 빌립보(행 19:22, 고후 1:19), 드로아(행 20:4) 등 각지에서 바울의 동역자로 헌신하고 있다.

사도 바울이 로마에서의 자유여행 중 디모데를 에베소 교회의 목회자로 임명한 후(딤전 1:3, 4:14), 마게도냐(빌립보?)로 가서 목회에 충실하라는 목회서 "디모데 전서"와 제2차 옥중생활 중 에베소에서 목회자로 근무하는 디모데에게 목회에 충실하라는 마지막 권고와 겨울이 오기 전에 마가를 데리고(딤후 4:11) 드로아 가보의 집에 있는 외투와 책을 가져오라는 간절한 부탁의(딤후 4:13) 서신 "디모데 후서"를 받았다.

5) 디도

기독교로 개종한 헬라인(갈 2:3) 무 할례 동역자로(딛 1:4) 바울의 제3차 예루살렘 방문 때(행 15:1-35, AD49) 바울과 동행하였으며(갈 2:1), 제3차 전도여행에서 고린도 교회의 여러 문제를 잘 해결하여 칭찬을 받았다(고후 7:6-13, 8:6, 16, 23, 12:18). 그리고 사도 바울이 로마에서의 자유여행 중 그레데 섬을 심방하며 디도를 이곳 교회의 목회자로 임명한 후(딛 1:3), 그리스 북서부 항구도시 니고볼리로 가서 두기고 편에(행 20:4) 목회에 충실하라는 목회서신 "디도서"를 보내며 겨울을 이곳에서 같이 보내자고 부탁하고 있다(딛 3:12). 그 후 디도는 이 섬의 목회자로 생애를 마치고 있다(톰슨 성경).

6) 실라[로마식 이름, 유다식 이름: 실루아노(살전,후 1:1, 벧전 5:12)]

로마시민권을 가진(행 16:37) 예루살렘 교회의 장로로(행 15:22) 이방인 전도에 대한 예루살렘 교회의 결정을 수리아 안디옥 교회에 전달하고 있다(행 15:1-33). 그 후 수리아 안디옥에서 사도 바울의 제2차 전도여행에 동참하면서(행 15:40) 마게도냐 지역(빌립보와 데살로니가)에서 바울과 함께 고난을 받고 있다(행 16:19-40, 17:1-9). 그리고 베뢰아에서 대기하였다가(행 17:10-14) 마게도냐로 다시 파견되어 각 교회의 실정을(고후 11:9, 빌 4:15) 고린도에 있는 바울에게 전하여(행 18:5) "데살로니가 전후서"를 기록할 때 동석하고 있다(살전,후 1:1, AD55).

그 후 로마에서 베드로와 회동하여 베드로가 소아시아 각 교회에(벧전 1:1) 보내는 "베드로 전후서"를 대필하고 있다(벧전 5:12, AD64).

7) 두기고

사도 바울이 제3차 전도여행 중 고린도에서 선발한 7명의 동역자 중 가장 신임 받은 아시아인 집사이다(행 20:4). 바울의 제1차 옥중생활에서 많은 신도가 바울을 가까이 모실 때(골 4:7-10), 두기고가 옥중서신 "골로새서"와 "에베소서"를 각각 전하고 있다(골 4:7, 엡 6:21). 그리고 바울의 자유여행에 동행하며 니고볼리에서 그레데섬의 디도에게 보내는 목회서신 "디도서"를 전하고(딛 3:12), 제2차 옥중생활에서 누가만 남아있을 때(딤후 4:11) 에베소 교회의 디모데에게 목회서신 "디모데 후서"를 전하고 있다(딤후 4:12-13).

8) 루디아

루디아는 하나님께서 믿음의 교회로 선발하신 소아시아의(오늘의 터키지역) 7교회 중의 하나인 믿음과 상업의 도시 두아디라(계 1:20, 2:18) 출신의 여인으로, 이곳에서 약 600Km 서북쪽의 마케도니아 지역의 로마 식민지 빌립보에서 하나님을 섬기며 자주옷감 장사를 하고 있었다(행 16:12-14).

사도 바울의 제2차 전도여행 때(AD50-53) 빌립보에 도착한 사도 바울의 전도로 루디아의 온 식구가 유럽에서 최초로 세례를 받고 예수를 믿으며, 사도 바울 일행을 자기 집에 유숙케 하여 전도사업에 큰 도움을 주고 있다(행 16:15).

이때 빌립보에서의 전도사업에 루디아 외에 유오디아와 순두게의 두 여인과 젊은 로마 지식인 글레멘드와 에바브로디도가 적극 협조하여 "생명의 책"에 올라있음을 사도 바울이 증언하고 있다(빌 4:1-3, 18, 계 20:12).

17. 사도 바울의 전도(AD33-66)

사울이 주님의 부르심을 받아 사도 바울이 된 후(행 9:1-19, AD33) 로마에서 순교할 때까지(AD66) 약 33년 간 당시의 전 세계를 순회하며 주님을 증거하며 오늘의 그리스도교의 기틀을 구축하는데 온 정성을 다하였다(딤후 4:7).

이러한 전도사업에서 바울은 유대교인과 로마정부의 박해로 큰 고난을 당하기도 하였지만(고후 11:23-33), 이방인들 특히 헬라어를 사용하는 남녀 지식층이 바울의 헬라어 설교에 감복하여 주님을 영접하고, 동시에 노예 등(몬 1:10) 일반 서민과 로마왕실의 직원을 인도하는(빌 4:22) 등 그리스도교 전파의 기반을 더욱 탄탄하게 하였다.

한편 주님께서 땅끝까지 전파하라는 말씀을(행 1:8) 완수하기 위하여 스페인 전도를 계획하고 있는데(롬 15:24, 28), 빌립보교회의 로마인 동역자 클레멘드가(빌 4:3) 약 30년 후 로마교회의 감독이 되어(AD92-101) 고린도교회에 보낸 서신에서(AD97) 사도 바울이 스페인까지 전도한 것으로 기록하고 있다(사도바울의 생애, 이수철 역, 뉴욕만백성교회).

이러한 성과는 하나님께서 예수 탄생 약 300여 년 전 마케도니아 사람 알렉산더 대왕으로(BC336-323)하여금 헬라어 문화권을 형성케 하고(BC336-AD160) 로마 통치시기에(BC63-AD395) 로마로 통하는 도로를 각 곳에 건설하여 바울의 각 지방 순방과 전도에 큰 도움이 되었다.

한편 베드로는 예루살렘 원로회에서 할례자를 대상으로 전도하기로 한 후(행 15:4-21, 갈 2:7) 수리아 안디옥 교회에서 이방인과의 접촉 문제로 바울의 면박을 받은 다음(갈 2:11-14, 제9절, AD49) 오늘의 터키 전역을 순방하며 많은 교회를 세웠다(벧전 1:1, 행 2:9).

그리고 부인과 함께(고전 9:5) 고린도에서 전도한 후(고전 1:12, AD53) 로마로 진출하여 실라와 마가와 함께 활동하며([벧전 5:12-13, 벧후 3:16), 터키 지역 각 교회에 격려의 서신 "베드로 전후서"를 보내고 있다(벧전 1:1, AD64).

그 후 순교할 때까지(AD67) 더욱 큰 역할을 담당하여 주님께서 "반석(베드로) 위에 내 교회를 세우라"고 말씀하신대로(마 16:18) 베드로의 무덤을 중심으로 오늘의 로마 교황청이 세워지고(AD430, 1506-1610 재건) 초대 교황으로 추대 받고 있다.

그런데 로마에서 네로황제(AD54-68)의 박해로(AD64-68) 신도들이 로마 부근의 지하교회, 또는 지방으로 흩어져 그리스도교가 더욱 탄탄하게 더 멀리 전파되었다. 이러한 그리스도교의 박해는 약 300년 동안 계속되다 로마의 콘스탄틴황제(AD306-337)와 그의 모친 헬레나(AD248-328)가 주님을 영접하며, 아르메니아 왕국(AD301) 다음으로 로마 제국이 기독교를 공인하며(AD313, 국교 선포 AD392) 오늘의 기독교 발전의 기틀을 만들어 주었다.

우리나라는 1784년 천주교가 1883년 개신교가 자생되어 오늘에 이르고 있다. 아멘 !

제22장

성서의 절기

[신구약성서에 나오는 각종 절기에 대하여 정리하였다.]

A. 구약의 3대 절기

애굽의 노예생활에서의 해방인 출애굽의 대 역사를 끝내고 가나안 땅에 정착하였을 때, 하나님께서 인도해주신 출애굽의 은혜를 감사하는 3대 축제를 모세를 통하여 다음과 같이 지시하셨다(출 23:14). 유대인들은 이 축제를 위하여 예수님 당시는 물론 지금도 예루살렘에 모여 감사의 축제를 올리고 있다.

1. 과월절(유월절)과 무교절(출 12:11, 레 23:4, 민 28:16, 신 16:1)

과월절(過越節 또는 유월절逾越節): 애굽의 노예생활에서 해방된 날을 감사하는 축제로, 유대력으로 아빕월(춘분이 낀 첫째 달) 14일 저녁에 지낸다. 그런데 유대민족은 태음력을 사용하므로 만물이 소생하는 봄의 밝은 달빛 아래서, 출애굽을 시작하였을 것으로 생각된다. 그리고 유월절에는 사형을 집행하지 않고(행 12:4), 죄인 중 한 사람을 놓아주는 관례가 있었다(요 18:39).

무교절(無酵節): 애굽에서 탈출하여 나올 때 시간이 촉박하여 누룩 없는 빵을 먹게 된 것을 회고하는 행사로, 유월절 다음날인 아빕월 15

일부터 21일까지 일주일간 누룩 없는 빵을 먹는다(레 23:4, 민28:16).

신약에서는 주님께서 유월절 행사를 제자들과 "최후의 만찬"으로 지내시고(마 26:17, 목요일 저녁), 무교절 셋째날인 일요일 새벽에 부활하시어 이 날을 부활절로 지키고 있다(마 28:1, 일요일).

2. 오순절(77절, 추수절, 출23:16, 34:22, 레23:15, 민28:20, 신16:9)

오순절(五旬節 또는 맥추절): 가나안에 정착한 다음 첫 유월절(1월 14일) 축제 후 보리를 심은 지 50일 만에 첫 추수한 것을 감사하는 축제로 유대력 3월 6일에 지킨다. 그런데 이 날을 성서에 따라 맥추절(麥秋節), 77절 또는 초실절(初實節), 추수절(秋收節)로 기록하고 있다.

한편 이날을 모세가 시나이 산에서 하나님으로부터 율법 받음을(출 20장) 기념하는 날로 지키기도 한다(우리의 제헌절에 해당).

신약에서는 이날을 성령 강림절로 지키고 있다(행 2:1-4, 14-47, 일요일).

3. 초막절(출 23:10, 레 23:33, 민 29:12, 신 16:13)

초막절(草幕節 또는 장막절, 수장절): 출애굽 때 40년 간 광야를 방황하며 장막(또는 초막)에서 생활한 것을 회상하며, 각기 초막을 짓고 지내며 기념하는 행사로, 유대력 7월 15일부터 22일까지 한 주일간 지킨다.

한편 이 계절은 가을철로 일년 동안 농사지은 모든 곡식을 거둬들이는 추수의 시기로, 성서에 따라 이 절기를 수장절(收藏節) 또는 장막절(帳幕節)로 기록하고 있으며, 오늘의 추수감사 절기에 해당된다.

B. 신약의 절기

부활절(復活節): 춘분(春分) 지난 만월 다음 주일(막 16장, AD325 제정)

종려주일: 부활절 전 첫 째 주일(막 11:1-11)

고난주간(苦難週間): 부활절 전 한 주일 간(막 11:1-15:47)

사순절(四旬節): 부활절 전 40일(일요일 제외), 부활절 전 제7주 수요일부터(AD325 제정, 우리를 위하여 십자가에 못 박히신 주님의 사랑을 묵상하는 기간)

승천절(昇天節): 부활절 후 40일 또는 제6주일(막 16:19, 행 1:9)

강림절(降臨節): 부활절 후 50일 또는 제7주일(행 2:1, 오순절[五旬節])

성탄절(聖誕節): 동지(冬至) 후 3일 또는 2일(눅 2장, 12월 25일, AD354 제정)

대림절(待臨節): 성탄절 전 4주 간(주님의 탄생을 기다리는 기쁨과 희망의 기간, 눅 1:26-2:20)

주현절(主顯節): 주님의 탄생을 동방박사(온 인류)에 공현(公顯) 함을 기념하는 축일, 1월 6일(동방정교의 성탄절)로 지키다 1월 2일 지난 첫 주일부터 8주일까지

C. 유대력과 절기

양력(신약)	유 대	구약절기
3-4월 (춘분)	1월: 아빕(Abib)	14일 유월절(출 12:2)
(최후의 만찬, 부활절)	니산(Nisan)	15-22일 무교절(출 12:15)
4-5월	2월: 이야르(Lyyar)	
5-6월 (오순절, 강림절)	3월: 시완(Sivan)	6일 맥추절(레 23:15)
6-7월	4월: 담무즈(Tammuz)	
7-8월	5월: 압(Ab)	
8-9월	6월: 엘룰(Elul)	
9-10월	7월: 티쉬리(Tishri)	1일 나팔절(레 23:24)
	(에다님)	10일 속죄일(레 23:27)
(추수 감사절)		15-22일 초막절(레 23:34)
10-11월	8월: 마레스반(Marhesvan)	
11-12월 (대림절)	9월: 기스레우(Chislev)	25-30일 수전절(요 10:22)
12-1월 (성탄절)	10월: 티벳(Tebeth)	
1-2월	11월: 스밧(Shebat)	주현절
2-3월 (사순절)	12월: 아달(Adar)	14-15일 부림절(에 9:24)

(참고: 부림절, 수전절(修殿節), 5장 성서해설 A-13, 16 참조)

제23장

그리스도의 상징적 표시

1. 임마누엘

임마누엘(Emmanuel)은 히브리어로 "하나님께서 우리와 함께 계시다"의 의미를 가지며(마 1:23), 예수 그리스도의 탄생에 대하여 다음과 같이 기록하고 있다. "이 모든 일로써 예언자를 시켜, '동정녀가 잉태하여 아들을 낳으리니, 그 이름을 임마누엘이라 하여라' 고 하신 말씀이 이루어졌다"(마 1:22-23).

여기서 말씀하신 예언자는 유다왕국 제12대 아하스왕, 제13대 히스기아왕, 제14대 므낫세왕 때 활동한 이사야 예언자로(BC739-860, 므낫세왕 때 순교) 다음과 같이 예언하고 있다.

이사야 7장 14절: 아하스왕(BC744-729)의 학정에 대한 경고에서, 대하 28장) "그런즉 주께서 몸소 징조를 보여 주시리니 처녀가 잉태하여 아들을 낳고 그 이름을 임마누엘이라 하리라"

이사야 8장 8절: 히스기야왕(BC728-700) 때 앗수르의 침범과 구원의 예언에서 "유다까지 밀려들어 휩쓸어 가리니 그 물이 목에까지 차리라. 아, 임마누엘아, 그가 날개를 펴서 네 땅을 온통 뒤덮으리라"

따라서 임마누엘은 그리스도에 대한 상징적 표현이며 한편 메시야(Messiah)의 의미도 포함되어 있다(요 1:41). 여기서 메시야는 히브리어로 그리스도이며 "기름 부어 세운 영도자"를 의미한다(눅 4:18, 사 61:1).

예수님은 우리와 함께 계시는 임마누엘이시며 우리를 위하여 인간이 되시어 죽으시고 부활하신 구세주이시다.

2. A(알파)와 (오메가)

주님께서 "나는 알파요 오메가이다" (계 1:8)라고 말씀하신 알파(A)와 오메가(Ω)는 희랍어의 첫 글자와 끝 글자로, 주님께서 역사의 시초부터 종말까지 다스리심을 상징하고 있다.

3. PX

그리스도는 희랍어로 "구세주"라는 뜻을 가지며 이를 희랍어로 쓰면 그리스도 [Χριστός (Christos)] 가 되며 처음 두 글자를 따서 중복하면 [PX]가 되어, 기독교 탄압시기에 교인들 사이에서 그리스도의 상징적인 표시로 이용되었다.

이 기호는 약 1,700년 전 그리스도교에 호의를 가졌던 로마의 콘스탄틴 황제가(AD306-337), 꿈에 계시를 받고 군기에[PX]의 기호를 달고 출정하여 승리한 후(AD312. 10. 28), 기독교를 공인하고(AD313) 수도를 비잔티움(동로마, 콘스탄티노플)으로 옮기어 비잔티움(동로마) 시대를(AD313-1455) 형성하는 계기가 되었다.

4. 물고기

로마정부의 기독교 박해시대에(AD64-313) 신자들은 로마 교회의 지하묘지(카타콤베) 등에 숨어살며, 물고기를 그려서 서로 간에 그리스도교 신자임을 표시하였다. 즉 예수 그리스도, 하나님 아들, 구세주를 표시하는 희랍어 예수 [Ἰησοῦ], 그리스도 [Χριστός], 하나님[Θεός] 아들[Υἱός], 구세주[Σωτήρ]의 첫 글자를 모으면 희랍어의 익투스 [ΙΧΘΥΣ]

란 물고기의 뜻이 되기 때문이다.

5. BC와 AD

예수 탄생 전후의 연대 표시인 BC(또는 B.C.)와 AD(또는 A.D.)의 기호는, AD525년 로마의 신학자 디오니시우스 엑시구스가 교황의 지시로 작성한, "부활절의 서[書]" 에서 처음으로 사용한 후 AD1000년경부터 일반화하여 오늘에 이르고 있다고 한다.

즉 BC는 Before Christ의 약호로 그리스도 탄생 전 즉 기원전(紀元前, 主前)을 의미한다. AD는 라틴어 Anno Domini(그리스도의[Domini] 해[Anno])의 약호로, 그리스도 탄생 후 즉 기원후(紀元後, 主後)를 의미한다. 영어로는 "in the year of our Lord 또는 "in the year of the Lord" 로 표시한다.

Rosh Hanikra
Mt. Tabor
Baram
Hammat Gader
Kadesh
Nain
Decapolis
Achzib
Montfort
Hazor
Belvoir
Acre
Judyn
Meron
Beth Shean
Pella
Haifa
Galilee
Sepphoris
Cana
Sea of Galilee
Ebal
Mt. Carmel
Yardenit
Mt. Tabor
Nain
Decapolis
Belvoir
Jericho
Samaria
Bethany
Mt. Nebo
Dead Sea
Machaerus
Jerusalem
Jericho
Nain
Hammat Gader
Decapolis
Belvoir
Beth Shean
Pella
Acre
Hazor
Cana
Sea of Galilee
Ebal
Yardenit
Mt. Tabor
Nazareth
Nain
Decapolis
Belvoir

Tabor
Hammat Gader
Decapolis
Belvoir
Beth Shean
Pella
Baram
Kadesh
Montfort
Hazor
Acre
Judyn
Meron
Khorazin
Haifa
Galilee
Sepphoris
Cana
Sea of Galilee
Yardenit
Mt. Tabor
Nain
Decapolis
Belvoir
Pella

제 2 부

주님을 묵상하며

제1장

성지순례(이스라엘)

유년주일학교 때부터 들어온 성지의 각 곳을 70이 넘어 아내와 함께, 이스라엘 성지를 순례하였는데(1985. 2. 17-25) 가는 곳마다 감격의 연속이었다. 그때의 감격스러운 순간들을 다시 묵상하며 기록으로 남기고자 하는데, 우리의 성지순례가 12년 전의 일이라 오늘의 모습이 많이 변하였을 것으로 생각된다. 그러나 이 기록이 80이 넘은 우리의 믿음을 다시 소생케 해주시며, 한편 앞으로 성지순례에 참여하는 성도들에게 도움이 되었으면 하는 마음 간절하다.

성지순례 팀에 합류하기 위하여 미국 뉴욕 케네디 국제공항에 나가니, 이스라엘의 젊은 아가씨가 왜 가는가, 무기는 없는가, 낯선 사람의 선물을 받았나 등의 까다로운 질문에 기가 질렸다. 이스라엘 비행기에 오르니 자기들의 고향으로 가는 유대인이 가득한데, 그중 나이든 사람이 가죽 띠를 머리와 팔에 감으며 작은 곽을 각각 고정시킨 후 기도를 드리고 있다. 이것이 약 3,300년 전 출애굽 때 모세가 하나님을 섬기는 방식으로 지시한 것을(신 6:8), 그대로 지키는 유대교인의 믿음의 행동임을 알 수 있었다.

성지순례에 참여한 일행 18명중에는 목사 한 분과 장로 세분이 있어, 가는 곳마다 목사님 인도로 감사의 예배를 올릴 수 있어, 더 큰 은혜의 순례를 가질 수 있었다. 그리고 우리의 순례 시기는 그곳의 우기에 속하는 겨울철로(스 10:13), 땀 한 방울 안 흘린 가장 좋은 계절이었다.

별첨의 성지순례 지도는 우리들이 직접 순례한 40 여 곳의 성지와, 각 지역과 관련된 성서 구절과 각 성지간의 거리(km)를 표시한 것이다. 이러한 예비지식을 가지고 순례에 동참하면 좀 더 은혜롭게 주님과 더 가까이 할 수 있을 것으로 생각된다. 그리고 이 지도에서 각 성지 중 이중으로 표시한 곳은 주님께서 직접 활동하신 마을로, 주님은 주로 갈릴리 지역과 예루살렘 지역에서 활동하셨다. 그러나 간혹 사마리아 지역의 야곱의 우물가와 아주 멀리 레바논의 항구도시 시돈과 두로까지(마 15:21) 가시기도 하셨다.

성지에서의 순례 순서에 따라 번호를 기입하며 그 때의 감격을 차례로 기록하고자 한다. 그 때 히브리대학에서 신학을 연구 중인 한병훈 선생의 친절한 안내가 성지 이해에 큰 도움이 되었다. 그 분의 가이드에 무한한 감사를 드린다.

사순절(97. 2. 16-3. 29)에 주님의 고난을 묵상하며...

우형주, 한순탄

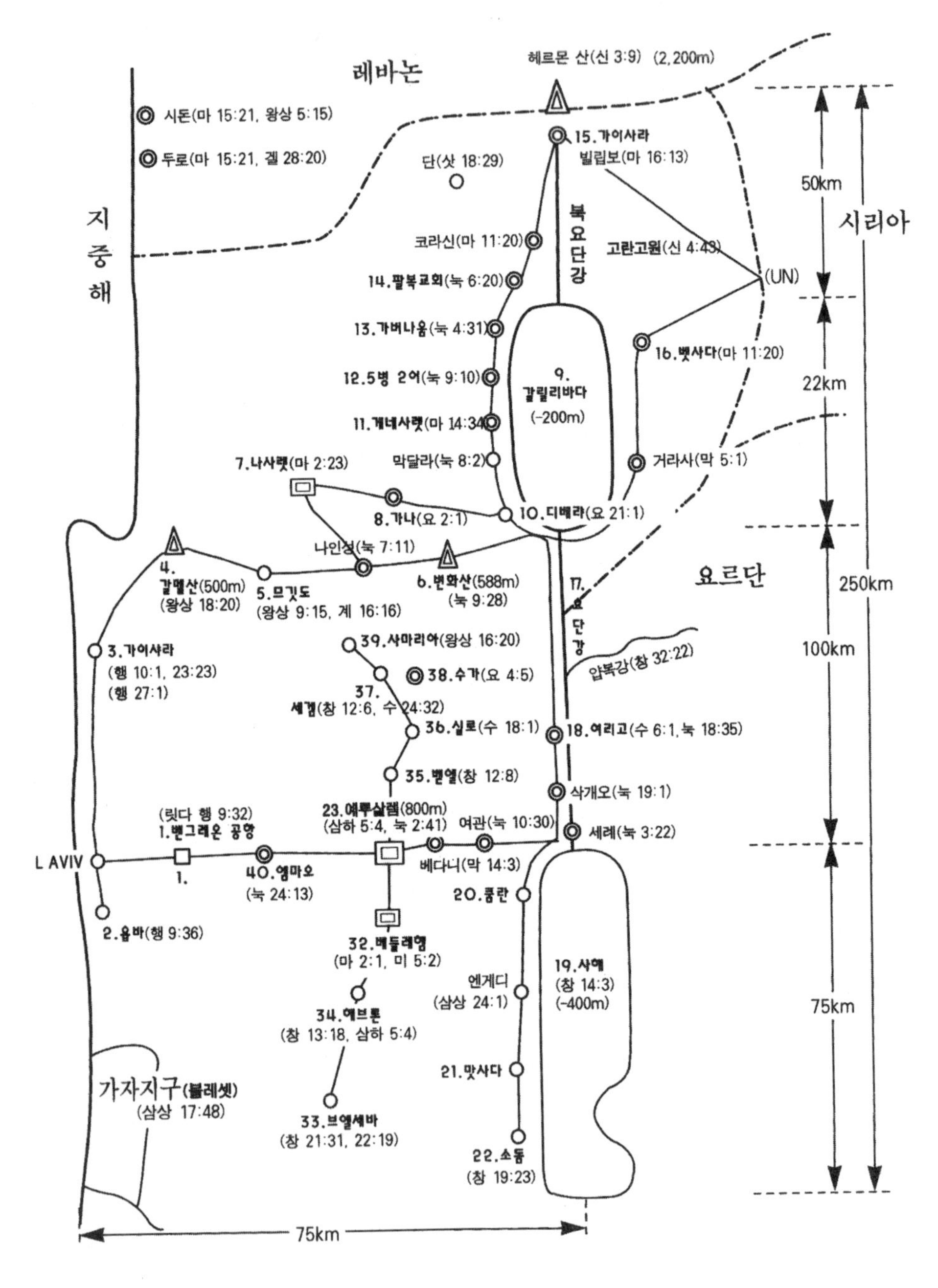
레바논
헤르몬 산(신 3:9) (2,200m)
시돈(마 15:21, 왕상 5:15)
두로(마 15:21, 겔 28:20)
15.가이사라
빌립보(마 16:13)
단(삿 18:29)
지중해
북요단강
코라신(마 11:20)
고란고원(신 4:43)
14.팔복교회(눅 6:20)
(UN)
50km
시리아
13.가버나움(눅 4:31)
16.벳사다(마 11:20)
12.5병 2어(눅 9:10)
9.
갈릴리바다
(-200m)
22km
11.게네사렛(마 14:34)
막달라(눅 8:2)
거라사(막 5:1)
7.나사렛(마 2:23)
8.가나(요 2:1)
10.디베랴(요 21:1)
나인성(눅 7:11)
4.
갈멜산(500m)
(왕상 18:20)
5.므깃도
(왕상 9:15, 계 16:16)
6.변화산(588m)
(눅 9:28)
17.
요단강
요르단
250km
3.가이사라
(행 10:1, 23:23)
(행 27:1)
39.사마리아(왕상 16:20)
38.수가(요 4:5)
압복강(창 32:22)
100km
37.
세겜(창 12:6, 수 24:32)
36.실로(수 18:1)
18.여리고(수 6:1, 눅 18:35)
35.벧엘(창 12:8)
삭개오(눅 19:1)
(룻다 행 9:32)
1.벤그레온 공항
23.예루살렘(800m)
(삼하 5:4, 눅 2:41)
여관(눅 10:30)
세례(눅 3:22)
L AVIV
1.
40.엠마오
(눅 24:13)
베다니(막 14:3)
20.쿰란
2.욥바(행 9:36)
32.베들레헴
(마 2:1, 미 5:2)
19.사해
(창 14:3)
(-400m)
엔게디
(삼상 24:1)
34.헤브론
(창 13:18, 삼하 5:4)
75km
21.맛사다
가자지구(블레셋)
(삼상 17:48)
33.브엘세바
(창 21:31, 22:19)
22.소돔
(창 19:23)
75km

그림 10. 성지순례 지도

1. 리따 (룻다, 행 9:32) (벤 그레온 또는 텔아비브 국제공항)

우리 일행이 이스라엘 땅에 처음 도착한 벤 그레온(이스라엘 건국 지도자) 국제공항은 아열대성 기후로 야자나무들이 우리를 반겨주었다. 이곳은 2,000년 전 주님께서 부활 승천하신 후 베드로가 이곳에 유하며, 8년 동안 고생하던 중풍환자를 고치므로 많은 사람들이 주님을 믿게 된 성지이다(행 9:32).

그 때의 유적을 찾지 못하고 곧바로 15km 서쪽 지중해변의 이스라엘에서 가장 큰 신흥도시 텔아비브(1901 건설)로 직행하여, 지중해의 해변가에서 저녁노을을 바라보며 이곳까지 불러주신 주님께 감사의 기도를 올렸다.

2. 욥바 (왕상 6:15, 행 9:36)

텔아비브 남쪽 해변가의 작은 마을 욥바는 솔로몬 왕(BC965-926)이 성전을 지을 때(왕상 6:15, BC961-955), 레바논의 두로에서 송백나무 등 많은 목재를 바다로 운반해온 항구 도시이며(대하 2:36), 한편 북 왕국의 선지자 요나가 니느웨로 가라는 하나님의 명령을 어기고 다시스(스페인)로 도망가려고 배를 탔던 곳이기도 하다(욘 1:2, BC763).

그리고 리따에 거하던 베드로가 이곳으로 초청되어 여신도 다비다(도르가)를 다시 살렸으며(행 9:36), 한편 베드로가 피장이 시몬의 집 옥상에서 이방 전도의 계시를 받은 곳이기도 하다(행 10:9).

우리 일행은 2,000년 전 베드로가 계시 받은 피장이 시몬의 집(?) 옥상에서 지중해를 배경으로 성지 순례의 첫 감사 예배를 올렸다.

3. 가이사랴 (행 10:34)

아브라함의 손자 에서의 후손인(창 25:19, 36) 헤롯이 이스라엘 왕으로 취임한 후(마 2:1, BC37-4), 로마의 환심을 사기 위하여 흰 대리석으로 건설하여(BC20-9) 로마황제 가이사의 이름을 붙인 항구 도시로, 당시의 로마 군대 본부와 로마의 총독(빌라도 등)이 주둔할 정도로 중요한 도시였다(AD1291, 이슬람교도들이 파괴).

이곳에는 베드로가 전도한 이방인 로마군의 백부장 고넬뇨의 집터(행 10:1)와 주님을 재판한 빌라도(막 15장)의 이름이 새겨진 대리석 등이 남아 있다.

그리고 이곳은 사도 바울이 로마 전도를 위하여 출발하기 전(행 27:1) 약 2년 동안 감옥 생활한 곳이기도 하다(행 24:24, AD58-60).

우리 일행은 지금도 대 연주장으로 이용되는 대리석의 원형극장 계단에서 목사님의 말씀을 들으며 2,000년 전 그 때를 묵상하였다.

그림 11. 갈멜산

한편 이 도시의 식수를 위하여 25km 북쪽의 갈멜산(왕상 18:20)에서 시작되는 상수도의 웅장한 석조 수로(식수와 일반 용수 겸용)가 완벽하게 남아 있어, 2,000년 전의 토목 기술에 감탄하지 않을 수 없었다.

4. 갈멜산 (왕상 18:20)

이스라엘 왕국 제7대의 아합왕 때(왕상 16:29, BC871-852) 3년 동안 가뭄이 계속되었다(왕상 18:1). 이때 선지자 엘리야가 갈멜산(500m) 정상에서 바알 신을 숭배하는 아합왕 앞에서, 바알신의 예언자 850명과 대결하여 비를 내리게 한 이적을(왕상 18:16-46) 기념하는, 엘리야 선지자의 높은 석상과 웅장한 기념교회가 정상에 서있다. 갈멜산 동쪽 저 밑에는 이스라엘의 유일한 곡창지대인 이스르엘 평야가 뻗어있다(왕상 18:45).

5. 므깃도 (왕상 9:15)

갈멜산 동쪽 이스르엘 평야에 우뚝 솟은 므깃도는 애굽 문화와 메소포타미아 문화의 교류 및 전쟁의 요충지로, 이스라엘 4,000년 역사에서 20회의 큰 전쟁에 대한 유적의 지층이 발굴되었다고 한다.

솔로몬 왕도 이곳을 전쟁 기지로 사용하였으며(왕상 9:15, BC965-926), 북 왕국의 아합왕 때 (BC871-852) 식수를 성안으로 끌어들이기 위하여 구축한, 깊이 40 m, 길이 70 m의 지하 수로에는 아직도 맑은 물이 흐르고 있다.

한편 요한 계시록에서는 이 곳을 인류 최후의 전쟁터가 될 장소 즉 아마겟돈(므깃도의 희랍어)으로 기록하고 있다(계 16:16). 시간 관계로 박물관을 관람하지 못한 것이 아쉽기 짝이 없다.

6. 변화산 (눅 9:28, Tabor산)

주님께서 과부의 외아들을 살리신 나인성(눅 7:11) 동쪽에 우뚝 솟은 변화산(또는 Tabor 산, 588m)에는, 정상에 오르는 꾸불꾸불한 등산길이 멀리서도 잘 보인다.

주님께서 3년간의 모든 전도사업을 마무리하신 후 갈릴리 지역을 떠나 예루살렘으로 올라가시는 길에, 이 산의 정상을 향하여 베드로,

그림 12. 변화산
(주님의 변화하심을 기념하는 교회)

야곱, 요한의 세 제자와 같이 힘들게 올라가신 그 길을(눅 9:28), 아랍인의 택시로 편히 오르니 죄송한 마음 금할 길이 없었다.

정상에는 그때 주님께서 변화하시어 모세와 엘리야와 함께 앞으로 10 여일 후에 다가올, 부활의 영광을 위한 예루살렘에서 자신의 죽음에 대하여 말씀하실 때, 하늘에서 "이는 나의 아들이니 그의 말을 들어라" 라고 하심을(눅 9:31-35) 기념하는 큰 교회가 서 있다.

우리 일행은 교회 안의 주님의 변화하심을 그린 큰 벽화 앞에서, 우리를 위하여 스스로 희생을 선택하신 주님께 감사의 예배를 드렸다.

그런데 이 타볼산(Tabor 산, 변화산)은 사사(또는 판관)기 시대(BC1233-1012)에 여자 사사 드보라가, 이스라엘을 20년 동안 억압하던 가나안왕 야빈을 격파한 곳이기도 하다(삿 4-5장).

7. 나사렛 (마 2:22)

주님의 고향 나사렛에는 주님께서 부모님을 모시고 목수 생활을 하시며 사셨던 동굴 집과, 가브리엘 천사가 주님의 잉태를 알려줄 때 그대로 순종한(눅 1:38) 동정녀 마리아의 집(눅 1:26)인 수태고지교회 등을 합친, 웅장한 요셉교회가 나사렛 마을 언덕 위에 우뚝 서 있다(1968년 신축).

이 교회의 긴 복도에는 세계 각 국가가 그린 예수님 탄생의 토착 성화가 걸려있는데, 그 중 한복 차림의 아기 예수를 안은 성모 마리아의 성화가 가장 아름다웠다.

이 마을의 유일한 식수원은 예수님 당시부터 샘솟는 "마리아의 우물" 뿐으로, 주님께서 어머님을 위하여 물을 길어 가지고 저 골목길을 돌아가시는 모습이 그대로 보이는 듯 하였다.

그런데 주님께서 30년간 사신 고향이지만 이들은 주님을 시기하고 배척하며 죽이려 하므로(눅 4:16), 주님께서는 이곳을 떠나 갈릴리 호수가의 가버나움을 선교 본부로 택하셨다(눅 4:31).

8. 가나 (요 2:1)

나사렛에서 가까운 가나 마을에 있는 주님의 친척집 혼인잔치에서 주님께서는 어머님을 위하여, 처음으로 물을 포도주로 만드는 이적을 행하셨다(요 2:1). 이를 기념하는 혼인잔치 기념교회의 지하실에는 주님 당시의 물 항아리들이 놓여 있어, 당시의 풍습과 주님의 어머님을 위한 효성을 그대로 느낄 수 있었다.

9. 갈릴리 호수

지중해의 해면보다 200m 나 낮은 갈릴리 호수는 넓이 22kmx11km, 깊이 49m, 둘레 약 50km 로, 약 20종의 물고기가 서식하는데, 그중 부활하신 주님께서 세 번째 나타나시어 베드로와 같이 드신(요 21:10) 베드로 고기가 가장 유명하다.

주님께서는 가버나움을 중심으로 한 갈릴리 호숫가에서 "회개하라 천국이 가까웠다"고 선포하신 후, "나를 따르라. 사람을 낚는 어부로 만들겠다"고 말씀하시며 베드로를 위시하여 많은 제자를 택하신 다음, 호숫가의 여러 마을에서 복음 선포와 많은 이적을 행하셨다(마 4:12-22).

이 호수에서 약 50km 북방에 있는 헤르몬 산(2,200m) 정상에는 만년설이 쌓여있는데, 정상에서 불어오는 찬바람으로 이 호수에는 풍랑이 심할 때가 많다고 한다(막 14:24, 눅 8:23).

그리고 신구약성서에 나오는 이 호수의 명칭에는 갈릴리 바다(마 4:18), 디베랴 바다(요 6:1), 게네사렛 바다(눅 5:1), 긴네렛 호수(수 13:27) 등이 있다.

10. 티베리아스

갈릴리 호숫가에서 가장 큰 도시인 이곳 티베리아스는 헤롯대왕(BC37-4)의 둘째 아들로 세례 요한을 죽인 헤롯 안디바스(마 14:1, BC4-AD39)가 개발하여(AD25), 궁전을 지어 로마 황제 티베리오(눅 3:1, AD14-37)의 이름을 붙인 갈릴리 호숫가에서 가장 큰 온천 도시이다.

주님께서는 세례 요한의 죽음을 생각하시며 이 도시를 피해 다니셨지만, 우리 일행이 이곳 호텔에 방을 정하고 갈릴리 호숫가에 나갔을 때, 우리를 부르시는 주님의 목소리를 듣고 감사의 예배를 올리었다.

한편 이 도시는 유대민족이 독립전쟁에(AD66-70) 패한 후 예루살렘에서 추방된 랍비(바리새인)들이 모여 구약성서를 정리하여 정식성경으로 인정받은(AD90) 곳으로 유대교의 성지이기도 하다.

11. 베드로 기념교회 (요 21:17)

티베리아스에서 갈릴리 호숫가를 따라 올라가면 막달라 마리아의 고향인 막달라 마을과(눅 8:2), 주님께서 처음으로 베드로와 그의 동생 안드레아를 제자로 선택하신 곳(마 4:18)과 그리고 많은 병자를 고치신 게네사렛 마을(마 14:34)을 지나면, 호숫가에 세워진 검은 벽돌의 베드로 기념교회가 나온다(1934년 건축).

이곳은 주님께서 부활하신 후 세 번째 제자들에게 나타나시어, 실의에 빠져 다시 어부가 된 베드로에게 "배 오른편으로 그물을 치라"고 하시어 고기를 많이 잡게 하신 후, 주님께서 준비하신 조반을 같이 드시며 "내 양을 잘 돌보라"고 세 번이나 특별히 부탁하심을(요 21장) 기념하는 교회로, 교회 안에는 주님께서 식탁으로 사용하신 큰 돌 판이(요 21:9) 그때의 모습대로 놓여있다.

12. 5병 2어 기념교회 (마 14:13)

베드로 기념교회 가까운 타부가(Tabgha) 마을에는 주님께서 떡 5개와 물고기 2마리로 5천명을 먹이심을(마 14:13) 기념하는 "5병 2어 기념교회"가 서 있다. 이곳은 AD350년경에 만들어진 것으로 추정되는 5병 2어의 모자이크 판이 최근(1930)에 발견되어, 오늘의 5병 2어 기념교회가 건축되었다고 한다(1936). 그런데 주님께서는 5천명을 먹이신 후 남은 것을 12 광주리에 모은 신 것을 보면 환경정화에도 많은 신경을 쓰신 것으로 생각된다.

13. 가버나움 (눅 4:31)

주님의 갈릴리 지역 선교본부인 가버나움에는(마 9:1) 베드로의 집(마 8:14)이 있어, 주님의 선교 활동에 큰 도움이 되었을 것으로 생각

그림 13. 가버나움 (막 1:21)

된다. 이곳에는 주님께서 최초로 설교하신 회당의 일부(눅 4:31)와, 주님께서 걸으시던 그때의 돌판 길 그리고 베드로의 집터가 그대로 남아있다. 따라서 이곳은 주님의 유적이 가장 많은 성지중의 성지라 할 수 있겠다.

주님께서는 이곳에서 가장 많은 이적을 행하셨으며(마 8:5-7, 9:2-34, 12:9), 한편 12 제자를 이스라엘 각 지역으로 파견하셨다(마 10:5). 그러나 이곳의 많은 사람들이 회개하지 않으므로 이 도시의 파멸을 예언하시기도 하셨다(마 11:23). 따라서 이 도시가 주님의 말씀대로 완전 폐허가 되었던 것을 1920년경에 발굴하기 시작하여 오늘의 모습을 나타내고 있다고 한다.

14. 팔복교회 (눅 6:20)

가버나움에서 멀지 않은 언덕 위에 주님께서 전도사업을 시작하시며 제자들에게 처음으로 "마음이 가난한 사람은 행복하다. 하늘나라

그림 14. 팔복교회

가 그들의 것이다" 등 8 가지의 참된 행복의 복음과 영원한 삶의 길을 가르치신 산상 수훈의 말씀을 주신 것을(마 5:1-12) 기념하는 팔각형 모양의 팔복교회가 갈릴리 호수를 배경으로 아름답게 서 있다(1937년 건축). 그런데 누가복음에는 각각 네 가지의 행복과 불행에 대한 말씀이 기록되어 있다.

주님께서는 이곳에서 8가지의 산상수훈 외에 권위에 찬 24가지 말씀을 더 하셨다(마 5-7장). 우리 일행은 교회 안을 돌아본 후 아름다운 정원에서 목사님 인도로 9번째의 행복(마 5:11)에 대하여 묵상하며 감사의 예배를 드렸다.

15. 가이사랴 빌립보 (마 16:13)

팔복교회 뒤 언덕을 넘어 주님께서 가셨던 그 길을 따라 북쪽으로 가면, 주님께서 회개하지 않음을 꾸짖으신 폐허의 마을 고라신(마 11:20)을 지나게 된다. 이곳을 지나 북 요단강을 따라 약 40km 더 올라가면, 골란고원(민 21:33 바산 지역, 1,000m 고지) 북쪽 끝에 있는, 베드로의 신앙고백으로 유명한 가이사랴 빌립보의 아름다운 도시가 나온다(마 8:27).

이곳은 헤롯대왕의 셋째 아들 빌립보(BC4-AD34)가 궁전을 지어 로마 황제 가이사의 이름을 붙인 지역으로, 북방의 헤르몬산(신 3:8, 2,200m) 정상의 만년설의 녹은 물이 샘 솟아 북 요단강의 발원지가 되어 있다.

이곳에서 베드로의 "주님은 그리스도요 살아계신 하나님의 아들" 이라는 신앙고백을 들으시고(마 16:13), 주님께서 베드로에게 하늘나라의 열쇠를 주신(마 16:19) 가장 거룩한 성지이다. 그러나 우리는 이곳에서 주님을 기념하는 교회를 찾을 수 없었다.

16. 벳새다와 거라사 (마 11:20, 막 5:1)

북 요단강 동편의 골란고원(바산의 골란, 신 4:43, 수 20:8, 대상 6:71)은 1976년 6월 시리아와의 6일 전쟁 때 이스라엘군이 점령한 지역으로, 국경의 중립지대를 UN군이 지키고 있어 우리의 판문점을 연상케 한다. 이 고원의 동편 길을 따라 내려가면 주님께서 소경을 고쳐주셨지만(막 8:22), 회개하지 않으므로 책망하시어 폐허가 된 벳새다 마을이 있다(마 11:20). 그런데 누가복음(눅 9:10)은 이곳을 5병2어 기적의 장소로 기록하고 있다.

좀더 내려가면 주님께서 호수를 건너시다 풍랑을 잠재우시고(막 4:35) 도착하신 후, 더러운 귀신을 돼지 떼에게 쫓아내신 거라사 마을을 지나게 된다(막 5:1).

이곳을 지나면 갈릴리 호수에서 요단강이 시작되는 곳에 이르는데, 여기 침례교 세례 장소에서 요단강 물을 병에 담아 교회에 헌납하였다.

17. 요단강

갈릴리 호수(해저 200m)에서 시작되는 요단강을 따라 내려가면, 저 건너편에 약 4,000년 전 야곱이 형 에서를 피해 조상의 고향 하란으로 갔다가 20년 만에 가족을 앞세우고 돌아올 때, 하나님과 겨루어 이스라엘의 이름을 받은 얍복강(창 32:22)이 아득히 보인다.

약 100km에 달하는 요단강의 물은 강 서부지역의 농업용수로 이용되어 수량이 줄어 옛날의 넓은 강폭이 좁아져 있다. 요단강 서편의 넓은 광야에는 간혹 샘솟는 오아시스가 있어 야자수 등의 울창한 숲과 마을을 형성하였다.

요단강 하류의 사해(해저 400m) 가까운 유다광야는 세례 요한이 활동한 곳으로(마 3:1), 주님께서 세례 받으신 곳이기도 하다(마 3:13).

18. 여리고 (눅 18:35)

요단강 하류의 종려나무 도시 여리고는 엘리사 샘의(왕하 2:19-22) 풍부한 물로 유다광야 중 가장 비옥한 땅으로 각종 과일이 풍부한 오아시스 도시인데, 약 1만 년 전부터 사람들이 모여 살아온 곳이다(신 34:1, 사 20:29).

모세 이후 하나님으로부터 지도권을 부여받은 여호수아가(신 34:1, BC1240년경) 요단강을 막는 이적으로 강을 건넌 후, 제일 먼저 점령한 여리고의 옛 성터 위에서(수 6:1) 그 당시의 유적인 라합의 집(수 2장)을 찾아보았다.

주님께서 여리고 가까운 유다 광야의 요단강에서 세례 받으신 후(마 3:13), 40일간 단식하시며 인간적 욕망(부귀, 영화, 권세)에 대한 유혹을 물리치심(마 4:1)을 기념하는 시험산의 수도원(1874: 그리스 정교회 관리)을 멀리 바라보며 주님을 생각하는 묵상의 시간을 가졌다.

한편 주님께서 3년간의 전도 사업을 마무리하시고 마지막 유월절을 지키기 위하여 예루살렘으로 가시는 길에, 여리고에서 두 사람의 소경을 고쳐 주셨다(눅 18:35). 그리고 그 때 여리고를 지나가시는 주님을 뵙기 위하여 삭개오가 올라갔던 뽕나무가(눅 19:1) 아직도 길가에 그대로 서서 우리를 환영해 주고 있었다.

그 날 저녁 주님께서 삭개오의 집에 묵으신 후(눅 19:5) 아침 일찍 예루살렘으로 올라가셨는데(눅 19:28), 여리고 마을은 사해(해저 400m) 가까운 곳에 있어 지중해의 해면보다 약 300m 나 낮은 지대로, 예루살렘(800m) 까지는 높이 1,100m, 거리 36km의 나무 한 그루 없는 황야의 산길이다. 따라서 주님께서 이 길을 오르실 때 무척 힘 드셨을 것으로 생각된다.

19. 사해 (창 14:3)

지구상에서 가장 낮은 요단강 계곡의 사해는(창 14:3, 민 34:12, 신 3:17, 수 3:14, 해저 400m, 넓이 18kmx75km) 이곳으로 유입되는 모든 물이 그대로 증발하여 항상 일정 수위를 유지하고 있다. 따라서 이곳 물의 소금기는 지중해의 10배 가까운 30% 까지 올라 사람이 물위에 누운 상태로 책을 볼 수 있을 정도이다.

그런데 사해는 사람이 살 수 없는 죽음의 바다지만, 희귀 금속의 광물이 많아 큰 자원을 이루며, 피부병 치료와 미용에 큰 효과가 있어(클레오파트라 여왕[BC51-30] 애용), 죽음의 바다가 보물 창고의 평을 받고 있다고 한다.

구약성서에서는 이 사해를 싯딤 골짜기(창 14:3), 아라바 호수(신 3:17), 아라바 바다(대하 14:25)로 기록하고 있다.

20. 쿰란

사해를 따라 내려가면 황야의 동굴산 밑의 평야에서 쿰란이라는 곳에 도착하는데, 이곳에는 그 옛날 금욕주의자들인 에세네파의 수도원(BC167-AD70)이 있던 곳이다. 이들은 자신들을 "빛의 자녀"로 자처하며 경건한 자세로 성서를 연구하며 사본을 기록하였는데, 주님께서도 다녀가신 것으로 믿고 있다(눅 16:8).

예루살렘에서의 제1차 독립전쟁 때(AD66-70) 성전을 점령 파괴한 로마군이, 도망가는 독립군을 추격하다 이곳을 기습 파괴하였다. 이때 수도원의 수도사들이 기록한 이사야 등 많은 사해사본을 질그릇 항아리에 넣어 뒷산의 동굴에 숨겨 두었다.

2,000년 전 그때의 사해사본들이 1947년 양치는 베두인족 소년에 의하여 우연히 발견되었다(11개 동굴, 약 600개 사본). 그런데 이것이 가장 귀중한 이사야 사본 등으로 인정되어 현재 예루살렘 국립 박물관에 보관되어 있다. 한편 쿰란의 유적을 발굴할 때(1956년) 그 당시의 생활 도구들이 제 자리에 그대로 놓여 있던 것으로 보아 로마군의 불의의 기습을 짐작할 수 있었다고 한다.

21. 엔게디와 맛사다

쿰란 남쪽 30km 지점의 숲이 울창한 오아시스 엔게디는 약 3,000년 전, 다윗이 자기의 장인인 사울 왕을 피하여 동굴에 숨어 있던 곳이다(삼상 24:1).

엔게디를 지나 더 내려가면 사해지역의 군사 요충지 맛사다가 나온다. 이곳은 광활한 유다광야에서 높이 450m, 정상 넓이 약 4만평의 천혜의 군사 요새로, 다윗이 사울 왕을 피하여 거처하던 곳이며(다윗의 요새, 삼상 22:4), 헤롯대왕의 사우나 시설을 갖춘 호화 별궁도 있다.

주후 70년 예루살렘에서의 제1차 독립전쟁에 패한 유대민족의 독립군(열혈당원 등, 막 3:18) 일부가 이곳의 로마군 수비대를 기습으로 몰아내고 약 4년간(AD70-73) 점령 항쟁한 바 있다. 로마군이 최후의 수단으로 저 밑에서 흙을 쌓아 올린 후 유대인을 앞세워 공격할 때, 로마군의 노예가 되느니 자유인으로 역사에 남기 위하여 전원 자살을 선택하였다.

즉 이들은 많은 물자를 남겨두고 각기 자기 가족을 죽이고 자살하는 식으로 960명의 독립투사와 가족 전원이 자살하므로 로마군을 경악케 하였다.

이런 사실은 물탱크 속에 숨어 있던 5명의 어린이와 2명의 여자에 의하여 밝혀졌다고 한다. 산 정상의 광장에는 아직도 당시의 돌 포탄들이 쌓여있으며, 절벽 아래 저 밑에는 2,000년 전 당시의 로마군 기지가 남아있다.

그림 15. 소돔에 있는 롯의 아내

따라서 이곳은 유대민족의 정신적 교육장이 되어 있어 유대 청년들은 절벽 길을 도보로 오르고 있는데, 우리 일행은 케이블카를 이용하였다.

22. 소돔 (창 18:16)

맛사다에서 약 15km 더 내려가면 주위의 산 전체가 소금덩어리로, 이 곳이 4,000년 전 아브라함의 조카 롯이 살던 소돔 지역이다(창 13:10). 하나님께서는 악으로 가득 찬 이곳에 의인 10사람이 없어(창 18:16), 엄청난 유황불을 내리실 때 롯과 두 딸을 소알로 피하게 하셨는데(창 19:14), 저 언덕 위에는 소금기둥이 된 "롯의 아내"만이 말없이 서 있다(창 19:26).

이곳에는 그 옛날의 흔적은 하나도 없고 소금바위 벽돌의 집이 한 채 보일 뿐이다. 이 부근의 사해는 소금기가 매우 높아 뜨거운 여름에는 물의 급속한 증발로 소금 덩어리가 성장하는 모습을 볼 수 있다고 한다.

23. 예루살렘 성 (삼상 5:5, 막 11:7)

성지중의 성지인 예루살렘은 3,000년 전 다윗 왕이 수도로 선정하고 33년간 통치한 곳으로(삼하 5:5, BC996-965), 오늘의 예루살렘 성은 오스만 터키 통치 시기(1517-1917)에 축성한 것이다(1540년, 성벽

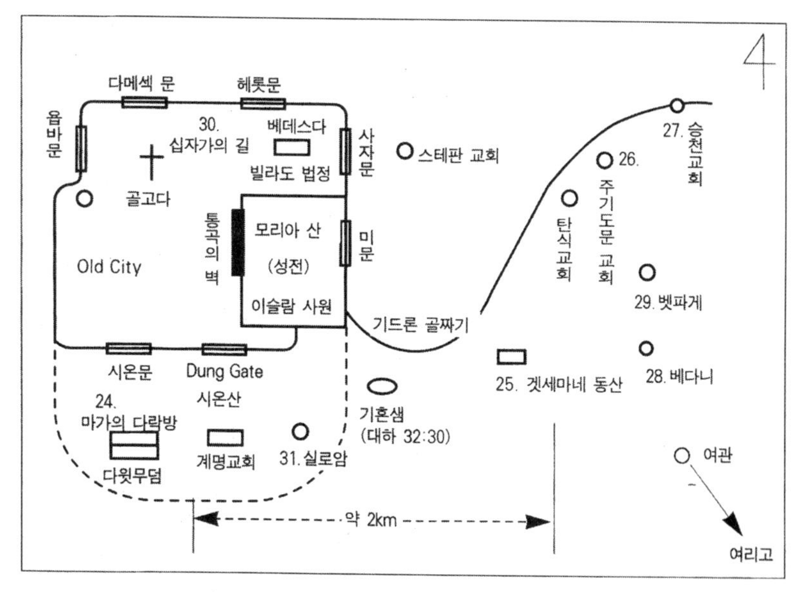

그림 16. 예루살렘의 지도 (삼하 5:5, 눅 2:42)

그림 17. 예루살렘 전경

높이 3.5m, 둘레 3.5km, 넓이 30만평). 성안은 현재 이슬람교, 기독교, 유대교 및 아르메니아 교회의 4 구역으로 나뉘어져 있는데, 성안 동북부의 대부분을 이슬람교도가 차지하고 있다(AD638부터).

즉 기독교 구역은 골고다 언덕을 포함한 북서지역으로 대부분을 구교의 각 교파가 차지하고 있다. 유대교 구역은 "통곡의 벽" 서편 중앙지역으로 1948년 독립전쟁과 1967년 "6일 전쟁" 때 점령한 유대인 거주지역이다. 그리고 남서부의 아르메니아 구역은 세계 최초의 기독교국가인 아르메니아 왕국의(AD301, 흑해 부근), 소수민족이 박해를 피하여 이곳에 정착한 지역으로(AD280) 주님의 동생 야고보를 기념하는 교회가 있다.

그리고 성안 동남쪽의 약 5만평은 솔로몬 왕이 건축한 성전과 궁전이 있던 곳으로(왕상 5:15, BC 955), 그 당시의 유적으로는 성전 초석의 일부인 "통곡의 벽" 만이 남아 있다(왕상 7:10. 유대교인의 기도처). 그리고 옛 성전(대하 3:1) 부근 모리아산의 큰 바위는(창 22장, 아브라함이 이삭을 바친 곳) 현재 이슬람교의 황금사원의 중심(마호멧[AD570-632]의 승천 장소로 주장, 1964년 개축)이 되어 있으며, 성 동남쪽 벽에 있는 미문(주님과 베드로가 출입한 문: 마 21:10, 행 3:1, 황금문)은 메시야가 올 것을 두려워한 이슬람교도에 의하여 폐쇄되었다고 한다(1540).

24. 마가의 다락방 (마 26:17)

예루살렘 성 밖 남쪽의 시온산 중턱에는 다윗 왕의 무덤이 있으며(왕상 2:10), 무덤 건물 2층에는 주님께서 마지막 유월절의 "최후의 만찬"을 베푸신 마가의 다락방이 있다(마 26:17).

우리 일행은 이곳에서 목사님 집례로 감격의 성찬 예식을 올리었다.

마가의 다락방 동편 언덕의 큰 건물은 베드로가 닭이 울기 전에 주님을 세 번이나 배반한 후 통곡한(막 14:66) 대제사장 가야바의 집으로(막 14:53), 현재 베드로 통곡교회(또는 계명교회)가 되어 있으며, 이 교회 지하에는 주님께서 갇혀있던 지하 동굴 감옥이 그대로 남아 있다.

25. 겟세마네 동산 (막 14:35)

예루살렘 성(800m)과 동편의 감람산(830m) 사이의 기드론 골짜기 동편에 있는 겟세마네 동산에는, 주님께서 잡히시기 직전 피땀 흘리시며 기도하신 바위(막 14:32)를 중심으로 16 개국이 합동으로 건립한 아름다운 만민교회가 서 있다(1924년 재건).

그리고 교회 옆에는 베드로가 기대어 잠들었던 8 그루의 올리브 나무들이 옛 모습 그대로 울창하게 서있다(마 26:40, 수명 2,000년 이상).

26. 탄식교회 (눅 11:1)

감람산 서편 중턱에는 주님께서 제자들과 예루살렘 성을 바라보시며 앞날의 고난을 예언하시며 탄식하심(눅 19:41)을 기념하는, 눈물방울 모양의 탄식교회가 서있는데, 이 교회 창문에서의 예루살렘의 전경은 절경 중의 절경이다. 그런데 주님의 예언은 주후 70년 독립전쟁

그림 18. 주님이 탄식교회에서 바라본 예루살렘(눅 19:41)

때 로마군에 의하여 성전이 완전 파괴되므로 이루어졌다.

그리고 이 교회 옆에는 주님께서 제자들에게 기도하는 법을 가르치신(눅 11:1) 주기도문 교회가 서있는데, 교회 복도에 걸린 61 개 나라의 주기도문 중 우리나라 천주교에서 증정한 기도문이 가장 돋보인다.

27. 승천 교회 (행 1:6)

감람산 정상에는 주님께서 부활하신 후 40일간 제자들과 동행하신 후, 감람산 정상에서 승천하실 때(행 1:6-11) 암반에 남기신 발자국을 중심으로 승천교회가 서있다.

그리고 예루살렘 성 밖 기드론 골짜기는 다윗 왕과 예수께서 지나간 곳으로(삼하 15:23, 요 18:1), 언덕에는 최후의 심판 날 가장 먼저 부르심을 받기 위한 묘지들이 대규모로 형성되어 있다. 한편 이 골짜기를 왕의 골짜기라고도 하며(창 14:17) 다윗 왕의 아들 압살놈의 비석이 서있다(삼하 18:18).

28. 벳바게와 베다니 (눅 19:28, 요 11:1)

감람산 남측 중턱에는 주님의 마지막 한 주일의 고난이 시작되는 종려주일 오후에, 예루살렘 입성을 위하여 어린 나귀를 타시고 출발하신 벳바게 마을에 종려주일 기념교회가 서있다(눅 19:28).

여기서 여리고로 내려가는 길가의 베다니 마을에는 주님께서 가끔 쉬시던 마르다와 마리아의 집을 기념하는 베다니교회가 있으며, 그 부근에 주님께서 나사로를 살려내신 동굴 무덤이 있다(요 11:1-38).

그리고 베다니에서 여리고 방향으로 더 내려가면 주님께서 비유로 말씀하신, 선한 사마리아인이 강도당한 사람을 숙박시킨 여관의 옛터

그림 19. 선한 사마리아인의 여관 앞 (눅 10:30)

가 그 때의 우물을 중심으로 남아있다(눅 10:25). 우리가 이곳을 방문했을 때 유대인 가족들이 우물가에 모여있었는데, 출입구에는 총을 든 사람이 보초를 서고 있어 긴장감을 느끼게 해주었다.

29. 예루살렘 입성 (막 11:1-11)

주님께서 예루살렘에서의 마지막 유월절을 지키기 위하여 여리고의 삭개오의 집에서 묵으신 후(눅 19:5), 예루살렘으로 올라가실 때 날이 저물어 주님께서 비유로 말씀하신 선한 사마리아 여관(눅 10:30)에 묵으셨을 것으로 생각된다. 그리고 다음 날인 종려주일 아침 이곳을 출발하여 베다니 마을을 지나 오후에 벳바게에 도착하신 후, 나귀를 타시고 군중들의 호산나 환호를 받으시며 오후 늦게 예루살렘에 입성하시어 성전으로 가셨다(막 11:1-11).

이때 군중들은 주님께서 다윗 왕과 같은 정치적 기적을 행하여 주실 것을 기대하며 환영의 만세를 불렀지만(막 11:10), 5일 후에는 빌라도 총독에게 "저를 못 박으소서" 외치며 주님을 십자가에 못 박는데 가담했다(막 15:13).

30. 십자가의 길(Via Dolorosa)

예루살렘 성 동북 편 성밖에 있는 스데반 순교 기념교회를(행 7:54) 지나 사자문(또는 스데반문)을 통하여 성안으로 들어서면, 우측에 베데스다 연못이 있고(요 5:2), 좌측에는 주님을 재판한 빌라도의 법정(요 19:13, 현재 아랍인 학교)이 있다.

이곳을 시작으로 주님께서 금요일 오전 재판 받으신 후 십자가를 지고 골고다 언덕까지 가신 14 곳(고비)의 "십자가의 길"(약 1km, 1731년 확정) 에는 아랍인의 상가로 차있다. 그런데 각 장소마다 벽에 번호가 새겨져 있어 주님의 고난을 묵상할 수 있는데, 성 금요일에는 각국의 순례자들이 십자가를 메고 걸으며 주님의 고난에 동참하는 순례행렬이 계속된다고 한다.

그리고 골고다 언덕에는 주님의 죽으심과 부활하심을 기념하는 성묘교회가 있는데(AD336 첫 건축, AD1149 십자군 재건축), 이곳에는 각 교파(천주교, 그리스 정교, 아르메니아 정교)의 독특한 예배소가 밀집해있다. 우리 일행도 조용한 장소에서 주님의 죽으심과 부활하심을 묵상하는 경건한 예배를 올리었다.

참고로 "십자가의 길" 각 장소의 순서는 다음과 같으며, 천주교 성당에서는 주님께서 십자가를 지시고 가시는 모습의 14가지 조각을 표시하여, 주님의 고난을 묵상하는 기도를 올리고 있다.

"십자가의 길"의 순서

1.재판 받으심(금요일 새벽) ⇨ 2.십자가 지심 ⇨ 3.넘어짐 ⇨ 4.성모 만남
5.시몬의 도움 ⇨ 6.얼굴 닦음 ⇨ 7.넘어짐 ⇨ 8.여자를 위로함 ⇨ 9.넘어짐
10.옷 벗김(골고다) ⇨ 11.못 박히심(오전 9시) ⇨ 12.죽으심(오후 3시)
13.내리심 ⇨ 14.무덤(금요일 저녁) ⇨ 안식일(토요일) ⇨ 부활(일요일)

31. 실로암 연못과 기혼 샘 (요 9:7, 대하 32:30)

예루살렘 성 외곽 동남쪽 저 아래 아랍인 마을에 있는 실로암 연못은 주님께서 소경의 눈을 뜨게 하신 곳으로(요 9:1) 아직도 맑은 물이 고여있다.

이 연못 북쪽 위에 있는 옛날의 다윗성 밖의 기혼샘은 다윗 왕이 예루살렘을 점령할 때 이용한 곳이며(삼하 5:8 BC996), 한편 솔로몬 왕이 대관식을 올린 곳으로(왕상 1:33, BC962), 예루살렘에서 가장 오래되고 귀한 식수원이다.

북 이스라엘 왕국이 앗수르에 의하여 패망할 때(왕하 17:23, BC722), 유다 왕국의 제 13대 히스기야 왕(대하 29-32장, BC728-700)이 앗수르 군의 침략에 대비하여, 성을 보강하며 기혼샘의 물을 성안의 실로암 연못으로 끌어들이기 위한 지하 수로를 굴착했는데(대하 32:30, 히스기야 터널 530m), 양측에서의 수로오차가 1m 정도라 하며 현재도 물이 흐르고 있다.

그때 히스기야 왕은 터널이 완성된 후 기혼샘을 메워버려(대하 32:3), 앗수르 군은 식수난과 선지자 이사야의 간구(사 37-38장)에 응답하신 하나님의 도우심으로 퇴각하고 말았다(대하 32:20, BC722). 그 결과 유대왕국은(BC926-587) 북 왕국보다 약 140년간을 더 계속 유지할 수 있었다.

32. 베들레헴 (마 2:1)

예루살렘에서 베들레헴으로 가는 길가에 야곱의 12 아들 중 요셉과 베냐민의 어머니인 라헬의 무덤이 있다(창 35:16). 여기서 기도 드리면 여자들의 소원이 이루어진다고 하여 여인들이 많이 출입하는데, 아랍인의 습격에 대비하여 이스라엘 군인이 보초를 서고 있었다.

그림 20. 베들레헴 (목자들의 들판기념교회)

예루살렘에서 남쪽으로 약 10km 내려가면 천사들이 주님의 탄생을 알려준 "목자들의 들판"에(눅 2:8), 그때 목자들이 쉬었던 동굴에 예배장소가 설치되어 있어 우리들은 이곳에서 아기 예수의 탄생을 기뻐하는 예배를 올렸다.

이곳을 지나면 그 옛날 유대왕국의 선지자 미가(BC750-722)가 "보잘것없는 마을에서 이스라엘을 다스릴 자가 난다"고 한(미 5:1) 베들레헴의 현대 도시가 나온다.

이 현대 도시 속에 로마가 그리스도교를 공인한 후(AD313) 로마 콘스탄틴황제의 어머니 헬레나황후가 건축한(AD340) "주님의 탄생교회"가 높은 성벽 속에 가려져 있다(AD531 개축). 머리를 숙여야 들어갈 수 있는 유일한 문인 "겸손의 문"을 지나 넓은 광장 저편에, 주님께서 탄생하신 곳을 가리키는 은백색의 별자리와 마구간 그리고 구유 등을 중심으로, 각 교파(그리스, 아르메니아, 시리아 정교, 천주교 등)

의 예배소가 마련되어있다. 각 예배소에서 각기 고유의 격식으로 예배를 드리고 있는데, 우리 일행도 조용한 곳을 찾아 주님의 탄생을 찬양하는 예배를 올렸다.

그런데 최근 베들레헴 부근에서 헤롯대왕에 의하여 살해된, 약 2,000 명의 어린이들의 뼈가 묻혀있는 동굴이 발견되었다고 한다(마 3:16).

33. 브엘세바 (창 21:31)

베들레헴 남쪽 황야의 길을 약 80km 더 내려가면 네겝사막이 시작되는 지역에서 4,000년 전 아브라함이 처음 정착한 브엘세바에 도착한다(창 21:33, 22:19). 그때 아브라함이 팠다는 우물(창 21:30)이 그대로 남아있는데 지금은 사용을 하지 않는 모양이다. 그리고 이곳은 아브라함이 100세에 낳은 아들 이삭을 하나님의 계시에 따라 예루살렘의 모리아 산에서(현재 이슬람교 황금사원), 번제 드리기 위하여 3일이 소요되는 약 90km의 길을 출발한 곳이기도 하다(창 22:1-19).

그림 21. 브엘세바
아브라함의 우물(창 21:30)

현재 이곳은 아랍인의

거주 지역으로 버스 정류장에 검은 천으로 온 몸을 감싸고 앉아있는 아랍여인들의 모습이 퍽 이채로웠다. 아마도 4,000년 전 이삭의 부인 리브가도(창 24:65) 저런 모습이 아니었던가 생각된다.

34. 헤브론 (창 13:18)

예루살렘으로 돌아가는 길가의 헤브론 도시는 다윗 왕이 왕위에 올라 7년 반 동안 수도로 삼고 통치한 곳이다(삼하 5:4, BC1004-996). 한편 이곳은 아브라함이 가나안에 정착하여 처음으로 제단을 쌓은 곳이며(창 13:18), 동시에 아브라함과 부인 사라 그리고 아들 이삭이 묻힌 가족묘지가 있는 곳이기도 하다(창 23:1, 25:7).

그런데 이곳은 현재 아랍인의 정치 중심지로 유대인이 운전하는 차에 돌을 던진다하여 들어가지 못하였다.

사마리아 지역

사마리아 지역은 3,000년 전 솔로몬 왕국이 남북으로 분열된 후(왕상 12장, BC926) 서로간의 대립이 계속되다가 앗수르제국이 북 왕국을 점령하여 멸망시킨 후(왕하 17:24 BC722) 이방민족과 혼혈시키므로(왕하 17:24), 남부 유대민족은 이들 사마리아인을 멸시하게 되었다. 따라서 주님께서도 야곱의 우물이 있는 수가마을(요 4:8) 외에는 사마리아 지역을 통과하지 않으셨다.

이러한 대립감정은 현재까지도 계속되는지 또는 유대인과 아랍인과의 관계인지, 안전을 위하여 아랍인이 운전하는 차를 이용하였다.

35. 벧엘 (창 12:8)

예루살렘 북쪽 약 15km 지점의 구약시대 성지 벧엘은 4,000년 전 아브라함이 가나안 땅에 처음 도착하여 예배를 올린 장소다(창 12:8). 그리고 야곱이 형 에서를 피하여 하란에 사는 외삼촌 라반의 집(창 24:10)으로 가는 길에, 이곳에서 돌베개를 베고 자다 축복 받음(창 28:10)과 동시에, 돌아올 때 감사의 제단을 쌓은 곳이기도 하다(창 35:7). 이곳의 옛 성터에서 야곱이 제단을 쌓았던 돌을 기념으로 교회에 헌납하였다.

36. 실로 (삿 21:19)

벧엘에서 북으로 약 20km 더 가면 구약시대의 종교 중심지(삼상 1:3, 삿 21:19) 실로에 도착한다. 이곳은 여호수아가 가나안을 정복한 후 각 지파에게 영토를 분배한 곳이며(수 18:1), 한편 하나님의 법궤를 모신 곳이기도 하다(삼상 4:3). 그리고 사사시대(BC1240-1012)의 마지막 선지자 사무엘이 하나님의 부르심을 받은 곳(삼상 1-3장, BC1035-975)으로 옛날의 종교중심지인데 지금은 옛 성터만 남아 있다.

37. 세겜 (창 12:1)

실로에서 약 25km 북으로 더 가면 사마리아 지역의 큰 마을 세겜에 도착한다. 4,000년 전 아브라함이 그의 가족과 양떼와 하인들을 거느리고, 고향 하란에서 600km 떨어진 이곳까지 약 4개월의 긴 여행 끝에 세겜에 도착하였을 때, 하나님께서 "이 땅을 네 자손에게 주리라" 고 하신 약속에 대하여, 감사의 제단을 쌓아 바친 곳이다(창 12:1).

한편 여호수아가 출애굽을 끝내고 가나안에 정착하면서 12 지파와 함께 하나님을 섬기기로 맹세한 곳이기도 하다(수 24장). 그리고 솔로몬 왕의 아들 르호보암의 시국판단 미숙으로 왕국이 분열할 때, 요셉의 아들 에브라임지파의 후손 여로보암이 12지파 중에서 유다와 베냐민지파를 제외한 10지파를 이끌고, 이스라엘왕국의 독립을 선언하고 수도로 삼은 곳이다(왕상 12장, BC926). 현재 이곳은 사마리아 지역의 상업 중심지가 되어있다.

38. 야곱의 우물 (요 4:1)

세겜 부근의 수가마을 '야곱의 우물' 은 주님께서 제자들과 사마리아의 길을 따라 갈릴리로 가실 때, 이 '야곱의 우물' (창 33:18, 깊이 30m, 희랍 정교 관리)가에서 사마리아 여인과 영원한 생명수에 대하여 대화하시며, 많은 사마리아인을 믿게 하신 일이 있다(요 4:1-42, 사 55:11).

우리는 이 우물가에서 2,000년 전 주님께서 말씀하신 생명수를 생각하며, 주님께서 드신 그 물을 길어 올리어 마시는 감격의 순간을 가졌다.

39. 사마리아 (왕상 16:24)

세겜에서 북으로 약 10km 떨어진 산언덕 위의 사마리아 지역은 북왕국 제7대의 오므리 왕이(BC882-872) 은 2달란트에 구입하여 수도로 정했던 곳이다(왕상 16:24). 이곳에는 그의 아들 아합 왕이(왕상 16:29, BC872-852) 지었던 상아궁(왕상 18:20)과 헤롯대왕(BC37-4)이 로마 황제에 헌납한 로마식 건물들의 유적이 남아있다.

그리고 북 왕국이 앗수르에 의하여 망했을 때(왕하 18:9, BC722) 남아 있던 사마리아인(왕하 17:24)의 후손 약 700명이 세겜의 그리심산 속의 산당에서 자기네만의 모세 5경을 섬기며, 자기들의 전통을 고수하고 있다고 한다. 그러나 날이 저물어 이들을 찾지 못한 것이 아쉽기 짝이 없다.

40. 엠마오 (눅 24:13)

성지순례의 마지막 날 아침 일찍 우리들은 예루살렘을 출발하여, 2,000년 전 주님께서 부활하신 다음 날 아침 제자 두 사람과 대화하시며 걸어가신 그 길을 따라(눅 24:15), 벤 그레온 국제공항(리따, 행 9:32)으로 향하였다.

공항으로 가는 길의 중간 지점인 엠마오 마을 입구에서, 그때 주님은 제자들과 빵을 나누시고 떠나셨지만(눅 24:30), 우리와는 항상 동행해 주시기로 약속해주신 주님께 무한한 감사의 기도를 올리었다. 아멘!

(1985. 2. 25 오전 7시20분)

제2장

천지 창조와 종말

태초에 하나님께서 우주만물을 창조하실 때 제일 먼저 "빛이 생겨라"라고 말씀하신 그 순간(창 1:3), 우주 창생의 대폭발(Big Bang)이 일어난 후 모든 은하계가 만들어졌다.

그리고 지구의 창생을 약 50억년으로 생각하므로 하나님께서 지상의 모든 것을, 제2일부터 5일 동안에 창조하신 것으로 생각하면(창 1:6-31) 베드로가 주님의 하루는 우리의 천년과 같다고 하였지만(벧후 3:8), 하나님의 하루가 우리 시간으로 약 10억년에 해당된다고 볼 수 있다.

천지창조의 순서(창 1장)

모든 생명체의 근원인 땅과 물위에 하나님의 영을 가득 채우시고(창 1:1) 창조를 시작하셨다.

제1일 [월요일] : 제일 먼저 빛을 창조하신 후 빛과 어둠을 나누시어 낮과 밤을 만드셨다(창 1:3).

제2일 [화요일] : 물을 가르시어 바다의 물과 창공의 물로 갈라 놓으셨다(창 1:6).

제3일 [수요일] : 바다의 물에서 땅을 드러내신 후 각종 식물을 창조하시어 공기 중에 산소를 만들게 하신 후, 땅속에 각종 보물(지하자원)을 숨겨놓으셨다(창 1:9). 특히 식물들은 오랜 성장을 통하여 봄이 되면 죽은 가지에서 새싹이 나와, 자연을 푸른색과 아름다운 꽃으로 장식하고, 여름의 무성한 성장과 결실의 계절 가을에는 푸른 잎이 각양각색으로 변하여 아름다운 단풍을 자랑하고 있다. 이러한 식물들의 다시 삶이 인간에게 부활의 길을 열어주고 있다. 한편 식물에게도 감정을 갖도록 해주셨다.

제4일 [목요일] : 해와 달과 별을 만드시어 낮과 밤을 다스리게 하여 시간의 흐름을 알게 하므로, 역사의 흐름과 각종 절기를 구분케 해주시고, 밤하늘의 아름다움을 더해주셨다(창 1:14).

제5일 [금요일] : 바다의 물고기와 창공을 나는 새들을 창조하셨다(창 1:20). 물고기와 새들은 아무 불평 없이 주어진 여건에 만족하며, 아무리 먼 곳에서도 자기들의 각자 고향으로 찾아갈 수 있는 능력을 갖도록 하였다. 그런데 인간이 만든 아파트촌의 환경을 보면 인간보다 하루 먼저 창조된 까치는 자기가 지은 집을 20년 이상 유지하나, 인간은 자기들이 지은 아파트를 20년 만에 재개발을 계획하고 있다.

제6일 [토요일] : 오전에 육지 동물들을 만드시고 오후에 하나님 모습을 닮은 인간을 만드셨다(창 1:24). 동물들은 인간보다 먼저 태어나 오랜 경험을 통하여 어떠한 조건에도 잘 적응하며, 상부상조하는 능력을 체득하고 있다. 그런데 가장 막둥이로 창조된 인간의 시조를 150만년 전으로 보면 인간 창조는, 하나님 시간으로 제6일인 토요일 밤 11시 40분에 해당된다. 이와 같이 인간의 생존 역사가 짧으므로 동물들은 출생하며 곧 자립하지만, 인간은 출생 후 20년 이상을 키워야 자립을 생각하고 뱀 등의 달콤한 유혹에 빠져 자기 본분을 망각하기도 한다.

제7일 [일요일] : 안식일 - 하나님께서 우주만물의 창조를 위하여 활동하신 후 이날 하루를 쉬시며 안식일로 정하셨다. 그리고 우리 인간에게 6일 동안 열심히 일하고 안식일 하루를 쉬게 하는 오늘의 일주일 근무 제도를 만들어 주셨다(창 2:1).

인간의 자연 파괴

하나님께서 인간을 창조하실 때 말씀으로 먼저 당신의 모습을 닮은 사람을 창조하시고 땅과 모든 동물을 다스리게 하셨고(창 1:26-31), 인간을 보다 겸손한 삶을 살게 하기 위하여 진흙을 빚어 만드시고 이들을 흙으로 돌아가게 하였다(창 2:1-8). 따라서 인간이 늙어질 때 몸이 무거워지며 허리가 구부러지는 것은 흙으로 빨리 돌아가라는 신호로 생각된다.

그리고 마지막으로 창조한 인간을 에덴동산에서 살게 하며(창 2:8) 자연을 아름답게 가꾸도록, 특별한 지혜를 내려주시고 동물들과 같이 채식하며 오래 살도록 하셨다. 그런데 노아의 홍수 후(창 7:17) 육식을 시작하면서(창 9:3) 인구가 급속히 증가하며 자연환경을 파괴하기 시작했다.

즉 인간은 자신을 과신하며 하나님께서 날짐승들을 위하여 준비한 공간에 비행기를, 물고기를 위한 수중에 잠수하여 자연을 교란하며, 한편 하나님께서 남자와 여자를 한 사람씩 창조하신데 대하여(창 1:27), 새로운 인간을 다량 복제 생산할 생각을 하고 있다.

하나님께서 "참 좋았다" 고 감탄하시며 정성을 다해 창조하신 자연환경을 파괴하여, 과소비에 따른 오존층 파괴와 이상기온에 의한 기후변동(대홍수와 극심한 가뭄과 한파 등)이 일어나고 있다. 특히 생활환경의 편의를 위한 합성수지 등 새로운 물질의 개발과 남용에 따른, 환경호르몬(내분비계 장애물질)의 영향으로 생명체의 생식기능 감퇴 등 심각한 문제들이 일어나고 있다.

그 한 예로 바다를 운항하는 선박에 칠한 페인트로 해산물(굴, 고동, 물고기 등)의 성전환에 의한 생식력 감소와, 컵 라면 또는 일회용 컵 등에 의한 젊은이의 정자활동 감퇴 등 심각한 문제들이 발생하고 있다. 그리고 인간의 과욕으로 지구상의 많은 종류의 동식물들이 멸종하고 있다.

영국의 천체물리학자 스티븐 호킹 박사(지체 부자유자)의 일본 기자와의 회견에서, 이 우주에는 우리 인간과 같은 모습의 고등동물이 존재할 수 있는 혹성(惑星)이, 약 1천만 개 있을 것으로 추측하며 이들과의 통신을 위하여 우주 안테나를 설치하고 있다.

그런데 이들과의 통신이 안 되는 것은 "하나의 혹성에서 문명이 고도로 발달하여, 다른 혹성과의 통신이 가능할 때쯤이면, 그 혹성은 문명적으로 매우 불안해져 순간적으로 파멸되므로, 이들 외계인과의 통신과 만남이 안 되는 것으로 생각한다" 고 말한 바 있다.

우리 지구가 산업화되며 과학의 급속한 발달과 하나님께서 저장하신 자원의 낭비로, 공해문제가 심각해진 것은 200년이 채 안되며 이 기간은 하나님의 시간으로 한 순간에 지나지 않는다.

어느 순간 공해문제 등에 의한 생활환경의 파멸이 닥쳐올지 모르므로(살전 5:3), 최근 각 국제적 기구에서 큰 관심을 갖고 핵의 평화적 이용과 자동차 등에 의한 배기가스 발생 줄이기 등 이에 대한 대비책을 다각도로 강구하고 있다.

과소비 억제와 공해문제에 대한 대비책의 하나로 우리나라에서는 "아나바다" [아껴 쓰고, 나눠 쓰고, 바꿔 쓰고, 다시 쓰자] 운동이 큰 호응을 받고 있다. 그리고 미국에서는 '지구를 위한 세계운동' (GAP, Global Action Plan for the Earth)이 일어나 16개국이 참여하여, 우리나라도 1996년부터 GAP 운동에 가입한 가정이 1,000 여개에 이르고 있다고 한다(1998. 11. 22, 평화신문).

GAP 운동이 권장하는 항목은 아래와 같다.

1. 장바구니 들고 다니기
2. 1회용 음식 포장재 줄이기
3. 충전기 사용하기
4. 종이 양면 쓰기
5. 일회용 휴지보다 손수건 쓰기
6. 수선해서 오래 쓰기
7. 음식 쓰레기 퇴비 활용하기
8. 소비적 음식문화 바꾸기
9. 변기 수조 속에 벽돌 넣기
10. 샤워시간 줄이기
11. 세제 적당량 사용하기
12. 빨래 모아서 세탁하기
13. 양치, 면도할 때 수도꼭지 잠그기
14. 유기농산물 애용하기
15. 절전용 전구 쓰기
16. 보일러 제때 손질하기
17. 자동차 공회전 안 하기
18. 자동차 급출발 급제동 안 하기
19. 환경 상품 선택하기
20. 인스턴트식품 안 사기
21. TV 등 언론매체 바로 보기

우리 인간의 지나친 과욕으로 1999년 현재 전체 지구인구 60억에서 지하자원(화석연료 등) 낭비에 따른 지구의 온난화와 환경오염 등으로, 지구의 남극과 북극에 저장된 빙산의 해빙으로 해면이 상승하여 그 옛날의 노아의 방주가 다시 필요하지 않도록 특별한 반성과 대책이 있어야 하겠다.

앞으로 2050년에는 인구가 100억으로 증가될 것이라 하니 이에 따른 지구자원의 고갈과 환경오염, 그리고 식수 등의 고갈로 2100년경에는 인류 문화의 종말이 올 것을 예고하는 학자도 있다.

참고 : 인구증가 상황 1800년:10억, 1960년:30억, 1987년:50억
2000년:60억, 2050년:100억 추정

따라서 인간은 자신의 편리를 위한 지나친 욕망을 버리고 하나님과 자연 그리고 인간이 공존하며, 그리고 하나님의 창조질서에 순응하며, 후손을 위한 새로운 에너지자원(태양 에너지 등)을 개발하며 평화롭게 살아가도록 힘써야겠다. 특히 식량의 75%와 에너지의 97%를 외국에 의존하는 우리나라는 소비절약에 특별한 관심을 가져야겠다(1999. 10. 15).

제3장

솔로몬 왕의 자손을 위한 기도

3,000년 전 솔로몬 왕이 통치하던 번영의 이스라엘 통일왕국 시대에(BC965-926), 유대민족의 자식들에 대한 과잉보호로 많은 문제점이 있은 것으로 생각된다. 즉 솔로몬 왕이 젊은 후세들을 위한 삶의 지혜를 가르친 "잠언"에서 자녀교육에 대하여 많이 언급하고 있다.

오늘날 우리사회는 급속한 물질문명의 발달로 도덕성이 해이해진 한편, 핵가족에서의 과잉보호로 자녀들이 자신의 본분을 망각하고 수렁에 빠져 헤매는 경우를 많이 볼 수 있다.

이들에게 착실한 인생의 길을 찾는데 도움이 될까하여 솔로몬 왕의 자녀들에 대한 간절한 충언(잠언)을 골라보았다.

1. 아이는 매를 맞고 꾸지람을 들어야 지혜를 얻고, 내버려두면 어미에게 욕을 돌린다(29:15).
2. 아들에게 채찍을 대라. 그래야 걱정이 사라지고 마음에 기쁨을 얻는다(29:17).
3. 아들아 아비의 훈계를 귀담아 듣고, 어미의 가르침을 물리치지 말아라(1:8).
4. 내 아들아, 잘 듣고 지혜를 얻어, 네 마음을 바른 길로 이끌어라(23:19).그러면 하나님께서 네 곁에 계시어 악에 발목이 잡히지 않게 지켜주신다(3:26).

5. 바른 인생 길 알려는 사람은 훈계를 달게 받고, 미련한 사람은 책망을 싫어한다(12:1).
6. 지혜로운 사람은 지식을 소중히 간직하지만, 어리석은 사람은 입만 놀리다 멸망을 불러들인다(10:14).

자비의 하나님께서도 손수 지으신 아담과 이브가 잘못했을 때 엄한 벌을 내리셨지만, 회개하므로 큰 상을 내리시고 무한한 발전의 길을 열어주셨다. 주님께서도 가장 사랑하시는 제자가 잘못 판단했을 때, "사탄아 물러가라" 고 심하게 야단치시므로 바른 길을 가게 하셨다.

젊은 어버이와 자손들의 앞날에 주님의 축복이 항상 같이 하시기를 기원하며, 우리에게 골고루 내리신 내일을 위한 오늘의 24시간을 잘 활용하기 바란다. 아멘!

제4장

천당의 전화 번호

인류는 아득한 옛날의 수렵생활에서 농경사회의 집단생활로 정착하며, 오랜 기간에 걸쳐 도구를 사용하는 전문직이 형성되면서 복잡한 계급사회로 변천 발전하였다.

증기기관의 발명(1769, 영국 James Watt)에 의한 산업혁명으로 더욱 복잡한 산업사회가 형성되며, 정보의 교류가 문제 해결의 주축을 이루게 되었다. 이러한 시기에 전화가 발명되어(1876, 미국 Alexander G. Bell) 인류사회는 비약적인 발전을 거듭하여 오늘의 정보화 사회를 형성하며 발전을 거듭하고 있다.

우리나라는 약 100년 전(1893년 11월) 궁중과 행정부 사이에, 10대의 전화(德律風, telephone)와 민간용 전화 25대가 개통(1902)된 것을 시작으로, 1945년 8월 15일 광복 당시 전국 약 5만대가 보급되었다. 최근 전자산업의 급속한 발전으로 2000년 현재 유선전화 2,300만대, 휴대전화 2,750만대가 보급되어, 세계 제6위(170개국 중)의 정보화 국가로 비약하고 있다. 현재 우리는 전국 어디서나 전 세계는 물론 우주와도 전화로 모든 것을 해결할 수 있는 정보화 사회에 살고 있다.

최근 특별정보에 의하면 천당과 지옥에 전화가 각각 개통되어 천당과 지옥의 좌석을 예약할 수 있다고 한다. 즉 천당의 전화번호는 66-

3927 또는 75-4627 이며. 지옥의 전화번호는 11-1111이라 한다. 따라서 천당의 전화번호보다 지옥의 번호가 외우기 쉬워, 지옥의 좌석에 대한 예약이 천당의 것보다 무척 많다는 정보를 이해할 수 있겠다.

천당과 지옥의 전화번호는 구약성서의 총 편수 39 또는 46(외경 포함)과 신약성서의 총 편수 27에서 구한 것이다. 그리고 지옥의 전화번호는 자기만이 제일이라는 일류의식과 자만의식을 숫자로 나열한 것이다. 천당의 보다 좋은 좌석을 예약하려면 성서 공부를 열심히 하고, 주님을 묵상하며 주님의 사랑과 자비를 배우고 그 말씀대로 실행해야 한다.

그러나 지옥의 좌석은 이웃을 무시하고 높은 자리를 탐내며, 자기만이 최고라는 유아독존만을 주장하면 자동적으로 예약된다고 한다. 하나님께서는 일등을 원하지 않으시고 꼴등이라도 사랑하고 사랑을 실천하는 사람을 택하신다.

최근 주님을 더 가까이 할 수 있는 새로이 개통된 번호는 399-292-7260 인데, 이것은 구약성서 39편 929장과 신약성서 27편 260장에서 구한 것이다.

성서 공부를 열심히 하여 천당 저 높은 곳의 직통 전화번호를 발견하여 주님과 직접 대화의 길을 열어보기 바란다.

제5장

인간의 모습

하나님께서 우주만물을 창조하신 후 우리 인간을 보다 겸손하게 살게 하기 위하여, 만물의 근원이며 항상 낮은 곳으로 흘러가 하나로 뭉치는 물과, 만물의 기반인 흙을 혼합한 진흙을 빚어 만드시고, 영을 불어넣으신 후 만물을 다스리게 하였다(창 2:6-7). 그리고 육신은 흙으로 다시 돌아가게 하였다(창 3:19).

오랜 세월이 지난 현재의 우리 모습을 바라보며 하나님께서 우리에게 내려 주신 사명을 다하고 있는지 생각해보기로 한다. 미수(米壽)를 바라보는 사람의 생각을 빙그레 웃으며 감상해주기 바란다.

1. 하나님께서 아담의 갈비뼈를 뽑아 이브를 만드실 때 보다 정성을 드려 남자보다 작고 아름답게 만드셨다(창 2:21). 그런데 이들이 죄를 지어 에덴의 동쪽으로 추방당할 때 가죽으로 옷을 만들어 주셨는데(창 3:21), 그때 가죽이 약간 모자라(?) 여자는 몸통만 가리게 하여 오늘의 노출된 옷이 유행하는 모양이다.

한편 갈비뼈가 본고장으로 돌아가 완전해지려고 짝을 지어 살며, 여자가 나이가 들어 강해지는 것은 흙보다 뼈가 강하기 때문으로 생각된다.

2. 인간을 두 발로 서게 하고 두 손을 자유롭게 놀리게 하여 불과 문자를 사용하게 하므로, 각 종 도구를 만들어 보다나은 환경을 개발토록 하여 오늘의 문화를 창조케 하였다. 그리고 말 타는 기술을 개발하게 하여 인간의 활동범위를 확장하도록 하였다.

따라서 북방의 기마민족보다 아프리카인들이 다리가 길어져 달리기를 잘 하는 모양이다. 그리고 육식을 즐기는 서양인은 동물을 잡으려 달리기를 잘하여 다리가 길어지고, 숨을 몰아 쉬어 코 구멍이 넓어진 것으로 생각된다.

3. 입을 눈과 귀와 코밑에 하나만 만들어 주신 것은 말을 앞세우지 말고 겸손한 자세로, 적게 먹고 욕심부리지 말며 일구이언(一口二言) 하지 말라고 하신 것으로 생각된다.

'동물의 세계' 의 맹수들은 배불리 먹으면 만족해하는데, 인간은 자기의 냉장고를 채우려고 욕심을 부려 자연환경을 파괴하며, 한편 일구이언으로 사회를 혼란에 빠뜨리고 있다.

욕심을 잉태하면 죄를 낳고 죄가 자라면 죽음을 가져온다(약 1:15).

4. 눈은 가장 정밀하여 두 개를 만들어 만일에 대비토록 해주시고, 한편 멀리 보게 하므로 치밀하고도 원대한 자기 인생의 목표를 세우도록 하였다. 그리고 개폐장치를 달아 선악을 구별하여 선만 보게 하고, 한편 재채기할 때 뚜껑을 닫아 눈알을 보호하도록 하였다.

그리고 입의 개폐장치는 말하는 것과 먹는 것을 잘 가려 적게 먹고 좋은 말만 하며, 유구무언(有口無言)을 권장한 것으로 생각된다.

5. 코와 귀에 뚜껑을 달지 않은 것은 하나님과의 정보통신과, 자동

차와 가스 등의 공해에 24시간 계속하여 대비하도록 해주신 것으로 생각된다.

6. 인간에게 특별히 웃음의 기능을 더해 주신 것은 즐거움을 서로 교환하며, 평화롭게 오래 살라고 하신 것으로 생각된다. 한국인의 평균 수명이 남자(70) 보다 여자(78)가 더 긴 것은, 점잔을 빼는 남자들보다 여자들이 웃음의 기회를 더 많이 활용하기 때문으로 생각된다.

그런데 최근 웃음이 없는 TV문화가 앞날의 이 나라 주인들에게 어떠한 영향을 줄지 의문이다.

참고 I

사도 바울(AD35-67)과 **야고보**(주님의 동생, AD62)의 말씀

1. 한 입으로 두 가지 말을 하지 말아야 하며, 부정한 이득을 탐내지 않아야 한다(딤전 3:8).
2. 남에게 이로운 말을 하여 도움을 주고, 듣는 사람에게 기쁨을 주도록 하시오(엡 4:29).
3. 듣기는 속히 하고 말은 천천히 하며, 함부로 성내지 마시오(약 1:19).

참고 II

간디(1869-1948)의 국가가 혼란에 봉착하는 원인에 대한 제언(서울주보 1155)

1. 원칙 없는 정치 2. 도덕 없는 상업 3. 노동 없는 부
4. 인격 없는 교육 5. 인간성 없는 과학 6. 양심 없는 쾌락
7. 희생 없는 신앙

제6장

인간의 가치

"인간은 빵으로만 사는 것이 아니라, 하나님의 입에서 나오는 모든 말씀으로 살리라"고 말씀하셨는데(마 4:4, 신 8:3), 살기 위해 먹는 사람보다 먹기 위해 사는 사람의 경제적 가치를 알아보기로 한다.

인간이 매일 먹는 각종 음식에 포함되어있는 에너지를, 영양학자는 열량(熱量)의 단위 칼로리 (kcal)로 표시하고 있다. 우리 한국인 성인 남자가 하루의 식사에서 섭취하는 평균 열량을 약 2,500kcal로 보고 있다(여자는 약 2,000kcal). 이 열량으로 하루 24시간을 생존하므로 이것을 전력(電力)의 단위 왓트([W]=[Watt]=[Joule/sec])로 환산하면,

(2,500[kcal]x4,200[Joule/kcal])/
(24x60x60[sec])=120[Joule/sec=Watt]

가 되므로, 이 남자는 120Watt(여자는 100W)짜리 전구와 맞먹는다.

여기서 4,200은 열량 kcal을 일의 단위 Joule로 환산하는 값이다.

이러한 능력을 갖는 인간이 특별히 하는 일없이 하루의 24시간(hour)을 보내며, 소비하는 에너지를 전력량(電力量, kWh)으로 환산하면,

120[Watt]x24[hour]=3[kWh]/day

가 된다. 이것을 오늘의 가정용 전기요금 100(원/kWh)으로 환산하면 이 인간은 300원짜리 존재가 된다.

그런데 사람이 하루의 생존을 위하여 최소한 컵 라면 3개만 먹어도, 약 2,000원이 소요되므로 효율 15%의 존재에 불과하다. 만일 기분을 내어 기사식당 등에서 돈까스와 맥주 한 잔을 세 번 먹으면, 20,000원이 필요하므로 이 경우 1.5%의 비효율적 존재가 된다. 더욱이 일정한 봉급을 받으며 책임감 없이 시간만 허비하는 인간은 우리 사회에서 마이너스의 비효율적 존재가 될 것이다.

하나님께서는 300원 짜리에 불과한 우리 인간에게 특별히 "창조의 능력"을 내려주셨으므로, 이를 잘 활용하면 '600만 달라($)의 사나이' 이상의 엄청난 업적을 올릴 수 있을 것이다. 감사한 마음으로 온 인류에게 똑같이 분배해주신 하루의 24시간을 아끼며, 주어진 일에 최선을 다하여 아름다운 역사를 창조하기 바란다.

제7장

항상 기뻐하라 (장수 비결)

(1999.6.2)

하나님께서 우주만물을 창조하실 때 마지막 날인 엿새 날(토요일) 오전에, 육상동물을 만드시고(창 1:24-25) 오후에 인간을 만드셨다(창 1:26-31). 이때 육상동물은 두 개의 눈과 귀 그리고 네 개의 발을 만들어 많이 보고 들으며 넓게 활동하게 했지만, 입은 하나만 만들어 욕심부리지 말고 적게 먹도록 하였다. 이에 대하여 인간에게는 우주만물을 관리하고 보고하도록 말할 수 있는 특전과, 하나님을 찬양하며 오래 살도록 노래와 웃음의 능력을 더해 주신 후 두발로 걷게 하셨다.

그런데 하나님께서 인간을 먼저 만드시어 우주만물 창조에 동참시키지 않은 것은, 인간에게 교만한 마음을 갖지 못하게 하기 위함으로 생각된다. 따라서 인간이 욕심 없는 평화의 세상에서 살 때인, 아담에서 그의 10대 손 노아까지는 900세 가까이 살았다(창 5장). 그러나 인류가 차차 타락의 길로 빠져들어 웃음보다 시기와 질투의 세상이 되면서, 20대 손 아브라함까지 평균수명이 300세로 감소되며(창 11:10-26), 120세로 제한 받는 벌을 받았다(창 6:1-3).

최근 웃음의 원천이라 할 수 있는 유모어와 수명과의 관계를 실험적으로 연구한 일이 있다. 즉 미국 텍사스의 어느 병원에서 입원환자에게 매일 아침 간호원이 유모어로 환자들을 큰 소리로 웃기게 하므로, 조기 퇴원하는 사람이 많아졌다는 통계가 발표되었다.

즉 큰 목소리의 웃음이 호흡작용의 촉진으로 혈액을 깨끗이 하며, 동시에 혈액순환을 원활하게 하여 병세를 호전시킴을 알게 되었다. 따라서 웃음과 기쁨을 유도해주는 유머가 장수의 특효약으로 큰 호응을 받고 있다고 한다. 특히 한국 여자의 평균수명(78세)이 남자보다(70세) 월등히 긴 것은, 여자가 자기감정을 잘 나타내며 큰 목소리로 유쾌하게 잘 웃기 때문으로 생각된다.

2,000년 전 사도바울이 제2차 전도 여행 때(행 15-18장, AD46-52) 그리스의 고린도에서 데살로니가 교인들에게 보낸 서신에서(살 1장, 5:16)

"항상 기뻐하라, 범사에 감사하라, 쉬지 말고 기도하라"

의 말씀이, 오늘날 우리의 삶을 보다 너그럽게 하고 새 희망을 주는 장수의 특효약으로 생각된다. 여기서 몇 가지의 유머로 각박한 이 시대에 느긋한 웃음을 불러보기로 하자.

1. 늙으면 설치지 말고, 미움 살 소리, 헐뜯는 소리와 군소릴랑 하지도 말고, 남의 일에 칭찬만 하소. 알면서도 모르는 척 어수룩하소. "그대는 참 훌륭해, 나는 틀렸어" 이러한 생각으로 마음 편히 지내시구려.
2. 이기려 하지마소. 져 주시구려. 어차피 신세질 이 몸인 것을. 꽃은 젊은이들에게 안겨주고, 한 걸음 물러서서 양보하는 것이, 원만하게 살아가는 비결이라오. 언제나 어디서나 "고마워요" 하며 감사하기를 잊지 마소.

3. 돈, 돈, 돈의 욕심은 버리시구려. 아무리 많은 돈을 가졌다 해도 죽으면 가지고 갈 수는 없는 거라오. 그 사람은 참 좋은 분! 그렇게 사람들의 입에 오르도록, 살아있는 동안 많이 적선하고, 덕을 산더미만큼 쌓으시구려!
4. 그렇지만 그것은 겉말일 뿐 실은 돈을 꼭 붙잡고 있으소. 남들로부터 구두쇠 소리를 들을지언정, 돈이 있으므로 나를 돌보고, 모두가 받들어 모셔준다오. 우리끼리의 말이지만 그건 사실이라오(구약성서 외경 집회서 33:20-24).
5. 내 자식 내 손자와 그리고 이웃 누구에게도, 우러러 뵈는 좋은 늙은이로 사시구려. 멍청해서는 안되오. 그러기위해 두뇌도 세탁하고, 멋진 삶으로, 무엇인가 한 가지 취미도 갖고, 아무쪼록 오래오래 사시구려.

우리는 오직 "항상 기뻐하라"의 그 길만을 찾으며, 감사한 마음으로 즐거운 마음으로, 할 수 있는 일과 해야 할 일에 최선을 다 합시다. 주님께서 부르시는 그 날까지! 아멘!

제8장

민주주의에 대하여

1. 맥주홀에서!

1956년 여름 미국 미네소타 대학 주변 맥주홀에서 동료 교수와 소금을 안주로 시원한 맥주를 마시고 있을 때, 옆 좌석에 4명의 젊은 대학생들에게 아르바이트 여학생이 신분증을 보자고 한다. 그러더니 너는 맥주 마실 나이가 아니니 콜라를 들라하며 맥주 3잔과 콜라 한잔을 놓아주니, 학생들은 아무런 불평 없이 즐겁게 대화하며 마시고 있었다.

이 광경을 보고 우리들은 한국에서는 난리가 났을 터인데, 이곳 젊은 세대들은 법을 지키며 절대 순응하는 것을 보고, 여기가 진짜 민주주의 국가임을 실감하였다. 이러한 광경은 그 당시 여러 곳에서 관찰할 수 있었다.

다수의 민족이 모여 사는 이 넓은 미국이라는 나라가 번창하는 것은 국민 각자의 준법정신과 질서의식으로 이루어진 것으로 생각하였다.

2. 전철 4호선에서!

지하철 4호선이 개통한지 얼마 후 사당동으로 가는 전철에서, 손님이 별로 없을 때 젊은이가 담배를 피워 문다. 이때 옆에 앉은 노인이 전철 안에서는 금연이니 담배를 끄라고 하였지만, 못 들은 척 그대로 피우고 있어 외국인을 합한 여러 사람이 끄라고 합세하였다.

이때 이 젊은이는 얼굴을 찡그리고 담배를 발로 비비며, “민주주의가 무엇인지도 모르는 것들이” 하며 다른 칸으로 가버렸다.

여러분은 악을 행하는 구실로 자유를 남용해서는 안 됩니다(벧전, 2:16).

9장

안테나의 효용

여름철 시골길에서 흔히 볼 수 있는 작은 개미가 큰 먹이를 자기 힘으로 운반할 수 없을 경우, 자기 머리의 두 안테나(?)를 열심히 돌리면 얼마 후 많은 개미들이 모여옴을 볼 수 있다. 이 경우 개미들은 머리의 안테나를 통하여 정보를 교환하고 있음을 추측할 수 있다.

이러한 통신 방식은 우리 인간도 아득한 옛날 머리카락을 안테나로 정보교환 한 것으로 생각된다. 즉 옛날 이스라엘 땅의 장사 삼손이 자기의 머리카락이 잘렸을 때, 하나님과의 통신이 두절되어 힘을 쓸 수 없게 된데서(삿 13장) 머리카락 안테나의 효능을 확인할 수 있다. 스님이 도를 닦기 위하여 입산할 때 속세와의 단절을 위하여 삭발하는 것으로도 확인할 수 있다.

그리고 예수님의 성화를 보면 주님께서도 하나님과의 정보교환을 위하여 긴 머리를 이용하셨으며, 구약의 선지자들도 하나님과의 통신을 위하여 머리를 길게 하고 있음을 많이 볼 수 있다(민 6:5, 삿 13:5, 삼상 1:11, 렘 21:5). 오늘날 예루살렘 "통곡의 벽"에서 기도하는 유대인 랍비들의 긴 머리도 하나님과의 긴밀한 정보교환을 위한 것으로 생각된다.

그런데 하나님께서 우리 인간에게 특별히 내리신 언어와 전자파 정보통신의 발달로, 원시적인 머리카락 안테나의 역할이 한동안 퇴화하였다. 그러나 최근 사회구조가 급격한 속도로 복잡하게 발전하면서, 현대 과학기술의 정보통신 방식에 부족함을 느낀 신세대들은, 다시 원시시대의 머리카락 안테나를 활용하기 시작하였다.

즉 최근 예술인과 운동선수들이 머리를 길게 하여 자신의 기능을 최고로 발휘함을 볼 때, 그 옛날의 머리카락 안테나의 효능을 다시 확인할 수 있다. 최근 머리카락 안테나의 효율을 극대화하기 위하여 여러 가지로 색깔이 변하고 있는데 얼마나 큰 효과를 보고 있는지 기대해 볼만하다.

한편 언제부터인가 여자들이 머리카락을 길게 늘이든가 또는 높이 올리어 안테나의 효능을 높이다가, 보다 적극적 신호 발사를 위하여 자신을 보호하는 절연체를 제거하고, 선악과를 따먹기 전의 이브와 같이 팔과 다리를 완전 노출시킨 육체 안테나로 정보 발신 효과를 극대화하고 있다.

이들의 새로운 안테나의 통신내용은 비밀이므로 알 수 없지만, 약 2,700년 전 유다왕국의 이사야 선지자가 예루살렘의 여인을 위한 충고의 말씀을(사 3:16-17), 오늘을 사는 우리들이 많이 참고하기를 간절히 기원한다.

제 3 부

우리 민족과 기독교

제1장

국가 창건

신구약성서를 공부하며 이스라엘 민족의 성장과 수난 그리고 구원의 역사를 정리하다보니, 우리나라 역사에 대한 지식이 너무나 부족함을 깨닫게 되었다. 즉 나의 학창시기인 일본 식민통치 교육에서는 한국 역사는 완전 무시하고, 일본의 조작된 역사만을 강조하여 체계적인 우리 역사를 모르고 지내왔다.
지금에야 철이 들어 우리 민족의 역사를 공부하고 다음과 같이 정리하면서, 이스라엘 민족의 역사인 신구약성서와 대조하여 보았다.

1. 고조선(BC2333-1138)

우리나라는 약 4,300년 전 단군(壇君) 시조께서 백두산을 중심으로, 고조선(古朝鮮)을 건국한 후(BC2333. 10. 3) 평양에 도읍을 정한 다음, 한반도와 만주 대륙을 중심으로 약 1,200년 동안 통치하며 시작되었다(제3부 9장 참조).

(이 시기에 이스라엘 민족은 아브라함이 메소포타미아 하란[터키 동쪽]에서 하나님의 계시를 받고 가나안으로 이주한 후, 극심한 가뭄으로 그의 후손이 다시 애굽으로 이주하게 되었다[창세기]. 그 후 애굽에서 430년을 살다 출애굽하여[출애굽기] 가나안으로 다시 입주한다[사사기, 여호수아]).

2. 열국시대(BC1138-60)

고조선 말기에 국토가 여러 갈래로 나뉘면서 열국들이(列國時代: 부여, 예맥, 옥저, 조선, 옥조, 위만조선, 한, 마한, 진한, 변한, 낙랑, 북부여, 동부여, 졸본, 구려, 북옥조, 남옥조, 동예, 가야 등 20개 국가) 한반도와 만주 대륙과 일본 구주지역 등에서 약 1,000년 간 지배하고 있다.

(이 시기에 가나안에 정착한 이스라엘 민족은 다윗과 솔로몬의 통일왕국과 왕국의 분열과 멸망, 그리고 그리스와 로마의 통치가 계속된다.)

(사무엘, 열왕기, 역대기, 마카베오)

3. 3국 시대(BC56-AD676)

우리나라의 열국시대 말기에 고조선의 영토였던 만주 대륙에 고구려(高句麗, BC37-AD668)와, 한반도 남부에 신라(新羅, BC56-AD935)와 백제(百濟, BC17-AD660)의 3국이 각각 창건되며, 오늘의 우리나라 역사가 이루어지고 있다(고구려 및 3국 왕조 연대표 참조).

그런데 고구려가 대륙진출에 힘쓸 때 백제와 신라가 "이웃사촌"의 마음가짐으로 협조하기보다는, "사촌이 밭을 사면 배가 아프다"라는 심정으로 상대방의 발전을 방해하는 경우를 많이 볼 수 있어 큰 아쉬움을 남기고 있다.

(이 시기에 이스라엘에서는 로마의 지배 하에서 예수가 탄생하여, 새로운 구원의 길을 열어주며[마태복음] 그리스도교가 발생하였다[사도행전]. 그리스도교는 많은 박해를 받았지만 AD392년 로마정부의 국교로 선포되며 오늘의 카톨릭의 기틀이 확립되었다).

제2장

고구려 왕조

만주대륙을 통치한 고조선(古朝鮮, BC2333-1138)에서 파생한 부여(夫餘, BC1285-58)의 후신인, 북부여(北夫餘, BC58-AD474)의 시조 해모수의 서자 고주몽(高朱蒙, BC58-AD19)이, 졸본(卒本)부여(또는 구려국[句麗國, BC58-36])를 인수하여 고구려(高句麗, BC37-AD668)를 창건하였다.

한편 고주몽의 양자 비류(沸流)와 온조(溫祚)는 한반도로 이동하여 각각 비류백제(공주)와 백제(百濟[百殘], 한강 유역)를 창건하였다(BC17).

A. 고구려 왕조의 계보(BC37-AD668)

- 1. 동명성왕(고주몽)
  - 2. 유리명왕(국내성 천도)
    - 3. 대무신왕 — 5. 모본왕
    - 4. 민중원왕
    - 재사
      - 6. 태조왕
      - 7. 차제왕
      - 8. 신제왕
        - 9. 고국천왕
        - 10. 산상왕 — 11. 동천왕 — 12. 중천왕 — 13. 서천왕
          - 14. 봉상왕
          - 돌고 — 15. 미천왕 — 16. 고국원왕
            - 17. 소수림왕
            - 18. 고국원왕 — 19. 광개토대왕 — 20. 장수왕(평양천도) — 21. 문자명왕
              - 22. 안장왕
              - 23. 안원왕 — 24. 양원왕
                - 25. 평원왕
                  - 26. 영양왕
                  - 27. 영류왕
                - 대양왕 — 28. 보장왕
  - 비류(비류백제 시조)
  - 온조(백제 시조)

B. 고구려 왕들의 업적

1. 동명성왕(고주몽, BC37-19)

고구려의 시조가 된 후 주변 각국(동부여, 북부여, 말갈 등)을 정복 국토확장. 국내성(집안[集安])을 수도로 정함(BC3). 동명성왕의 왕릉이 평양시 남부(역포)에 존재한다고 함.

(로마 이스라엘 통치[BC63-AD395], 예수 탄생)

3. 대무신왕(AD18-44)

국력강화와 국토확장(중국 국가 불안 이용). 낙랑공주와 호동왕자(BC32)

(예수 활동 부활[AD30-33], 사도 바울 선교활동[AD35-66], 그리스도교 발생).

6. 태조왕(53-146)

국토 대 확장(만주와 중국 해안 전 지역과 함경도[옥조] 지역 확보)

천문학 발달(일식[11회]혜성[10회] 관측:[AD114-559])

고구려 고분 천문도 작성, 고구려 최대 강국 형성

(이스라엘 독립전쟁[AD70, 135] 실패, 조국 없는 민족[1948년까지], 이태리 폼페이 화산 폭발: AD79. 6. 24)

9. 고국천왕(179-197)

통치 제도 개선(귀족 제도 폐지, 인재 양성 등용, 국토 분할 통치 등)

총리제 채택, 민생 안정, 국력 신장

15. 미천왕(300-331)

화합정치 국민단결 국력보강, 국토 대 확장(중국[晉] 말기 혼란 이용)

(로마 그리스도교 공인[313], 백제 산동반도 식민지 조성[319-535])

17. 소수림왕(371-384)

문민정책(불교 공인[372], 대학 설치, 법치제도 확립 등), 국가안정

중국(東晉317-420, 前秦351-394)과 친선 유지, 요동반도(백제 식민지)

쟁탈, 북부 거란족 격퇴 영토 확장(지도 참조)

19. 광개토대왕(391-413)

영토확장(후연[북경 지역], 부여, 거란, 백제, 신라 등 공격), 국위 선양

평양 부수도 설정(부벽루 건축[393], 개축[1611])

신라와 연합 백제-왜 격퇴(산동반도[392]와 한강이북[404] 확보)

거란 격퇴(392, 395), 비류백제(공주) 정복

(비류왕족 왜국 나라[奈良]에서 응신왕[應神王] 등극[396])

가야 정복(400, 가야의 철 무기 기술이 왜의 대판[大坂]으로 이전됨)

후연(後燕) 격파 철갑옷 1만 벌 취득(407)

고구려 세력 팽창(백제:충주 고구려 비[392],

신라:경주 고분 고구려 청동 솥[400] 발굴)

(로마 그리스도교 국교 선포[392])

20. 장수왕(413-491)

광개토대왕 공적비(好太王碑) 국내성(집안)에 건립(414, 629cm 1,700자)

중국(전국시기[413-439])과 유화정책, 국력보강, 평양 천도(427)

(고구려 계통 왜왕[淸寧] 경도[京都] 나라[奈良] 통치[480])

26. 영양왕(590-618)

역사편찬, 국력신장, 온달장군 전사(아차산, 백제와의 전쟁[591])

수(隨, 581-618)의 4회 침범 격퇴

(1) 수의 30만 대군 요하에서 격퇴(598)

(2) 100만 대군 살수(청천강) 대첩, 을지문덕 장군(612)

(3) 요동성과 신성 침입 격퇴(613)

(4) 비사성 침공 격퇴, 화친조약(614)

국력 크게 소모, 수는 당(唐, 618-902)에 의하여 패망(618)

(담징[曇徵]대사 왜에 불교와 제지기술 전수, 왜의 나라지역 법륭사[法隆寺, 백제인 건축:607], 금당[金堂]벽화 그림[飛天圖, 610])

27. 영류왕(618-642)

중국에 장성구축(天里長城, 당 침입 방어용, 연개소문 감독)

당과 유화 정책, 신라-백제 견제 주력

연개소문 영류왕 살해(왕의 유화정책 반대), 보장왕 옹립(642)

(마호멧 출생[570], 이슬람교 발생[622], 예루살렘 점령[638])

28. 보장왕(642-668)

연개소문 독재 통치, (신라[김춘추]-당[태종 이세민] 연합[644])

고구려(연개소문)-백제(의자왕) 연합(644)하여 신라-당에 대응함

645-665: 신라-당 10회 이상 침범 격퇴

(660: 신라-당[소정방]에 백제 멸망, 왜군 백제 지원 실패[664])

666: 연개소문 사망, 아들(남간, 남산) 정권투쟁, 국력 분열 민심이탈, 투항속출

668: 신라-당 연합군 평양 점령, 고구려 멸망

안시성(양만춘) 당 태종 공격 격퇴(645-671), 함락(671), 고구려 복원군 해산. 보장왕 포로 요동지역 총독(요동도독조선군왕) 임명(677) 고구려 재건 계획하다 발각(681) 중국 사천성 유배 사망(682) (고구려 포로의 후손이 오늘의 태국 북부 미얀마 상악에 거주한다함?), (연개소문이 신라 견제를 위하여 왜에서 활약[640-666], 고구려 멸망 후 왜의 40대 천무왕(天武王) 등극[672], 고구려[대조영] 복원 지원), (고구려 장군 대조영[大祚榮, 高王698-719] 발해국[渤海國, 698-926] 창건)

광개토대왕비[廣開土大王碑] 비문

고구려(BC37-AD668) 700년 역사에서 가장 빛나는 제19대 광개토대왕 비문의 개요를 대한민국학술원 논문집 제43집(2004년 발행)에서 발췌하였다.

1. 광개토대왕비의 건립과 크기

고구려 제20대 장수왕(413-490)이 제19대 광개토대왕(391-412, 호태왕[好太王], 영락태왕[永樂太王])의 업적을 기리기 위하여 당시의 고구려 수도 국내성에 건립하였다(414. 9. 20).

대왕비의 크기 : 높이 6.3m 4면의 넓이 : 1.3m, 2.9m 무게 : 37ton
대왕비의 문자 : 4면 각 행 41자, 전체 44행, 총 1,802자 중 해독 가능 1,700자

2. 광개토대왕 비문 개요

제1단 : 고구려 건국과 광개토대왕의 통치이념(제1면 제1행-6행, 총 6행) 고구려 시조 추모왕[주몽=제1대 동명성왕(BC37-19)]의 출생과 건국신화 그리고 광개토대왕의 18세 즉위(391)와 39세 사망(412)과 대왕의 국가통치 이념(以道輿治)과 대왕비의 건립에 대하여 기록하고 있다.

제2단 : 광개토대왕의 전쟁 업적(제1면 7행-제3면 8행, 총 22.5행) 광개토대왕의 전쟁 업적을 년도별로 기록하고 있다.

0. 永樂1년(辛卯 391) : 왜구가 신묘년 이래 백제와 신라를 자주 침략하며 식민화 하려함
1. 永樂5년(乙未 395) : 호태왕 출격 비려[裨麗=鹽水(몽고지역)] 정복 700병영 격파 노획물 다수
2. 永樂6년(丙申 396) : 호태왕 바다건너 왜구 18성 토벌 후 백제 토벌 (58성 700촌 격파)
3. 永樂8년(戊戌 398) : 숙진[肅眞(연해주)] 정벌, 숙진 고구려에 조공 바침
4. 永樂9년(乙亥 399) : 호태왕 평양 순시 중 신라왕의 간청으로 군사 파견 신라 침입 왜구 격퇴
5. 永樂10년(庚子 400) : 신라 침입 왜구 퇴출 후 김해 가야국 왜구 격퇴, 신라왕이 호태왕에 조공
6. 永樂14년(甲辰 404) : 백제와 왜구의 연합군 침입을 호태왕이 격퇴
7. 永樂17년(丁未 407) : 5만 군대 파견 중국 후연[後燕(북경 북부지역)] 섬멸 갑옷 1만 벌 등 노획
8. 永樂20년(庚戌 410) : 동부여(고구려 발상지) 배반, 호태왕 출병 귀순, 귀로 각 지역 평정

제3단 : 수묘인(守墓人) 제도(제3면 8행-제4면 9행, 총15.5행) 선왕들의 능묘(陵墓)를 지키는 수묘인 330 가구를 선정하여 출신과 가구별로 비석에 기명한 후 대대로 능묘를 모시도록 제도화함을 기록하였다.

제3장

고구려, 백제, 신라 3국 계보

한반도와 만주대륙을 중심으로 발생한 고구려(BC37-AD668)와 백제(百殘, BC17-AD666)와 신라(BC56-AD678) 등, 3국 왕조의 계보와 업적을 일람표로 작성하여 이들 3국간의 상호관계 및 일본과의 관계를 정리하였다.

3국 왕조의 계보

高句麗	百濟	新羅
1. 동명성왕〔B.C.37〕 (수도: 卒本) 2. 유리명왕〔B.C19〕	1. 온조왕〔B.C.18〕 (수도 한성 풍납동, 위례성〔하남시〕)	1. (박)혁거세왕〔B.C.56〕 (수도: 서라벌 慶州) (王子 天日槍 倭개척〔26〕) 〔B.C.〕
(수도: 國內城.〔集安〕A.D.3) (天文 관측기록) 3. 대무신왕〔18〕 (王子 好童〔32〕) 4. 민중원왕〔44〕 5. 모본왕〔48〕 6. 태조왕〔53〕 (중국동해안, 滿州, 咸慶道 점령) (최강국형성) (日蝕〔11회〕, 慧星〔10회〕 관측기록〔114-559〕)	(비류백제〔利殘國〕공주 정착〔18〕) 2. 다루왕〔28〕 (馬韓흡수〔47〕) 백제와 신라와 분쟁 시작〔70〕 3. 기루왕〔78〕 4. 개루왕〔128〕 (北韓山城 축성〔132〕)	〔A.D.〕 2. (박)남해왕〔4〕 3. (박)유리왕〔24〕 (天文 관측기록) (추석행사, 석빙고) (가야〔金首露왕〕건국〔42〕) 4. (석)탈해왕〔57〕 5. (박)파사왕〔80〕 6. (박)지마왕〔112〕

7. 차대왕〔146〕

8. 신대왕〔165〕

9. 고국천왕〔179〕

10. 산상왕〔197〕

11. 동천왕〔227〕

12. 중천왕〔248〕

13. 서천왕〔270〕
(대륙 영토 확장,
백제 공격시작)

14. 봉상왕〔292〕

15. 미천왕〔300〕
(樂浪〔B.C.107-A.D.313〕
점령)

16. 고국원왕〔331〕
(중국 전연 미천왕릉 도굴〔342〕)
(평양 임시 천도〔343〕)
(철갑무기 개발 사용〔357〕)
(비류백제계 침공 고국원왕
전사, 안악고분 3호)
(고분에 천문도 벽화 22기)

17. 소수림왕〔371〕
(중국과 우호,
불교도입〔371〕)
(중앙집권확립,
大學설치〔372〕)

5. 초고왕〔166〕

6. 구수왕〔214〕

7. 사반왕〔234〕

8. 고이왕〔234〕
(국권 정립, 국력신장)
(중국 錦州와 왜에 진출
〔246〕)
(마한 합병〔247〕)

9. 책계왕〔286〕

10. 분서왕〔288〕

11. 비류왕〔304〕
(山東半島, 陽子江 진출
〔319-535〕)

12. 계왕〔344〕

13. 근초고왕〔346〕
(철갑무기 생산〔忠州〕,
국권신장)
(중국遼西, 倭 奈良 식민지)
(倭 神功王后에 七支刀
하사〔372〕)

14. 근구수왕〔375〕

7. (박)일성왕〔134〕

8. (박)아달라왕〔154〕
(황사 [雨土] 기록〔174〕)

9. (석)벌후왕〔184〕

10. (석)나해왕〔196〕

11. (석)조분왕〔230〕

12. (석)첨해왕〔247〕

13. (김)미추왕〔262〕
(김알지의 6대손)

14. (석)유례왕〔284〕

15. (석)기림왕〔298〕

16. (석)흘해왕〔310〕

17. (김)내물왕〔356〕
(김씨 왕권 쟁취)
(국권강화)
(任那, 駕洛 점령)
(고구려-신라 연합
대마도 倭寇 소탕)

18. 고국양왕〔384〕

19. 광개토대왕〔391〕
(평양을 부 수도로 정함〔392〕)
(평양 부벽루 건축〔393〕
개축〔1641〕)
(공주〔비류백제〕 공격〔396〕)
(국토 확장. 국위선양)

20. 장수왕〔413〕
(廣開土大王碑건립〔414〕)

(평양 대성산 안학궁 천도〔427〕)
(아차산 진지 구축,
백제[하남시] 공격)
(국토확장〔遼東. 牙山灣〕.
전성기)
(고구려계 왜왕〔淸寧〕,
왜 京都 奈良 통치〔480〕)

21. 문자명왕〔491〕

22. 안장왕〔519〕

23. 안원왕〔531〕
(백제 산동기지
점령〔535〕)

15. 침류왕〔384〕
(佛敎 도입〔384〕)

16. 진사왕〔385〕

17. 아신왕〔392〕

(비류백제계 倭 應神王 등극
〔396〕)

18. 전지왕〔405〕
(왕인 박사 천자문 논어를
왜에 전달〔405〕)

19. 구이신왕〔420〕

20. 비유왕〔427〕

21. 개로왕〔455〕
(개로왕 전사〔475〕)

22. 문주왕〔475〕
(공주 〔웅진〕 천도〔475〕)

23. 삼근왕〔477〕

24. 동성왕〔479〕
(백제계 倭王, 京都 奈良
통치〔485〕)

25. 무령왕〔501〕
(왕녀 倭王〔繼體〕과 결혼,
흠명왕〔欽明王 출생〔540〕)
(국력신장, 倭에 문화전달
〔515〕)

26. 성왕〔523〕
(왜에 불교 전달 〔538〕)
(夫餘 천도〔539〕)
(中國과 倭와 화친,
국력 증강)
(倭에 역법 전수〔548〕)

(왕릉에 금관 부장 시작.
24대 진흥왕까지)

(가야 철무기 개발.
신라 침략〔399〕)

(신라 고구려에 간청
가야 공격〔400〕.
가야 철무기 왜 大阪 이동)

18. 실성왕〔402〕

19. 눌지왕〔417〕

백제·신라동맹〔433-554〕

20. 자비왕〔458〕
(三年山城 축성. 〔472〕)

21. 소지왕〔479〕
(백제와 동맹)

22. 지증왕〔500〕
(석빙고〔505〕)
(울릉도, 독도 병합〔512〕)

23. 법흥왕〔514〕

(이차돈 순교,
불교도입〔528〕)
(伽倻 합병〔532〕
가야금〔于勒〕 도입)

24. 양원왕(545)
(정권 내분,
국가 불안(550))
(아차산 기지 소실(551))
(평양성 축성(552-586))

25. 평원왕(559)

(평양성 천도(586))

26. 영양왕(590)
(倭에 聖德太子
스승 파견(590))
(온달장군 전사.
아차산(591))
(隋軍 4회 격퇴
(598, 612, 3, 4))

(曇徵대사 奈良에 불교,
제지법 전수)
(曇徵대사 왜의 奈良 法隆寺
金堂벽화(飛天圖)
그림(610))
(을지문덕 장군
청천강 대승(612))

27. 영류왕(613)
(당 태종 등극(626-646))
(대唐 長城구축
연개소문 지도(631))
(연개소문 반정.
영류왕 살해)

(고구려 공격
국토 회복(551))

(신라 동맹 파기, 백제 공격, 성왕 살해)

27. 위덕왕(554)

(백제인 蘇我 일본국호
제정(570))

(아차산 공격(591))

(倭 奈良에 飛鳥문화
전수(592-710))

28. 혜왕(598)
29. 법왕(599)
30. 무왕(600)
(백제-당 동맹 신라 공격)
(觀勒, 奈良에 천문학
전수(602))
(奈良에 法隆寺 건축(607))
(倭에 百濟觀音像 하사)

(왕비(寶) 왕자(翹岐)
倭로 이주(641).
왕비 皇極女王(642).
齊明女王(655) 등극)
(왕비 동생(孝德)
왜왕 등극(644))

24. 진흥왕(540)
(국사편찬(545))
(함경도까지 국토 확장)

(북한산 순도비 건립)

(대가야 [고령] 합병(562))

(화랑제도 개시(576))

25. 진지왕(576)
(손자 김춘추)

26. 진평왕(579)
(체제개편
(전문 부서 설정))

(친당 고구려 견제 정책)

(倭 京都 廣隆寺 건립)
(倭에 半跏思唯像 하사
(616))
(元曉대사(613-686))
(義相대사(625-702))

28.보장왕〔642-668〕 (연개소문 집권 독재 〔642-663〕)	31.의자왕〔641-660〕 (의자왕 善政〔641-655〕)	27.선덕여왕〔632〕 (김춘추〔601-659〕 외교담당) (김유신〔633-673〕 (瞻星臺〔634〕 通道寺〔646〕)
(연개소문 김춘추에 백제와 연합. 唐 토벌 제의 결렬〔642〕)		
(고구려-백제 연합〔644〕)		(신라-唐연합〔644〕)
(안시성(양만춘)당태종 격퇴 〔645-648〕) (연개소문 왜와 연합 북방 공략) (신라와 북한산성 전투 〔661〕) (연개소문 도일〔663〕. 국가혼란) (고구려 패망〔668〕) (보장왕. 백성 20만 당나라 포로) (안시성 함락〔671〕 고구려 복원군 해산) (연개소문 도일?〔663〕 왜 天武王 등극?〔672〕)	(왕비 호족 득세. 국가 혼란 〔656-660〕) (백제 패망〔660〕) (왕. 왕자(隆) 백성 12만. 당 포로) (왕족. 관리 왜 진출. 백제촌 형성) (무왕 왕자 교기 倭 天智王 등극〔662〕) (倭 구원병 파송 백마강 참패〔663〕)	28.진덕여왕〔647〕 29.무열왕(김춘추)〔654〕 (라-唐〔소정방〕 백제 점령〔660〕) (무열왕 북한산성 전사〔661〕) 30. 문무왕〔661-681〕 (라-唐 연합군 평양점령〔668〕) (당 주둔군 완전 추방〔668-676〕) **통일신라**〔676-935〕 (통일신라 영토 대동강 이남. 만주대륙 상실)

(고구려 장군 대조영〔大祚榮: 高王〕 발해국〔渤海國〕건국〔698-926〕)
(영토: 대동강 이북과 만주와 요동(소련) 지역)

참고 : 라〔羅〕당〔唐〕 연합군에 패망한 백제와 고구려의 지도층이 왜로 진출하여 각지에 정착하면서 각자 특유의 문화를 형성한 유적〔지명과 언어〕들이 현재 일본 각지에 그대로 보존되고 있다.

지명 : 일본 관서 지방. 百濟〔구다라〕절〔寺〕, 역〔驛〕, 촌〔村〕 등.
일본 관동 지방. 高麗〔고마. 고구려〕 절〔寺〕, 역〔驛〕, 촌〔村〕 등.

언어 : 〔구다라 나이 하나시〕="백제〔구다라〕에도 없는〔나이〕 말〔하나시〕".

제4장

통일 신라 왕조 (676-918)

신라왕국이 3국을 통일하며 만주대륙의 광활한 영토를 포기하였지만 한반도의 경주를 중심으로 찬란한 불교문화를 형성함과 동시에, 일본 불교문화에도 큰 영향을 미치고 있는데 이에는 백제와 고구려의 기술 인력이 참여하였기 때문이다.

최근 남한산성 안에서 통일신라 초기의 당군 추방용 군사시설(668-678)의 큰 돌 판에서 천주교의 "天主" 의 문자가 발견되었다(조선일보 2007.11.27).

29. 태종무열왕(654)	김춘추 무열왕 등극(김유신 협조), 통일신라 기틀 확립, 羅唐 연합군 백제 공격 백제 멸망(660), 고구려군과 전투 북한산성 전사(661)
30. 문무왕(661)	평양 함락 고구려 멸망(668), 왕궁에 안압지 조성(674), 당 주둔군 추방 3국 통일 완성(676), 국토 대동강까지(만주 대륙 상실),원효 경주 芬皇寺, 義相 영주 浮石寺 건립(676), 文武大王陵(울진 앞바다)
31. 신문왕(680)	國學(국립대학) 설치(682, 경서, 역사, 수학 교육) 인재 양성
32. 효소왕(692)	설총(薛聰) 이두(吏頭) 사용, 대금(大笒) 개발 연주, 고구려 후신 발해국 창건(699-926), (唐 李太白[701-762])
33. 성덕왕(702)	唐 문화제도 도입, 유학생 파견, 金敎覺(성덕왕 동생, 중국 지장보살[719]), 혜초(704-787) 인도 순례(727), 목판인쇄(세계 최초[705], 중국[868]), 上院寺 범종(세계 최초[725]), (백제인 安萬呂 일본 古事記[712], 日本書記[720] 편집)
34. 효성왕(737)	신라촌(일본 관동) 개설 불교 포교(740), 高仙芝(고구려 후손) 당

	에서 활약(745)
35. 경덕왕(742)	金大成 불국사(751) 석굴암(757) 창건, 大學監(대학원)제도 개설
36. 혜공왕(765)	奉德寺 에밀레종 주조(771), 왕족 반란 혜공왕 피살(780), 김암(천문 兵學者) 일본 金海金氏(光仁)에 학문 전수, 일본 만엽집(萬葉集) 편집(769), (光仁) 일본왕 등극(770-현재), 光仁王 平安京(京都) 천도(794-1868)
37. 선덕왕(780)	귀족 간 파쟁에 의한 왕위 쟁탈이 49대 헌강왕까지 계속
38. 원성왕(785)	
39. 소성왕(799)	
40. 애장왕(800)	해인사 창건(802), (강화도 팔만대장경 이전[1398]), 왕 피살
41. 헌덕왕(809)	일본 九州지방에 新羅語 학교 설치(813)
42. 흥덕왕(826)	장보고 청해진(완도)서 동양 해상권 장악(828-846), 중국 산동성 등 중국 각지에 신라마을 설치
43. 희강왕(836)	민애왕 반란 희강왕 피살(838)
44. 민애왕(838)	신무왕 반정 민애왕 피살(839)
45. 신무왕(839)	
46. 문성왕(839)	장보고 반란 피살(846), 경주 전성기, 경주시 당 장안시 모방(850)
47. 헌안왕(857)	
48. 경문왕(861)	왕(당나귀 귀) 호색, 최치원 唐 太守 역임(874-888)
49. 헌강왕(875)	왕 방탕 생활(처용무, 砲石亭 유흥 등), 백성 기강 문란
50. 정강왕(886)	
51. 진성여왕(887)	여왕 음탕 생활, 민심 이탈, 헌강왕 아들 효공왕에 양위(897), 후백제(견훤왕) 발생(전주, 892-936)
52. [김]효공왕(897)	태봉국(후고구려 궁예왕) 발생(철원, 901-918)
53. [박]신덕여왕(912)	국력쇠퇴, 왕권 상실
54. [박]경명왕(917)	왕건 고려 왕국 선포(개성, 918)
55. [박]경애왕(927)	후백제 견훤왕 포석정에서 경애왕 살해, 경순왕 옹립(927)
56. [김]경순왕(935)	경순왕 개성의 왕건에 왕위 상납(935, 978 사망), 마의태자 금강산 입산(935), 마의태자 중국망명, 후손 金國(1119-1234) 창건

신라 멸망(BC56-AD935)

제5장

고려 왕조

통일신라(統一新羅, 668-918) 말기의 왕실과 국가가 혼란에 빠졌을 때, 발생한 후백제(後百濟, 견훤왕:892-933)와 태봉(泰封, 궁예왕:901-918)과 신라의 후3국(後三國)시기에(892-918), 궁예왕을 따르던 王建(877-943)이 후3국을 통일하면서, 고구려를 생각하며 高麗國을 창건하였다(918-1392). 고려 왕조의 계보와 왕들의 업적은 다음과 같다.

A. 고려 왕조의 계보

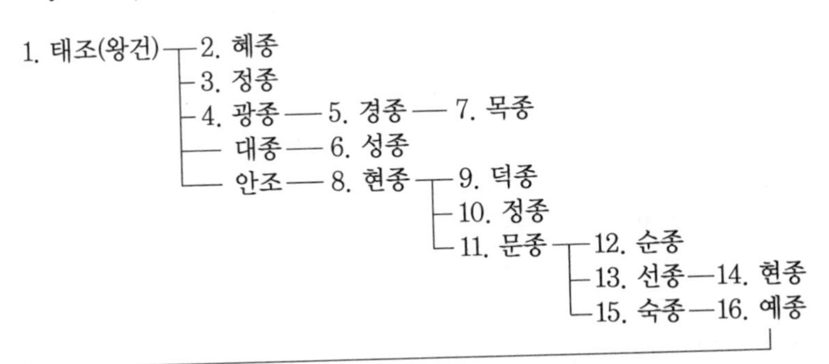

B. 왕족의 업적(918-1392)

1. 태조 (왕건, 918[41]-943, 25년, 왕비29, 자25, 녀9, 계 34명)
고려왕 등극(철원[918. 6], 연호 天授), 후삼국 통일(936)
(신라 경순왕(935), 후백제 견훤(936) 투항)
혼인정책으로 기반확립(특권층 발생 권력투쟁 원인)
북진정책(수도 개성, 西京[평양]건설)
불교권장, 정부제도 개선, 국가 안정
훈요십조(訓要十條:고려왕조의 통치이념)를 작성

4. 광종 (949[25]-975, 26년 2개월, 왕비2, 자2, 녀3, 계 5명)
개혁정치(950:노비제도 폐지, 958:과거제 도입, 960:복장제 도입, 특권층 제거), 왕권확립, 국방증강(여진, 거란 격퇴), 불교 진흥, 민심안정
국위선양(960:연호 준풍[俊豊] 사용)
송(宋[920-1120])의 귀화인 등용하여 선진문화 도입

6. 성종 (981[22]-997, 16년 3개월, 왕비3, 녀2, 계 2명)
유교사상 도입 유학교육 권장(989), 계급제(양반) 채택 충효사상 권장
과거제도로 인재등용, 왕권확립, 행정제도 개편(중앙:3성 6부, 지방:12부), 991: 宋나라에서 대장경 도입(8만 대장경 원본)
993: 서희(徐熙) 장군 거란군 80만 퇴출, 영토확장(압록강, 두만강 확보)

8. 현종 (1009[18]-1031, 22년 3개월, 왕비13, 자5, 녀8, 계 13명)
정국안정(신 인물기용), 거란족 대비 국방강화
1010: 거란침범, 왕 나주피신, 민심수습 위해 대장경 제1차 판각(1011)

1018: 거란족 격퇴(강감찬 장군[949-1032]) 화친 후 개경(개성)과 서경
(西京, 평양) 복구

1024: 묘향산 보현사(普賢寺) 건립, 사회 안정, 문화재 및 각종 서적(대
장경 등) 복원, 고려실록 편찬(1034) 국위선양

11. 문종 (1046[28]-1083, 37년 2개월, 왕비5, 자13, 녀2, 계 15명)

검소풍조 조성, 각종 법제도 개선, 왕권확립, 학문권장 인재양성, 국력신장, 불교진흥, 宋과 정식국교 선진문화 도입(거란, 여진 견제효과), 태평성대 (로마 교황 동서 분열[1054])

13. 선종 (1083[35]-1094, 10년 7개월, 왕비3, 자4, 녀3, 계 7명)

불교, 유교 균형발전(대각국사 의천 宋에 유학 천태종 창시,
불경도입 간행 송에 수출)
균형외교(송, 거란, 여진), 왜와 통상개시(1084)
문화권장, 국력신장, 국위선양

16. 예종 (1105[27]-1122, 16년 6개월, 왕비4, 자1, 녀2, 계 3명)

군비강화, 여진격퇴 함경도 확보(1107: 윤관장군, 거란, 발해 견제)
국력신장, 문화정책 신장(1109:국학강좌, 1116:학문토론장,
1117: 아악도입[송], 1119:장학제 도입)
민심안정(탐관오리 색출, 빈민구제, 민간예절 권장 등), 고려 문화 향상 (십자군 창설(1096-1270) 성지 회복 8회 노력)

17. 인종 (1122[14]-1146, 23년 6개월, 왕비4, 자5, 녀4, 계 9명)

외척 이자겸 섭정 독재, 국가 혼란, 민심 이탈

1135: 묘청의 란(묘청: 서경의 중, 서경 천도 주장)

김부식(신라왕족 후손) 평정 권력 장악

1145: 김부식(1075-1157) "삼국사기" 편찬(학자 11명 협조)

1149: 봉화통신(四火制) 제도 개시(1895년 폐지)

19. 명종 (1170[40]-1197, 27년, 왕비2, 자8, 녀2, 계 10명)

왕권상실(18대 의종의 향락과 환관정치를 제거한 武臣들 실권 장악)

무신 사이 정권 싸움, 민심이탈, 경제파탄

사회불안(文臣반란[1173-74], 시민봉기(1176), 농민봉기(1193)

1187: 고려청자 전성기

23. 고종 (1213[22]-1259, 45년 10개월, 왕비1, 자8, 녀2, 계 10명)

무신 정권장악, 거란 침입 격퇴(1216-17, 팔만대장경 제1차 판각, 1236 소실), 몽고족 팽창(징기스칸[1206-27], 元[1271-1368]) 구라파와 고려 침략, 1231-70: 몽고군 40년간 침략, 강화도 천도(1232-70), 국민 다수(여자) 납치

1234: 금속활자 발명(독:1445)

1237-51: 팔만대장경 제2차 판각(강화도, 1398 해인사 이전)

1253: 십자군 종군신부 한국을 Corea로 소개

1268: 몽고와 화의 전쟁종결

1270-73: 삼별초의 란(강화도, 진도, 제주도 애월, 대몽 항쟁 전원 순국)

1270: 개경 환도

25. 충렬왕 (1274[39]-1298, 33년 6개월, 왕비4, 자4, 녀2, 계 6명)

親元정책(충렬왕 원 공주와 결혼, 변발, 호복착용 등 원의 속국화)

친원 세력 횡포, 민심이탈

1274-1281: 고려-몽고(元) 연합군(제주도 주둔) 일본원정 실패(태풍)

1277-1281: 삼국유사 편찬(승려 一然[1206-89]), 국위선양

참고

제24대 원종(1259-74)이 왕권회복을 위하여 元을 이용하므로, 제25대 충렬왕에서 제30대 충정왕까지(1274-1351) 7명의 왕명에 忠을 달게 하며, 몽고풍습을 강요하고 여자를 보내게 하는 등의 멸시를 당했다. 元의 몰락과 明(1368-1644)의 건국으로 제31대 공민왕 때 국권을 회복하게 되었다(현재 몽고에서 한국을 '어머니의 나라' 라고 하는 사람들이 있다고 한다).

31. 공민왕 (1351[22]-1374, 22년 11개월, 왕비6, 자1, 계 1명)

국권회복 개혁정책(친원 세력제거, 몽고풍속 배격 공녀 중단, 원의 연호 폐지), 제도개선 북방 영토회복(이성계 부친 이자춘 참여)

민심안정(토지 재분배, 부정척결, 노비해방)

원[1356]과 홍건족[1359] 침입격퇴, 국경수비 강화(최영, 이성계)

1363: 문익점 원에서 목화 도입

1373: 최무선 화약무기 발명(왜구 소탕에 이용)

1365: 노국공주 사망, 공민왕 은퇴(방탕생활, 궁중 풍기 문란)

1365: 개혁파 신돈에 전권위임, 횡포 숙청(1371)

1374: 정계 혼돈, 공민왕 피살

32. 우왕 (1374[10]-1388. 13년 9개월, 왕비9, 자1, 계 1명)

왕의 신원 문제로 정국 불안(신돈의 소생?)

1376-1383: 왜구소탕(최영, 이성계 장군, 최무선 화약무기 이용)

1377: 정몽주 일본 파견 왜구소탕(대마도) 후 납치 고려인 다수 귀환, 明의 침략 대비 요동기지 확보를 위한 출병계획 (왕과 최영 주장, 이성계 반대)

1388: 이성계 출병(5만 병력), 우왕 한성천도 준비, 개경 우현보 수비

1388. 5: 이성계 압록강 위화도에서 회군, 정부군(최영)과 충돌 이성계 승리. 이성계 정권 장악, 우왕 폐위 강화도 유배(1388. 6.) 후 살해 (1389. 12. 25세)

33. 창왕 (1388[9]-1389, 1년6 개월)

이성계 창왕 옹립 후 정도전과 국가 통치, 반대파(우현보 등) 숙청.

1389. 12: 창왕 폐위 살해(10세)

34. 공양왕 (1389[45]-1392, 2년 8개월, 왕비1, 자1, 녀3, 계 4명)

1389. 12: 공양왕(제20대 선종의 7대손) 옹립, 이성계, 정몽주 공동 추대

1392. 4: 정몽주 살해, 반대파 완전 제거, 정도전 기용

1392. 7: 공양왕 폐위(고려왕조 마감[918-1392])

이성계 (1392년 7월 고려왕 등극)

왕씨 숙청제거(王씨 일가 성을 全, 玉, 田, 龍 등으로 바꿈)

1393년 2월 국호를 "朝鮮" 으로 고친 후 1394년 한양 천도

제6장

조선 왕조

고려(高麗, 918-1392) 말 화약무기(1373: 최무선 개발)를 이용하여 최영(崔瑩), 이성계(李成桂) 장군이 왜구를 소탕한 바 있었다(대마도, 1376, 1383). 그 후 명(明1368-1644)의 침입에 대비하여 파견한 이성계(1388: 5만 병력)가 압록강 위화도(威化島)에서 회군하여, 고려정권을 장악한 후 제34대 공양왕을 폐하고 등극하여(1392. 7) 조선왕조(朝鮮王朝, 1392-1910)의 시조가 되었다.

A. 조선왕조의 계보

```
1. 태조
├2. 정종
└3. 태종－4. 세종┬5. 문종－6. 단종
                 └7. 세조┬(덕종)－9. 성종┬10. 연산군
                         └8. 예종        ├11. 중종 — 12. 인종
                                         ├13. 명종(임진왜란1592-8)
                                         └ 덕흥대원군
14.선조 ───────────────────────────────────┘
├15.광해군                      ┌ 소현세자(淸 인질)
└ 원종—16. 인조(병자호란 1637)└17. 효종(청 인질)—18. 현종—19. 숙종
┌──────────────────────────────────────────────────────┘
├20. 경종           ┌22. 정조—23. 순조 — (익종) — 24. 현종
└21. 영조－사도세자─┼ 은원군 — 전계군 ────── 25. 철종(강화도령)
           (장조)   └ 은산군 — 남원군 ────── 흥선대원군┐
                                   27. 순종—26. 고종 ──┘
                                   └ (영친왕 - 구)
```

B. 왕조의 업적(1392-1910)

1. 태조 (1392[58]-98, 6년 2개월, 왕비3, 자8, 녀5, 계 13명)

1392: 태조(이성계) 등극

1393: 국호 "朝鮮"

1394: 한양 천도, 정부 제도개선, 유교정책(성균관, 향교 설치), 국권확립(정도전, 무학 협조)

1396: 천문도 작성(1,467개의 별, 세계 최초)

1398: 팔만대장경 해인사 이전, 상왕(정종 즉위)

1398-1399: 왕자의 란(정도전 피살)

1400: 태상왕(태종 즉위), 함흥 거주

1402: 귀환, 1408. 5: 사망(74세)

2. 정종 (1398[41]-1400, 2년 2개월, 왕비8, 자15, 녀8, 계 23명)

1399: 집현전 설치, 은거생활(63세 사망), 동생 이방원(태종) 정무 대행

3. 태종 (1400[33]-18, 17년 10개월, 왕비12, 자12, 녀17, 계 29명)

1400: 국가재정, 국방강화

1401: 신문고 설치(민생안정), 왕권강화, 과거제 확립, 유교권장

1403: 주자소(鑄字所) 설치 금속활자 제작

1412: 거북선 제작 倭 견제, 대외 무역공인, 明과 친선외교, 선진 문물 수입, 국가안정

4. 세종 (1418[21]-50, 31년 6개월, 왕비6, 자18, 녀4, 계 22명)

1419: 대마도 정벌 왜구소탕

1421: 집현전 개편 학자양성 활용

1431: 해시계 제작

1433: 북방 6진 개척(김종서 장군)

1434: 물시계(自擊漏) 제작(장영실), 금속활자(甲寅字) 제작

1441: 측우기 발명

1442: 칠정산(七政算:서울 기준 천문계산법) 완성(1643년 일본에 전수)

1446: 훈민정음 자체 개발 선포, 국위선양

1442-50: 건강관계로 세자(문종) 섭정

5. 문종 (1450[37]-52, 2년 3개월, 왕비3, 자1, 녀2, 계 3명)

학문 권장, 개방정책, 유교사상 확립, 고려사, 동국병감 등 편찬

6. 단종 (1452[12]-55, 3년 2개월, 왕비1, 자녀 없음)

1453: 계유정란(수양대군 실권 장악)

1455: 상왕(수양대군 세조등극)

1457. 10: 영월 유배 피살(17세)

7. 세조 (1455[39]-68, 13년 3개월, 왕비2, 자4, 녀1, 계 5명)

1456: 사육신의 변, 관제 개혁, 왕권 강화, 불교 숭상, 법전 등 편찬, 민생안전 노력

(1455: 독일 금속활자 발명, 고려 1234년 발명)

8. 예종 (1468[19]-69, 1년 6개월, 왕비2, 자2, 녀1, 계 3명)

모친 정희왕후 윤씨 섭정, 민생 안정

9. 성종 (1469[13]-95, 25년 1개월, 왕비12, 자16, 녀12, 계 28명)

왕권확립, 유교권장(윤리확립), 권농 경제안정
학자우대(홍문관, 독서당 설치), 국위선양
1476: 동국통감(역사)
1481: 동국여지승람(지리)
1478: 동문선(문학)
1493: 악학(음악) 등 편찬, 변방 토벌(압록강, 두만강, 왜구) 국토안정,
태평성대, 궁내 퇴폐풍조 창궐
1479: 연산군 모친 윤씨 폐비 후 사사(1482)
(1492: 콜럼버스 미 대륙 발견)

10. 연산군 (1494[19]-1506, 11년 9개월, 왕비2, 자4, 녀2, 계 6명)
1498: 무오사화(戊午史禍, 학자[史官, 김일순] 숙청), 방탕생활
1504: 갑자사화(甲子士禍, 모친에 대한 복수), 폭정, 폐위
이황(이滉 퇴계) 출생(1501-1570)

11. 중종 (1506[19]-44, 38년 2개월, 왕비10, 자9, 녀10, 계 20명)
왕권회복 노력(분파 조절), 유교 권장, 학자기용, 민생 안정
1519: 기묘사화(보수, 진보 양파 대립, 당쟁 시작), 황진이 활약
(1506-1610: 로마 교황청 신축, 1517: 종교개혁, 1540: 현재의
예루살렘 성 완성, 1543: 지동설 주장, 일본 소총도입 생산)

12. 인종 (1544[31]-45, 9개월, 왕비2, 자녀 없음)
계모 문정왕후 윤씨의 박해로 왕 단명
1545: 을사사화(외가, 처가 몰락), 이이(이珥 율곡) 출생(1536-1584)
(1549: 일본 천주교 도입, 1614: 천주교 금교령)

13. 명종 (1545[12]-67, 22년, 왕비1, 자1, 계 1명)

모친 문정왕후 윤씨와 외척 권력 장악, 민생 도탄

1555: 을묘왜변(일본 침략, 정부 대비 소홀)

이항복 출생(1556-1618), 임꺽정 활약(1560-63)

(1588: 영국 스페인 해군 격파, 1600: 영국 인도 침략)

14. 선조 (1567[16]-1608, 40년 7개월, 왕비8, 자14, 녀11, 계 25명)

왕권회복 노력, 붕당(東, 西人) 정치 시작(당파의 계보 참조), 민심해이

1592-97: 임진왜란(왕 의주 몽진, 많은 국민과 인재 납치, 당쟁 계속)

이순신 장군 거북선 왜군 격퇴, 이율곡, 이항복, 정철, 한석봉 등 활약

1607-1811: 일본과 선린외교(通信使[500명 규모] 12회 파견)

15. 광해군 (1608[34]-23, 15년 1개월, 왕비2, 자1, 녀1, 계 2명)

왕권 확립(大北派 지원)과 임진왜란 후유증 제거 민생 안정 진력

明(1368-1644), 淸(1636-1912)과 중립외교

1623: 인조반정(반대파[西人 중심]에 의하여 폐위)

18년간 유배생활(67세 사망, 제주도), 홍길동전(허균)

1610: 허준 동의보감 완성

(1620: 영국 청교도 미국 상륙)

16. 인조 (1623[29]-49, 26년 4개월, 왕비3, 자6, 녀1, 계 7명)

왕권 회복 노력, 당파 상호숙청, 사회 혼란

1624: 이괄(평양 병사)의 난, 국력 소모

1627: 정묘호란(강화도 피란)

1631: 정두원 중국서 망원경 도입

1637: 병자호란(왕자[소현, 효종]와 여자 50만 포로)

1643: 일본에 달력계산법 전수(통신사 박안기)

소현세자 청국 북경에서 신학문과 천주교 연구(1645: 귀국 사망)

17. 효종 (1649[31]-59, 10년, 왕비2, 자1, 녀7, 계 8명)

인질에서 귀환 즉위, 친청파 숙청, 북벌 정책

군비강화 및 영장제도 채택, 러시아군 격퇴

1627: 화란인 박연 귀화(대포 등 신무기 개발)

1653: 화란인 하멜 제주도 표류 탈출(하멜 표류기 작성)

1659: 효종 북벌 실현 못하고 41세 사망

18. 현종 (1659[18]-74, 15년 3개월, 왕비1, 자1, 녀3, 계 4명)

태평 시기

1669: 중력식 시계 제작, 당쟁(동인과 서인) 치열 연속

서구학문 연구 실학(實學) 서학(西學) 학자 발생

(1665: 뉴톤의 만유인력 발견)

19. 숙종 (1674[14]-1720, 45년 10개월, 왕비6, 자3, 녀6, 계 9명)

당파 분열(동인[남인 과 북인], 서인[노론 과 소론])

당파 3회 숙청(1680. 89. 94) 사회 혼란

왕권 확립 노력, 궁중혼란, 인현왕후 민씨 폐비(1689) 복위(1694)

1701: 장희빈 사사

1712: 백두산에 경계비 설치 - 압록강 토문강 동편 한국 땅

20. 경종 (1720[33]-24, 4년 2개월, 왕비2, 자녀 없음)

모친 장희빈의 저주로 불구자 됨, 당쟁 치열 계속

21. 영조 (1724[31]-76, 51년 7개월, 왕비6, 자2, 녀7, 계 9명)
당파 조절 숙청, 왕권 및 국방확립(무기 개발), 학문 권장, 민생 안정
1760: 홍대영 지동설 주장
1762: 사도세자(벽파 시파 당쟁 희생)
1763: 고구마 도입(일본에서)
(1749: 피뢰침 발명[미국], 1769: 증기기관 발명, 산업혁명 시작[영국])

22. 정조 (1776[25]-1800, 24년 3개월, 왕비3, 자2, 녀1, 계 3명)
1776: 문화 정치, 규장각 설치, 학자(실학자) 양성
1780: 박지원(노론 벽파) 열하일기
1784: 이승훈(남인) 북경서 영세, 천주교 자생
1796: 수원성 축성(정약용[남인], 기중기 사용)
1800: 천주교 신자(남인) 1만 명, 정약용 목민심서 다산총서 저술
(1776: 미국 독립선언, 1785: 쿨롬의 전기인력 법칙, 1789: 프랑스 인권혁명)

23. 순조 (1800[11]-34, 34년 4개월, 왕비2, 자1, 녀5, 계 5명)
1800-04: 영조 계비 정순왕후(벽파) 수렴청정
천주교(남인) 박해(신유[1801], 을해[15], 기해[39], 병오[46])
1804-63: 안동 김씨 60년 세도정치 시작, 민심 이탈
1811: 홍경래(평안도)의 난
1821: 전염병 창궐
1827-30: 효명세자 대리청정(학문발전에 전심 저술에 힘씀)
(1800: 전지 발명, 1814: 증기 기관차 제작, 1820: 전류의 자기작용 발견)

24. 헌종 (1834[8]-49, 14년 7개월, 왕비3, 녀1, 계 1명)

1834-40: 순조왕비 순원왕후(김씨) 수렴청정

세도간(김씨와 외척 조씨) 정권 투쟁, 국정과 민심 혼란

사회 질서(봉건제도) 붕괴, 서북지방 인재 차별 철폐

1839; 기해박해(천주교인 및 프랑스 신부 순교)

1845: 프랑스 군함 3척 시위

1846: 김대건 신부 순교(새남터)

국제정세(미국 프랑스 개방요구) 무관심 권력다툼 계속

(1837: 유선전신 개발[미국 Morse], 1840-2: 중국 아편전쟁, 영국 홍콩 차관)

25. 철종 (1849[19]-63, 14년 6개월, 왕비8, 녀1, 계 1명)

강화도령 철종(농부) 즉위, 안동 김씨 세도절정

왕권 상실 방탕 생활, 민생도탄, 민란 연발

1860: 동학(천도교 최재우) 발생

1861: 대동여지도(대마도 포함) 작성(김정호)

(1861: 미국 남북전쟁, 1863: 링컨 노예해방)

26. 고종 (1863[12]-1907, 43년 7개월, 왕비7, 자6, 녀1, 계 7명)

1863-73: 대원군 섭정, 안동 김씨 세도 숙청, 구제도 개선. 법질서 확립, 민심 수습, 쇄국 정책, 경복궁 재건, 민심 이탈

1866: 미국 상선 셔먼호 평양 대동강 진입(토마스 목사 순교)

1866-72: 천주교 박해(프랑스 신부 9명 등 8천명 순교)

1866,71: 병인, 신미양요(프랑스, 미국함대 침범)

1873: 고종 정권 인수

1876: 한일 국교(개화 시작)

1882: 전신기 도입, 한미 국교

1884: 개신교 도입

1884. 3. 17: 우정국 개국(안국동, 갑신정변)

1887: 전기조명(경복궁 향원정)

1894: 동학 혁명, 청일 전쟁, 일본세력 강화, 친일파(이완용) 득세 횡포

1895: 명성황후 시해(일본 공사 주동)

1896: 전화개통(궁중-행정부)

1897: 대한제국 선포 황제 등극(光武)

1898: 명동서당 준공

1899: 전차 개통(서대문-홍릉), 경인 철도 개통

1900. 4. 10: 민간 전등(종로, 야간 전차표 판매용)

1904: 경부선 개통, 노일전쟁

1905: 을사늑약(국권 상실), 통감부 설치

1907. 6: 밀사(이준) 파견

1907. 7. 20: 고조황제 강제 퇴위 태황제

1919. 1. 21: 사망(68세, 독살?), 3월 3일 국장

(1868: 일본 명치유신, 1876: 에디슨 전구 발명, 1903: 비행기 비행)

27. 순종 (1907[34]-1910, 3년 1개월, 왕비2, 자녀 없음)

1907: 일제에 의한 황제 즉위(隆熙), 동생 영친왕(11세) 황태자 책봉, 일본 인질

1909. 10. 26: 안중근(32세) 의거

1910. 3. 26: 안중근 순국

1910. 8. 29: 폐위(한일 합방) 창덕궁 거주

1919. 3. 1: 3·1독립만세(파고다 공원)

1926. 4. 25: 사망(53세)

1926. 6. 10: 국상(6.10 만세 운동)

(조선왕조 건국 519년[1392-1910] 만에 끝맺음)

참고: 조선 왕조 당파의 발생과 분파

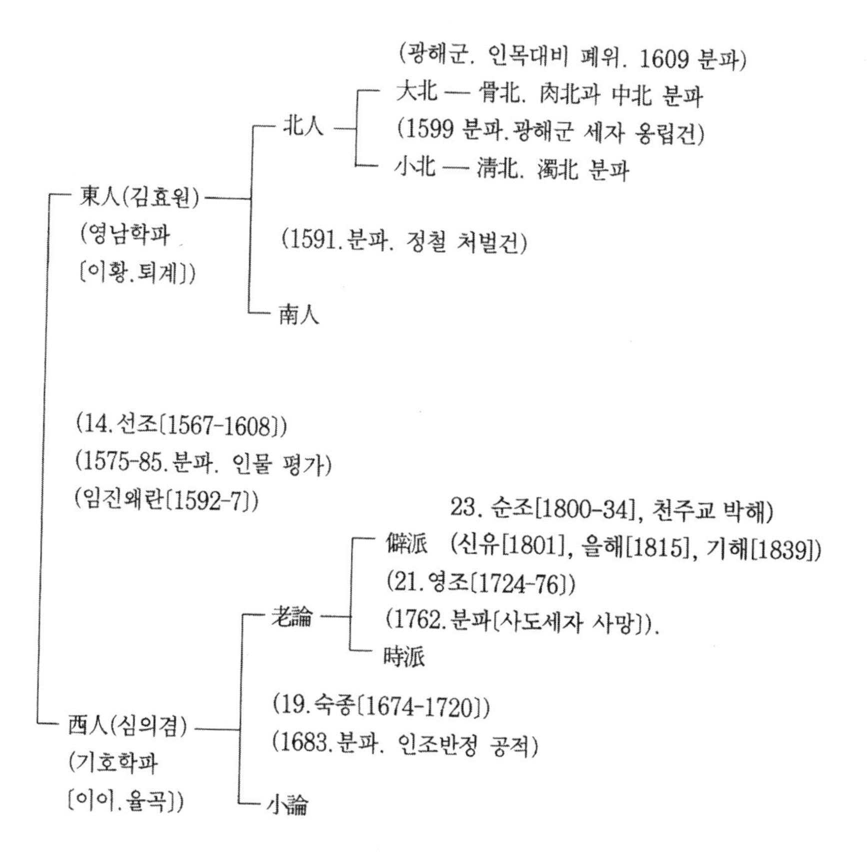

제7장

3.1절의 회고

(제82회 3.1절, 2001.3.1)
내가 5살 때인 1919년 3월초의 어느 날 평양경찰서 방향으로 진행하는 대한독립만세 대열을 따라, 조모님 손잡고 만세 부르며 따라갈 때 말 탄 순사가 노려보던 모습, 경찰서에 잡혀간 평양 유지들의 피 묻은 옷을 가족들에게 내준 것에 분노하시던 조부님의 모습, 그리고 3.1운동 직전 서울 이화학당에 유학중인 고모님과 그의 친구인 여학생들이, 서울에서 연락 차 내려와 나의 집 만장에 모여 무엇인가 상의하다 밤에 외출할 때, 경찰의 감시를 피하기 위하여 나를 업고 다니던 일 등이 아직도 기억에 생생하다.

제82회 3.1절을 맞이하여 대한독립만세 사건의 배경으로 임진왜란과 병자호란과 명성황후 시해사건, 그리고 3.1운동에 대한 여러 가지 사건을 정리해 보았다.

유비무환(有備無患) 무비유환(無備有患)

1. 임진왜란(1592-97) - 선조(1567-1608)

임진왜란 약 50년 전(1543) 포르투갈에서 소총(부싯돌총)을 도입한 왜국은 이 소총 약 3천정을 제작한 후 대륙진출을 꿈꾸며 임진왜란을 일으켰다.

조선왕국은 전 국토가 큰 피해를 받으며 동시에, 많은 기술자(도자기)들이 포로로 잡혀가 왜국을 도자기로 부강하게 해주었다.

조선 왕조는 전쟁이 끝난 후 소총에 대한 연구 없이 무과(武科) 시험에 활 쏘는 것만 권장하였다. 그리고 왜구들을 달래기 위하여 약 200년에 걸쳐(1607-1811) 통신사(通信使, 약 500명의 학자와 각 분야 전문가와 물자)를 12번 파송하며 문화를 전해주었다.

우리가 문을 걸어 잠그고 내일을 위한 계획보다 당쟁을 계속하는 동안, 주변국(왜국:1549, 중국:1557 천주교 도입)은 서구의 과학문화를 도입하며 발전을 거듭하고 있었다.

2. 병자호란(1637) - 인조(1623-1649)

1627: 화란인 박연이 귀화하여 대포 등 신무기를 전수하였다.

1631: 정두원(鄭斗源 사신)이 북경서 과학기재와 소총(수발총)을 도입하였으나 채택이 거부되었다.

중국의 명나라(1368-1644)가 몰락하고 청나라(1636-1911)가 일어날 때, 명나라를 지지하다 청 태조의 침공으로(병자호란 1637) 인조대왕(1623-49)이 남한산성으로 피신하였다가, 오늘의 잠실 롯데월드 부근에서 9번 절하는 수모를 당하였다. 이 때 왕자(소현, 봉림[효종])와 50만 명의 여자가 인질로 끌려가며, 청나라의 정치 간섭을 1894년(청일전쟁)까지 받게 되었다. 그때 소현세자는 북경에서 8년간 체류하며 마카오(1557-1999)를 통하여 진출한, 독일신부(Adam Schall)로부터 신학문의 많은 자료를 도입하였지만 활용하지 못하고 사망하였다(1645).

한편 인질에서 풀려나 귀향하는 환향녀(還鄕女)들을 국가에서 보호해 주었다.

3. 명성황후

(1851[출생]-1866[왕비]-1873[집권]-1895[시해])

청일전쟁(1894)의 승리로 득세한 일본을 친로정책으로 견제하려는 명성황후를 왜인들이 무참히 시해(弑害)하였다(1895.8.20). 이때 궁내대신 이경식(李耕植)이 항거하다 피살되어, 고종황제가 그의 충절을 생각하며 지금의 신라호텔에 장충단(奬忠檀)을 세웠다. 후에 왜인들에 의하여 안중근에 의해 피살된 이등박문의 박문신사(博文神社)로 개조되었다가 해방 후 장충공원이 되었다.

그 당시 경복궁의 수문장 우범선(禹範善)이 왜인과 연루되어 왜국으로 망명한 후, 출생한 우장춘(禹長春, 1898.4.8-1959.8.10)박사가 해방 후 귀국하여(1950.3.8), 우리나라 식량의 주요 부분인 채소의 종자, 제주도 귤, 강원도 감자, 벼 개량 등의 식량문제 해결에 공헌한 바 있다.

3.1운동의 배경

1876: 한일국교.

1894:청일전쟁.

1895.8.20: 명성황후 시해.

1904: 노일전쟁.

1905: 일본 제국 서울에 통감부 설치.

1907.7.20: 고종황제 강제 퇴위(이상설, 이준, 이위종 밀사 파견으로).

1907.8: 대한제국 군대 강제해산

1909.10.26: 안중근 의사(32세) 의거. 순국(1910.3.26).

1910.8.29: 조선왕조 종말(국치일. 1392-1910).

1910.10.1: 조선총독부 설치. 일본 식민지.

1914.6.28-1918.11.11: 제1차 세계 대전. 미국 윌슨 대통령 민족자결 선언.

1919.1.21 고종황제 붕어(암살? 68세). 3월3일 국장.

1919.2.8: 독립선언(조선청년독립단. 재일유학생대표 10명), 일본동경 조선YMCA. 27명 구속.

1919.2.16: 이승만 미국 윌슨 대통령에 위임통치 청원.

1919.3.1: 독립선언(태화관. 민족대표 33인). 대한독립만세(탑골공원. 전국 각지)

1919.3.15: 제암리 교회 방화 학살(29명).

1919.4.13: 상해 대한민국 임시정부 수립(의장 이동녕. 국무총리 이승만), (1919.4. 인도 간디 비폭력 불복종 운동 시작).

1919.5.2: 독립청원서 제출(베르사유 회의. 해외 유지).

1919.5.25: 도산 안창호 상해 임시정부 내무총장 취임.

1919.9.11: 상해 임시정부 대통령제 채택. 이승만 대통령 추대.

만세 사건 희생자(1921 현재)

참가자 223만 명. 사망 6,670명. 부상14,600명. 투옥 52,730명

(전체인구 1,700만 명)

경찰서 습격: 91회, 왜군과 교전: 국내 87회, 만주 73 회

(참고 문헌 "나의 조국[우장춘박사]". 저자 角田房子)

제8장

우리 민족과 기독교

우리 민족은 단군 시대부터 조선 중기까지 기독교와 인연을 가질 수 있어, 보다 크게 발전할 기회가 많았지만 이를 받아들이지 못하였다. 그러다 임진왜란(1592-7)과 병자호란(1637) 등을 통하여, 외부와 접촉하며 일부 학자들이 서구의 신학문에 관심을 가지기 시작하였다. 그 결과 1784년에 천주교가 1884년에 개신교가 도입되어 기독교와 깊은 인연을 맺게 되었다.

우리 민족이 기독교와 접하여 발전할 수 있었던 과정을 기독교의 발생과 우리나라 각 왕조의 시대별로 정리해보기로 한다.

1. 통일신라시대(676-918)

신라 왕족 김춘추(601-661)가 3국 통일을 위하여 640년경부터 그의 아들(문무왕)과 당나라(唐, 618-907)에 여러 번 왕래한 바 있다. 그 당시 당나라에는 이미 페르샤 신부에 의해 천주교(景教: 당 태종[626-649])가 도입되어, 성당을 파사사(波斯寺)라 하며 약 200년간 번창하였다(638-850).

따라서 통일신라 태조 무열왕(675-661)인 김춘추가 천주교의 영향을 받아, 통일신라 초기에 건축된 경주 불국사(佛國寺, 751)와 금강산의 장안사(長安寺)에서, 돌 십자가가 발견(1917년)된 것으로 추측하고 있다(숭실대학교 기독교 박물관 소장).

2. 고려시대(918-1392)

이스라엘 성지가 이슬람교에 의하여 점령된(638) 후 성지탈환을 위한 십자군을 구성하여, 약 200년간(1096-1270) 성지탈환을 시도한바 있다. 그때 원나라(1206-1368)의 몽고군이 구라파에 진격하여 성지를 회복하므로(1252-58) 성지순례가 가능하게 되었다. 이때 몽고를 방문한 종군신부(Guillaume de Rubruc)가 몽고군을 따라 압록강까지 왔다가 우리나라를 "Corea" 로 세계에 소개하였다(1253).

3. 조선시대(1392-1910)

a. 임진왜란(1592-97)

왜군이 한반도를 침략하였을 때 왜국에 와있던 신부(Gregorio de Cespedes, 1549 천주교 도입)가 동행하였지만(1593), 우리 국민과의 접촉이 불가능하여 선교의 기회를 갖지 못했다. 그러나 임진왜란 후 왜국에서 천주교를 박해할 때(1614년) 많은 순교자가 발생하였는데, 후에 교황이 인정한 그때의 순교자 205명중에는 포로로 끌려간 조선사람 21명이 포함되어있다고 한다.

참고 1:

일본은 1543년 포르투갈에서 소총(火繩銃, 부싯돌 총)을 도입한 후 자체 생산한 약 3,000정의 소총을 갖고 임진왜란을 일으켰다. 그리고 일본은 1549년에 스페인 신부Fransisco Savier를 통하여 천주교와 새로운 과학문화를 받아들이며 개화의 길을 열었다. 그러나 임진왜란 후 천주교를 탄압하며 신도를 처형하고(26명, 1597. 2. 5, 長崎), 천주교에 대한 금교령(禁教令, 1614. 1. 27)을 내림과 동시에 외국 선교사 전원(115명)을 포르투갈이 개척한 마카오(1557-1999)로 추방하였다.

이때 포르투갈 신부(Luis Frois, 1532-97)가 마카오에서 작성한 '일본사(日本史) 중에, 임진왜란에서 조선 민족이 당한 참상에 대하여 상세히 기록하고 있다(포르투갈 신부가 본 임진왜란 초기의 한국, 주한 포르투갈 문화원 발행).

참고 2:

마카오를 경유한 신부(예수회)들이 중국에서 서양역법과 천주교를 전파하기 시작할 때(1582년), 중국의 조상제사에 대한 고유문화를 인정하는 "적응주의 선교"(適應主義 宣教)로 많은 신자가 생겨났다. 그러나 1742년부터 교황이 조상에 대한 제사를 금하므로 조선에 천주교가 도입되었을 때(1784), 조상에 대한 제사 문제로 많은 순교자가 발생하였다.

b. 외국과의 접촉

(1) 포르투갈 상인(Joan Mendes): 1604년 충무에서 체포 4개월 후 추방함.

(2) 화란인 박연(Weltvree)등 3명: 1627년 왜국으로 행하다 풍랑으로 경주에 상륙하여 귀화 후 대포등 신무기를 전수하였다.

(3) 정두원(鄭斗源): 사신으로 명나라 북경에 가서 포르투갈 신부 육약한(陸若漢, Joao Rodrigues, 1561-1633)과 접촉하며, 망원경, 소총(燧發銃), 자명종, 화약 등과 많은 과학과 천주교서적을 인조대왕(16대, 1623-49)께 헌납한바 있다. 그러나 이들은 활용되지 못하고 임진왜란 때의 소총(화승총)만 강계포수들이 이용하였다.

(4) 하멜 표류기: 1653년 화란인 30명이 폭풍으로 제주도 남서부 모

슬포 해안 산방산 용머리에 상륙하여 약 14년간 거주하다, 탈출한 후 "하멜 표류기"를 작성하여(1688) 우리나라를 외국에 소개한바 있다(현재 하멜 기념비가 서있음).

이와 같이 외부 세계와의 접촉으로 새로운 과학문화와 기독교를 받아들일 기회가 여러 번 있었지만, 이를 국가적 차원에서 금하여 일부 학자들의 관심을 끌기만 하였다.

c. 병자호란(1637)

명나라(1368-1644)가 몰락하고 청나라(1636-1911)가 홍할 때 명나라를 지지하다, 청 태조의 침공으로(1637) 남한산성에 피신한 인조대왕(1623-49)이 큰 치욕을 당했다. 그때 인질로(소현, 봉현[효종]왕자, 여자 50만) 끌려간 소현세자가 북경에 체류하는 8년 동안(1637-45), 독일 신부(Adam Schall 요한)로부터 천주교와 서양의 새로운 학문에 접촉하고, 서양문화에 관한 많은 서적을 가지고 귀국하였지만 뜻을 펴지 못하고 사망하였다(1645).

이때 도입된 과학기술의 서적이 후에 실학자 정약용(1762-1836)에 의하여 활용되어(기중기) 수원성 축성(1792)에 이용되고 있다.

d. 실학파 발생

임진왜란과 병자호란 등 외부와의 접촉에서 도입된 서적 등으로, 일부 학자들이 서구의 새로운 학문을 연구하는 학풍이 발생하였다(實學, 西學[서학파:천주학, 북학파:자연과학]). 그중 많은 학자들이(이수광[李粹光 1563-1628], 이벽[李蘗 1780년 대] 등) 천주교에 큰 관심을 갖고 연구를 시작하게 되었다. 따라서 이러한 서학파 학자들이 진리

탐구에 정성을 기울인 약 100년 동안을 천주교의 대림시기로 볼 수 있겠다.

e. 천주교 도입(1784)

실학자 이승훈(李承薰 1756-1801)이 이벽의 권고로 북경에 가서 조선사람 최초로 천주교 영세를 받고(1784), 귀국하여 12명의 학자들이(이벽, 권철신, 권일신, 권상학, 정약전, 정약종, 정약용, 이가환, 최인길, 김종교, 최상현, 김병우) 입교하므로, 외국 선교사의 도움 없이 자생적으로 천주교가 발생하여 남인(南人)계의 신도가 1만 명에 이르기도 하였다(1800).

그러나 당파싸움에(노론[老論] 벽파[僻派]의 득세) 의한 남인계 신도들에 대한 박해로(신유[1801], 을해[1815], 기해[1839], 병오[1846]), 많은 순교자를 내며 우수한 선각자들이 희생되었다. 특히 한국 최초의 신부 김대건(金大建[1821. 8. 21생], 마카오에 유학하여 신부서품[1837-1845. 8. 17])의 순교(1846. 9. 16)와, 병인양요(1866: 불란서 군대 강화도 침공 약탈)와 대원군(1863-73)에 의한 박해(병인[1866])를 겪기도 하였다.

그러나 천주교는 선교 초기 많은 박해를 받으면서도(약 8,000명 순교) 꾸준히 전파되어, 현재 전국에 약 1,000개의 성당과 400만 명의 신도를 보유하고 있다. 그리고 많은 교육기관에서 인재를 양성하며 방대한 조직을 통하여 사회정화와 이방선교에 헌신하고 있다.

f. 개신교 도입(1884)

1866년 여름 장마철 평양 대동강으로 올라온 미국상선 셔먼호가 공격을 받으며, 불타므로 토마스목사가 순교하여 기독교가 도래하지 못하였다(대동강 하류에 토마스 목사 기념교회가 서있음). 그 후 1882년 한미국교가 이루어진 다음 1884년 미국선교사들에 의하여 개신교(감리교와 장로교)가 도입되며 신자들이 급격히 증가하였다.

개신교는 우리나라 개화에 큰 몫을 담당하며 많은 인재를 양성하여 오늘의 기독교 국가를 이룩하게 되었다. 현재 60여 교단에 약 5만개의 교회(서울: 9천 교회)와 전체 신도 약 1,200만 명이다. 그리고 현재 약 2만 명의 선교사가 170 여 국가에 진출하여 세계 두 번째의 이방선교 국가로 성장하며, 주님께서 땅끝까지 선교하라고 하신 말씀에 정성을 다하고 있다(행 13:47).

제9장

우리 역사 탐방

우리나라 반만년 역사를 중국과 대비하여 우리민족의 자주성을 확인하고자 다음 표의 “우리 역사 탐방”을 작성하여 우리민족의 각 시대의 민족성 특징을 정리하여, 최근 중국이 우리 역사를 왜곡하려는 동북공정에 대한 참고 자료가 되기 바란다.

고조선과 고인돌 : 전 세계 고인돌[支石墓] 7만기 중 4만기가 한반도에, 중국 요령지역에 300기, 일본 구주에 600기가 분포되어 있다. 그리고 한반도에는 전라도에 2만기, 평안도에 1.4만기가 있으며 중국대륙에서는 발견되지 않고 있다. 고인돌 덮개돌에 새겨진 홈의 분포가 대동강 유역의 것은 BC2300년, 충주 지역의 것은 BC500년의 그 곳의 별자리임이 확인되고 있다(한국과학사 학회지 23호 참조).

그리고 고인돌 밑에서 발굴된 우리고유의 비파형 동검 등으로 볼 때 우리의 고조선은 중국 요령과 일본 구주를 영토로 갖는 우리고유의 문화 대국이었음을 알 수 있다.

고구려가 군사대국으로 705년간 통치하는 동안(BC37-AD668) 중국은 32개의 나라들이 350년간의 전국시기를(AD220-581) 지나, 수나라가 통일하였지만 고구려의 을지문덕 장군에 의하여 패망하고, 당나라 태종(626-649)도 고구려의 연개소문과 싸우다 “고구려를 침범하지 말라”는 유언을 남기고 사망하였다. 따라서 고구려가 중국의 소수민족이란 있을 수 없는 주장이다. 고구려는 그들이 남긴 유적들로 보아 독자적 문화를 갖는 군사대국이었음을 알 수 있다.

신라가 당나라의 도움으로 백제와 고구려를 각각 점령한 후(660, 668) 그들의 기술자들을 활용하여 경주의 많은 문화재를 건축하여 오늘에 이르고 있다.

[첨성대(634), 통도사(646), 안압지(674), 상원사 범종(725), 불국사(751), 석굴암(757), 일본 나라 동대사(758), 봉덕사 에밀레종(771) 등]

고려 왕건 태조는 고구려의 복원을 목표로 황폐한 평양성을 개축하며 발해국 유민을 끌어들인 후 평양을 서경(西京)으로 격상시키고 왕이 1년에 백일간 행차하도록 하였다.

몽고 징기스칸의 출현으로(1206-27) 원나라가 팽창하며 고려를 침범하여(1231-70) 강화도로 천도하여(1232-70) 팔만대장경을 판각하였지만(1237-51) 제25대 충렬왕(1274-98)부터 친원 정책을 채택하였다.

조선왕조 제4대 세종대왕(1418-50)의 큰 업적으로 우리에게 큰 도움을 주고 있지만, 제14대 선조(1567-1608) 때 발생한 東人(영남파)과 西人(기호파)의 당파가(1575) 1910년까지 약 20파로 분파되며 당쟁이 계속하는 동안, 일찍부터 서구문화를 받아들인 일본과 중국의 침략으로[임진왜란(1592), 병자호란(1637), 청일전쟁(1884), 노일전쟁(1904)] 우리나라가 쇠퇴하여 외국의 침략을 받게 되었고 지금도 우리역사와 독도 등을 엿보고 있다.

우리는 사도 바울이 말한 대로 뒤에 있는 것을 잊고 앞에 있는 목표를 향하여 다같이 달려감으로(빌 3:12-14) 번영의 우리나라를 이룩하여야겠다.

우리 역사 탐방

[한국]

[고조선 자주 문화 대국]

BC2333 ---------- 단군 고조선[홍익인간. 단군능 평양부근] ----------

[고인돌. 전 세계 7만기 중 한반도 4만기(평안1.4만, 전남2만)]

[천문관측. BC2300. 500. 비파형 동검]

[중국]

BC2700---황[黃]---2357---요[堯]---2255---순[舜]---2205---하[夏]---1766---상[商]----BC1400

[노아 BC3000. 바벨탑 BC2500] [아브라함 BC2000] [청동기문화]

==

[한국]

[예맥.부여(북.동.졸본).조선.옥저.마한.변한.진한 등] 신라 BC57[경주] 백제 BC17[하남]

------------BC1138----------열국시기[20국]-------------------BC37----고구려

[북부여 해모수-주몽=동명성왕.BC37-20]

[기자조선 BC1122-195] [위만조선 BC195-108]

[한사군.낙낭 BC108-AD313]

[중국]

[제.연.진.초.한.조.위 등]

BC1400--은[殷]--1122--주[周]--770--춘추전국시기[20국]--249--진[秦]--BC206---[전]한[漢][후]--

[갑골문자] [철기문화] [공자 BC551-479] [만리장성] [불교 BC2] [종이 AD105]

[출애굽 BC1280-40. 다윗 왕 BC1004-962] [석가 BC544-460][소크라데스 BC469-399] [예수 AD0-33]

==

[한국] [고구려 독자 문화 대국]

[백제 공주475.부여538천도]

[불교372.전등사381]

[국내성 AD3] [평양천도 392.427.586]

[660 백제패망]

[698---발해---926]

[당군추방 676]

BC37------------------고구려-----------------AD668----통일신라----935--고려

6.태조[AD53-145.천문관측]

26.영양왕[590-618]. 28.보장왕[642-668]

[마의태자]

19.광개토대왕[391-412]

을지문덕. 연개소문[630-665]

장보고[828-846]

20.장수왕[412-491]

[광개토대왕비 414]

[644 고백연합]

[중국]

[644 나당연합.김춘추(무열왕)]

한[漢]--AD220--전국시기[32국]--581---수[隋]---618-----당[唐]-----907---[16국]---960---송[宋]--

[삼국지]

[당태종 626-649] [경교 638-850]

[금 1115-1234]

[마호멧 570-622(이스람교)-630]

==

[한국]

[1575 당파. 1590 왜탐방. 동(x)서(0)]

[임진왜란 1592-97]

-----고려-----1392-----조선----------1905--일본침략--1945[남북분단]---대한민국

[몽고침략 1231-70]

[병자호란 1637] [청일전쟁 1894]

[팔만대장경 1237-51]

[천주교 1784] [노일전쟁 1904]

[금속활자 1232]

[개신교 1883]

[이슬람교 1951]

[COREA 1253]

[백두산경계비 1712.1909]

[KOREA]

[중국]

[동북공정 2002]

---1271--원[元]---1368---명[明]---1636----청[淸]----1912---중화민국----1949---중화인민공화국

[징기스칸 1206-27]

[천주교도입 1582] [개신교도입 1830]

[서남공정 1986]

[종교개혁 1517]

[참고: 동양삼국역사도표. 이상시]

부록

성서 연대 비교

성서에 나오는 여러 사건에 대한 연대가 문헌에 따라 차이가 있어, 참고로 다음 문헌들의 각 연대를 비교하여 보았다. 본서에서는 (a)의 연대를 기준으로 채택하였다.

(a) 聖書時代史. 일본 교문관 발행. 1992

(b) 에이스 성경. 종로출판 발행. 1996

(c) 이스라엘의 歷史. John Bright. 김윤주 번역. 분도출판사. 1978

구약성서 연대 비교

사건	성서 역사 (a)	에이스 성서 (b)	이스라엘 역사 (c)
애굽 기착	B.C.1700-1280	1876-1446	1690-1290
출애굽	1280-1240	1446-1405	1290-1250
가나안 입주	1240-1233	1405	1250-1200
사사 시기	1233-1012	1390-1050	1200-1020
사무엘 활동	1035-975	1091-1017	—
사울왕	1012-1004	1050-1010	1020-1000
다윗왕	1004-965	1010-970	1000-961
솔로몬왕	965-926	970-930	961-922
유다 왕국	926-587	930-587	922-587
이스라엘 왕국	926-722	930-722	922-722

맺음말

다시 책상 앞에 돌아와 책을 마무리하려니 지난 2차 증보판 때 마무리 글로 썼던 성경의 글귀가 귓전을 때린다.

"다만 나는 뒤에 있는 것을 잊고 앞에 있는 것만 바라보면서 목표를 향하여 달려갈 뿐입니다." (빌립보서 3:13)

이 말씀이 나에게 이루어지기를 간절히 기원하였는데, 나이가 들어가니 앞의 일보다는 확실히 지나온 길이 신경이 쓰인다. 증보판을 매만지는 내내 이 책을 하나님 마음에 흡족하게 다듬는 것이야말로 나의 사명이며 그것이 내 삶의 아름다운 마무리가 될 것이라 위로하며 내 자신을 다독였다.

자손의 번성과 긴 생은 축복 중에서도 가장 큰 축복이다. 나는 이 두 가지 축복을 모두 누릴 만큼 누렸으니 하나님의 지극한 사랑에 다시 한번 고개를 숙인다. 또한 모든 축복에는 이유가 있다는 생각으로 그 축복에 합당한 삶을 살기 위해 부단히 노력하였다. 무엇보다도 43명에 이르는 나의 자손들이 모두 주님의 말씀 안에 하나가 되어 살아가고 있음을 행복으로 여긴다.

결혼 70주년에 맞춰 발간되는 이 3차 증보판을 나의 아내 한 순탄 권사에게 바친다.

2008년 8월 16일

우 형 주 장로

참고문헌

1/2부 참고문헌

1. 공동번역 성서(대한성서공회 1977)
2. 관주 톰슨성경(기독 지혜사 1984)
3. 유대민족의 역사(류태영 교수 강좌 1992.19.22)
4. 성지순례(박준서. 조선일보 1992)
5. 이스라엘 역사와 지리(이병일. 요단출판사 1989)
6. 하나님 하느님(평화신문 1993.1.25)
7. 구약 신약 성서 시대사(일본 교문관 1992)
8. 성서 핸드북(생명의 말씀사 1984)
9. 기독교사(김태환. 복음 선교회 1996)

3부 참고문헌

10. 동양 3국 역사 도표(이상시. 교보문고 1990)
11. 백제사(문정창. 인간사 1988)
12. 한 권으로 읽는 고구려 본기(박영규. 웅진출판 1997)
13. 한 권으로 읽는 고려왕조 실록(박영규. 웅진출판 1997)
14. 한 권으로 읽는 조선왕조 실록(박영규. 웅진출판 1997)
15. 한국의 카톨릭 교회사(초록)(김웅용. 1986)
16. 한국사 대관(이병도. 보문각 1972)
17. 학술원 논문집(인문사회과학편, 제42집 2004)